D0491176

Buch

Manchester, irgendwann in der nahen Zukunft.

Seltsames kündigt sich an, als der Taxifahrer Coyote nach einer illegalen Fahrt plötzlich tot aufgefunden wird. In seiner von einem Lächeln verzogenen Schnauze steckt ein Blumenstrauß, und die Shadowpolizistin Sibyl Jones stellt erstaunt fest, daß sich auch die letzten Gedanken des Opfers um Blumen gedreht haben müssen. Das ist jedoch nur der Anfang: Schon bald verwandelt sich ganz Manchester in eine blühende Gartenstadt, in welcher der Pollenflug nie gekannte Ausmaße erreicht und die Bevölkerung in den kollektiven Niesreiz stürzt. Doch als die ersten Todesopfer des unbezwingbaren Heuschnupfens zu beklagen sind, begreifen die Menschen, daß ihre Stadt in ernster Gefahr schwebt. Zu den wenigen, die gegen die Killer-Pollen offenbar resistent sind, gehören Sibyl und Boda. Gemeinsam machen sie sich zum Ursprungsort der Pollen auf, zu jener geheimnisvollen Zone außerhalb Manchesters, aus der auch Coyotes letzter Fahrgast stammte. Das Schicksal der gesamten Stadt liegt in der Hand der beiden Frauen…

Autor

Jeff Noon, geboren 1958 in Droylsden am Rande von Manchester, arbeitete im Buchhandel, bevor er mit *Gelb* über Nacht zum gefeierten Autor wurde. *Gelb* ist mittlerweile in fünfzehn Sprachen übersetzt und gilt als das *Uhrwerk Orange* der neunziger Jahre. Jeff Noon, Musiker, Maler und Bühnenautor, lebt in der Nähe von Manchester.

Von Jeff Noon bereits erschienen:

Gelb. Roman (44449)

In Kürze erscheint:

Pixelsalat. Roman (54118)

Jeff Noon

Pollen

Roman

Aus dem Englischen
von Ute Thiemann

GOLDMANN

Die Originalausgabe erschien 1995 unter dem Titel
»Pollen«
bei Ringbull Press Ltd., Manchester

Deutsche Taschenbuchausgabe 12/99
Copyright © der Originalausgabe 1995 by Jeff Noon
Copyright © der deutschsprachigen Ausgabe 1998
by Wilhelm Goldmann Verlag, München,
in der Verlagsgruppe Bertelsmann GmbH
Umschlaggestaltung: Design Team München
Umschlagmotiv: Joe Magee
Satz: Uhl & Massopust, Aalen
Druck: Elsnerdruck, Berlin
Verlagsnummer: 44408
Redaktion: Bernd Wiesner
VB · Herstellung: Sebastian Strohmaier
Made in Germany
ISBN 3-442-44408-X

1 3 5 7 9 10 8 6 4 2

Für Julie

John Barleycorn

Einst kamen drei Männer von Westen her
Um ein Ende zu machen der Not
Und diese drei Männer schwor'n den heiligen Eid
John Barleycorn den Tod.
Sie säten ihn aus und sie pflügten ihn unter
Zu tief für jedes Lot
Und diese drei Männer schwor'n den heiligen Eid
John Barleycorn war tot.
Sie ließen ihn dort in Humus und Erde
Bis es der Himmel hat regnen lassen
Und da sproß Little Sir John aus dem Boden
Und sie konnten es alle nicht fassen.
Sie holten Männer mit Flegeln und Knüppeln
Auf daß sie ihn droschen wie Spreu
Sie holten Männer mit Mistgabeln lang
Auf daß sie ihn stachen wie Heu.
Sie holten Männer mit Sensen und Messern
Auf daß sie ihn mähten von seinen Beinen.
Und der Müller, der ging noch ein gutes Stück weiter
Hat gemahlen ihn zwischen zwei Steinen.
Und Little Sir John im nußbraunen Bier
Und dem kräftigen Whiskey im Becher
Und Little Sir John im nußbraunen Bier
War doch stärker als all diese Rächer.

Anon.

Das große Niesen in Manchester
[O-Ton]
Sonntag, 7. Mai, 6 Uhr 19

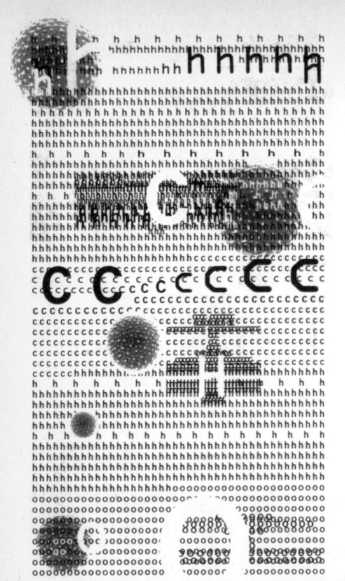

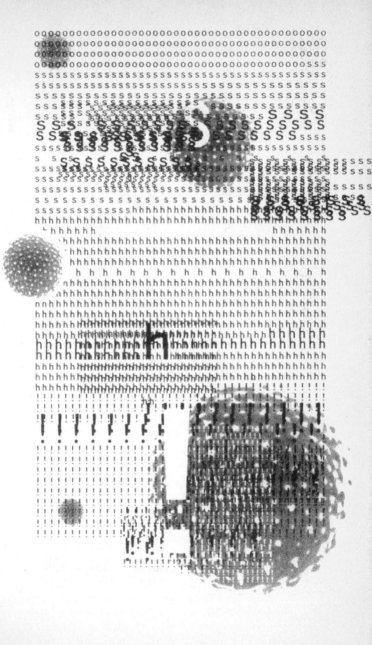

Auszug aus *Der Spiegelkrieg*
von R. B. Tshimosa

Zu den bedeutendsten Entdeckungen des letzten Jahrhunderts zählt zweifellos das Verfahren, Träume auf einem wiederabspielbaren Medium, einem mit *Phantasma*-Flüssigkeit beschichteten, biomagnetischen Band, aufzuzeichnen. Diese Befreiung der Psyche wurde, in ihrer fortschrittlichsten Form, als Vurt bekannt. Durch die Tore des Vurts konnten Menschen nach Belieben in ihre eigenen Träume zurückkehren oder, wenn auch mit größeren Gefahren verbunden, die Träume eines anderen Menschen, eines Fremden, besuchen.

Es gilt als allgemein anerkannte Tatsache, daß dieses »Portal zwischen Wirklichkeit und Traum« erstmals von der Amorphologin »Miss Hobart« geöffnet wurde, aber der wirkliche Ursprung des Vurt sowie der Methode, wie Menschen dorthin gelangten (mit Hilfe von »Traumfedern«, die in den Mund gesteckt wurden), wird wohl auf immer ein Geheimnis bleiben.

Dieser frustrierende Wissensmangel liegt im Vurt selbst begründet, denn die »Welt der Träume« entwickelte schon sehr bald ein Eigenleben. Die frühen Generationen der Erde waren sich dieses Aspekts der Erfindung weitestgehend nicht bewußt. Doch gerade diese »selbstträumende« Eigenschaft des Vurt führte schließlich zu jener Reihe von Schlachten, die wir nun allgemein unter dem Namen »Der Spiegelkrieg« zusammenfassen. Dieses Buch ist der Versuch einer objektiven Darstellung des schrecklichen Krieges zwischen dem Traum und der Wirklichkeit, eines Konflikts, in dem beide Seiten schwere Verluste hinnehmen mußten, bevor schließlich ein Sieger erklärt werden konnte.

Alle großen Theorien über Ursache und Ursprung von Kriegen lassen sich im Kern auf Gier, in ihren verschiedensten Erscheinungsformen, als Triebfeder für die Auseinandersetzungen reduzieren. Und so kam es, daß die Geschöpfe des Traums, als sie an Macht gewannen, zunehmend mit Verachtung auf die ursprünglichen Träumer herabsahen, die sie als bloße »Geschichtenerzähler« des Planeten Erde bezeichneten. Tatsächlich betrachteten die Geschöpfe des Traums ihr Phantasienreich nämlich als eine eigenständige Welt, den Planeten Vurt. Die »Vurtuellen« strebten nach Unabhängigkeit.

Ein besonders neuralgischer Punkt an der Grenze zwischen Traum und Wirklichkeit war die psychische Atmosphäre um Manchester, einer regengepeitschten Großstadt im Nordwesten von Singland (in jener primitiven Zeit noch unter dem Namen »England« bekannt). In dieser legendären Stadt trug sich auch jener Zwischenfall zu, der als *Pollinisierung* in die Geschichte einging. Dieser Zwischenfall wird heute allgemein als eins der ersten Gefechte im Spiegelkrieg betrachtet…

Montag
1. Mai

Mein Vater prophezeite mir, ich würde ebensoviele Jahre leben, wie ich Staubkörner in einer Hand halten könnte. Dementsprechend habe ich nunmehr ein so fortgeschrittenes Alter erreicht, daß mir jetzt, nachdem die Zeit meinen Körper aufgezehrt und all seiner Kraft beraubt hat, nur noch meine Stimme geblieben ist, dieser Schatten, dieser Drang zu erzählen.

Mein Name ist Jones. Eine schlichte Gabe, ungewöhnlich nur durch den Vornamen, den mein Vater mir gab – Sibyl. Sibyl Jones. Ich wurde mit dem Fluch der *Unwissentlichkeit* geboren, was bedeutet, daß ich niemals träumen konnte. Man stelle sich nur einmal vor: ein Leben des unbevölkerten Schlafes, und das in jenen Tagen, als die ganze Welt süchtig nach Vurtfedern, dem geteilten Traum, war. Der Zustand des *Unwissentlichen* ist ein genetischer Defekt; sechs Prozent der Bevölkerung werden mit dieser Behinderung geboren. Jene, die träumen konnten, nannten uns die *Dodos*, die flugunfähigen Vögel. In meiner Jugend habe ich mir den Dodo-Teil meines Körpers oft als einen Fluß aus einer dunklen, sterilen Flüssigkeit vorgestellt, der durch meine Adern strömte. Dann wieder schien ein schwarzer, hungriger Käfer in meinem Bauch zu rumoren und meine gerade geborenen Träume zu verschlingen.

Das war mein Fluch. Die Pforten zum Wunderland waren verschlossen.

Als meine Rettung erwies sich die Gabe des Shadows, die mir erlaubte, in die Gedanken anderer Menschen einzudringen. Ich war eine Headtripperin, eine Gedankenleserin, die ihr Leben aus zweiter Hand lebte. Einhundertzweiundfünfzig Jahre habe ich nun in diesem Zustand verbracht, und der Staub dringt überall ein. Jede Körperöffnung ist damit verstopft. Der Faltplan des Gehirns wird zu einem verwehten Garten aus feinem Pulver.

Es war nicht immer so.

Früher einmal war ich jung und frech und ständig feucht – sei's von Blut oder Liebe oder Schnaps – nun, es spielt eigentlich keine Rolle. Sagen wir mal so: Ich entschädigte mich für das Fehlen des Traums. Ich kostete die Prallheit des Lebens in vollen Zügen aus, ich war ein williges Opfer der Biologie. Aber leider, leider kam der Staub zu mir, früher als zu den meisten, also wurde ich vor meiner Zeit alt – mein Ehemann hat mich deswegen verlassen, meine Tochter hat mich verlassen –, bis mir nichts weiter geblieben war als der Drang nach einer nicht näher spezifizierten Gerechtigkeit. Ich wurde ein Shadowcop im Dienst der Manchester Police, half ihnen mit meinen telepathischen Fähigkeiten bei ihren Verhören. In jenen Tagen war alles wohlgeordnet; mein Leben wurde zu einem langen Kreuzzug gegen Verbrechen und Verrat, während darunter ein Strom aus Alkohol und Rauch und Einsamkeit toste. Mein Leben hatte es sich in diesem Muster der Leugnung heimisch gemacht.

Schon bald sollte alles aus dem Lot geraten.

Ich möchte dir diese Geschichte erzählen, meine Tochter, diese Geschichte aus Fragmenten, aufgelesen in Manchester: Blumen und Hunde und Träume und die zerstörten Stadtpläne der Liebe. Ich denke, es ist an der Zeit. Schon bald wird sie sterben, deine Mutter, diese Frau aus Staub, zu der ich mittlerweile geworden bin. Bitte hör aufmerksam zu. Dies ist meine Geschichte, deine Geschichte; mein Schatten, dein Schatten, mein getrieben treibendes Leben, mein Buch, mein sibyllinisches Buch…

Coyote ist der beste Taxifahrer aller Zeiten. Er hat für weniger Geld, mit weniger Scherereien, weniger Scheiße auf der Windschutzscheibe, mit geschickteren Manövern am Steuer, gekonnterer Ausnutzung des Stadtplans, mit weniger Unfällen, weniger Verfahrerei, weniger Beschwerden, weniger Reklamationen, mit mehr *gravitas* und mit weniger davongetragenen Narben mehr Leute über mehr Abkürzungen und verbotene Straßen mehr Meilen zu merkwürdigeren Orten befördert, als irgendein anderer Fahrer sich das auch nur in seinen kühnsten Träumen hätte vorstellen können.

Zwei Minuten vor vier in der Früh, am 1. Mai, und die Welt um ihn herum flattert; dunkle Vögel mit Schwingen aus Ruß, schwarze Wiesen und Felder und ein erblindeter Mond. Außerdem fängt es jeden Moment an zu regnen. Heftig. Das macht nichts; Coyote ist ein Spitzenhundefahrer, und im Moment läuft ihm der Geifer von den Lefzen bei dem Gedanken an köstliches Fleisch, eine goldene Fuhre, ein großes, saftiges Muskelstück aus Geld.

Fleisch und Geld: Zwillingsträume, ein Weg, um Schulden zurückzuzahlen.

Und von denen hat Coyote weiß Gott genug. Schulden bei der Bank, Schulden beim Gericht, Schulden bei dem kleinen Mädchen am Ende der Straße. So nennt er seine Tochter, ein niedliches Kind, das er hin und wieder besucht und dessen Mutter – Coyotes Ex-Frau – beständig mehr Unterhalt fordert. Es macht Coyote nichts aus zu zahlen, im Gegenteil, er zahlt gern: Das Problem ist nur, daß er momentan leider kein Geld hat.

Jedermann, überall – alle wollen sie Geld.

Coyote ist da keine Ausnahme. Aber er will ja gar nicht viel. Gerade genug würde ihm schon völlig reichen. Gerade genug, um seine Schulden zu bezahlen und dann noch etwas übrig zu haben. Denn er hat da diesen stillen Wunsch, sich vielleicht eines schönen Tages ins sonnige Pleasureville abzusetzen. Er könnte dort ein Taxiunternehmen gründen, in seinem Büro sitzen und zuschauen, wie das Fahrgeld in sein System strömt. Er könnte zur Abwechslung mal das Leben eines Rassehundes genießen. Zum ersten Mal seit Jahren hat Coyote wieder angefangen, an die Zukunft zu denken. Wenn er nur etwas Startkapital, ein paar vergrabene *Knochen* zusammenkratzen könnte. Er hatte sich eigentlich geschworen, nie wieder in den Limbus zurückzukehren, aber dieser Tage sind die einträglichen Fuhren nun mal dünn gesät.

Coyote wartet gerade auf diese große, saftige Fuhre, bestellt vor zwei Tagen, Zeit und Ort genauestens festgelegt; Bezahlung am Zielort. Er weiß, daß die meisten der regulären Fahrer auf Vorauszahlung bestehen, aber Coyote ist altmodisch. Deshalb fährt er auch ein schwarzes Taxi. Bei ihm läuft sogar noch der Original-Taxameter. Natürlich auf seine speziellen Bedürfnisse hin umgebaut, aber trotzdem – so was sieht man sonst nicht mehr. Coyote ist *einzigartig* und ziemlich stolz darauf. Das Problem ist nur, daß Einzigartigkeit nach einer Weile sehr einsam machen kann.

Die Zeitanzeige seiner Armaturenbrettuhr zwinkert ihm zu. Es ist 4 Uhr 2 in der Früh. Der Fahrgast verspätet sich. Dickbäuchige Wolken brauen sich über dem Moorland zusammen, wie die ersten Regungen eines feuchten Traums, und noch immer ist keine Spur von dem Fahrgast zu entdecken. Coyote wird langsam nervös. Nicht wegen des dräuenden Regens; Coyote hat schon Fahrgäste durch Wirbelstürme befördert. Auch nicht wegen der Dunkelheit um ihn herum. Ganz im Gegenteil, er mag die Dunkelheit. Dieser Tage sind seine meisten Fuhren höchst illegal, und daher lautet die Regel: Je dunkler, desto besser. Das Morgengrauen rückt immer näher, und wenn der Fahrgast sich nicht bald zeigt, dann wird Coyote die ganze Sache abblasen, und damit hat es sich dann. Zeit ist Coyotes größter Feind. Zeit ist da, wo das Tageslicht lebt, und genau dort leben auch die Cops; dort sitzen sie auf ihren fetten, trägen Hintern und warten verzweifelt darauf, daß irgendein Außenseiterhund wie Coyote vorbeibraust kommt und die Regeln bricht. Wäre nicht das erste Mal, daß er das tut – Coyote lebt dafür, die Regeln zu brechen, das ist seine Mission –, aber eines achtlosen Tages war er dabei erwischt worden und bezahlt jetzt immer noch die Strafe dafür ab. Er will die Strafe ja auch bezahlen – das ist der Mensch in ihm. Aber andererseits ist es auch keine Erfahrung, die er wieder machen möchte. Das Problem ist nur, daß er nicht damit aufhören kann, die Regeln zu brechen. Das ist der Dalmatiner in ihm.

Es wohnen zwei Seelen in Coyotes Brust.

Er drückt seine Napalm-Zigarette im Aschenbecher des Armaturenbretts aus, greift sich eine neue Schachtel aus dem Handschuhfach, steigt aus dem Taxi, reißt mit seinen Krallen die Zellophanhülle auf, lehnt sich gegen das Taxi und schaut eine Weile den tanzenden Wolken zu. Im fahlen Dämmerlicht sieht das Moor aus, als wäre es lebendig. Coyote ist nervös; er ist der einzige Hundemann im Umkreis von etlichen Meilen, und die Zombies versammeln sich um ihn herum auf den Feldern der Nacht. Er weiß, daß das Moor der Limbus diesen halbtoten Ungeheuern gehört, aber hier kann man eben auch die einträglichsten Fuhren abstauben. Soll sich der Spitzenhundefahrer diese Gelegenheit durch die Lappen gehen lassen? Nervosität hüpft kribbelnd wie Flöhe über seine Haut, und mit einem Mal ist der Anblick dieser toten Weiten einfach zuviel für ihn; er braucht menschliche Gesellschaft, muß Stimmen hören. Er greift ins Taxi, um den Zündschlüssel herumzudrehen, und streichelt dann das Radio. Wie gewöhnlich ist FM Dog National eingestellt. Das weichgespülte Geheul der Dog Jockeys und all die Platten, die sie spielen – Knochen mit Zuckerkruste, gesungen von niedlichen jungen Hündinnen – sind nichts für seine momentane Stimmung. Er braucht etwas Menschlicheres, etwas, das die *menschliche* Seite seiner Seele anspricht. Er beugt sich durch das heruntergelassene Taxifenster und dreht an einer Skala, bis er Radio YaYa findet. Die ausklingenden Takte eines Liedes aus grauer Vorzeit werden zu einer tiefen, trägen Stimme, so ausgedörrt wie die Erde, auf der Coyote jetzt steht…

»Und das war The Traffic mit ›John Barleycorn Must Die‹, einem urgewaltigen Folkrock-Lobgesang auf die unerschöpfliche Erneuerungskraft von Mutter Erde, dargebracht anno neunzehnhundertneunundsechzig. Ein wahrlich gutes Jahr, und war das nicht ein gar liebliches Flötenspiel in dem Stück, Leute? Hier ist der gute Gumbo höchstpersönlich, und ich möchte diesen neuen Tag, den 1. Mai, den Tag der Fruchtbarkeit, mit dem Wunsch beginnen, John Barleycorn möge hochleben. Solange er seine Pollenfinger aus der Nase dieses alten Hippies heraushält. Es ist vier Minuten nach vier, und die Pollenmessung für heute zeigt stete 49 Körner pro Kubikmeter. Heute ist Tag eins der Niessaison, also hier Gumbo YaYas Rat an alle seine Zuhörer: Haltet eure Nasenlöcher sauber. In der nächsten Stunde gibt's für euch die offiziellen Nachrichten von Wanita-Wanita und dazu natürlich wieder all die Dinge, die die Behörden euch verschweigen wollen. Gerade deshalb liebt ihr den Gumbo ja so heiß und innig. Und jetzt eine flotte Scheibe von sechsundsechzig, ›Are You Experienced‹ von The Jimi Hendrix Experience. Laß die Gitarre für mich klingen, Jimi… Ya Ya!«

Das ist genau das richtige. Coyote würde am liebsten laut mitheulen. Gumbo YaYa ist der DJ eines Piratensenders und serviert seinen Zuhörern eine Kost aus Sechziger-Jahre-Klassikern und geheimen Informationen, die er aus den Datenbanken der Cops gestohlen hat. Gumbo YaYa ist ein anarchischer Gauner, der eingeschworene Feind jeder Form von Obrigkeit, und das ist ganz im Sinne von Coyotes Psyche. Coyote läßt also das Radio spielen und schaltet die Scheinwerfer des Taxis ein. Sie schneiden zwei schwache gelbe Lichtbahnen in die Dunkelheit und beleuchten eine riesige, aber verdorrte Eiche. Coyote zieht tief an seiner Lulle und liest den Hinweis auf der neuen Schachtel: Rauchen lässt dich cool wirken – der Image-Berater Seiner Majestät. Coyote ringt sich ein schwaches Grinsen ab, nur um die Furcht in Schach zu halten, dann schaut er wieder zu den Wolken hoch.

Coyote liebt den Regen. Der Regen erinnert ihn an die Straßen von Manchester. Und er liebt seine Napalms. Aber am allermeisten liebt er sein schwarzes Taxi.

Solche Taxis kriegt man heutzutage nicht mehr, nicht seit die Xcabs auf der Bildfläche erschienen sind. Xcabs! Mit ihren computerisierten, superschicken, voll gepanzerten Schlitten und der glänzenden gelb-schwarzen Lackierung. Entworfen von Buchhaltern, gelenkt von geistig Zurückgebliebenen. Xcabs waren die modernen, selbsternannten Ritter der Straße, und es rankten sich tausend Gerüchte um sie. Coyotes Instinkte sagten ihm, daß die meisten dieser Gerüchte wahr waren. Zum Beispiel, daß man den Fahrern jegliches vorherige Lebenswissen entfernt und sie statt dessen mit Roboimplantaten und einem umfassenden Wissen über Straßennamen und -verläufe ausgestattet hatte. Daß das zentrale Leitsystem von einer nebulösen Taxigestalt überwacht wurde, die sich selbst Columbus nannte. Daß vorn an den Taxis Gewehre montiert waren, direkt neben den Scheinwerfern. Daß die Fahrer über hellseherische Fähigkeiten verfügten und wußten, daß man ein Taxi wollte, noch bevor man selbst es wußte. Wenn man heutzutage ein Taxi rief, tauchte keine Minute später ein Xcab auf, garantiert.

Aber nicht so Coyote. Er ist ein echtes Antik-Szenario. O Gott, wie er diese Xcabber haßt.

Er tritt seine Zigarette auf dem Sandweg aus. Zündet sich sofort eine neue an, weil er ganz plötzlich an Boda denken muß. Boda ist eine Xcab-Fahrerin, und sie und Coyote sind sich ein paarmal nächtens in Imbißstuben begegnet und haben sich unterhalten. Coyote mußte sein Bild von den Xcabbern etwas korrigieren – Boda war in Coyotes Augen ein wahrer Schatz. Sie war ein funkelnder Diamant, etwas, wonach er immer gesucht hatte. Coyote war von ihr geblendet, besonders, als sie sich ein Lied für ihn ausdachte, einfach so, dort in dieser nächtlichen Imbißstube, und beim Klang ihrer rauchigen Stimme sträubte sich ihm das Fell in einem wohligen Schaudern. Sie hatten sich unterhalten, bis die Straßenlaternen erloschen, und es kam Coyote so vor, als würde die Xcabberin geradewegs in seinen Kopf eindringen und dort direkt zu ihm sprechen. Es war so, als hätte er keine Geheimnisse mehr. Es kam ihm in den Sinn, daß sie vielleicht ein Shadowmädchen war, aber er traute sich nicht, sie zu fragen. Denn schließlich waren doch Hunde und Shadows eingeschworene Feinde, oder nicht? Und außerdem, hieß es nicht, die Fahrer lebten nur für den Xcab-Stall und sonst nichts? Warum unterhielt sich diese atemberaubende Vertreterin jener Gattung dann bloß mit ihm? Und warum drangen dann Spuren von Shadow in Coyotes Verstand ein? Die Xcabs hätten diese unberechenbaren Eigenschaften doch sicher ausgelöscht. Er konnte allerdings die Angst in ihren Augen sehen, während sie sich mit ihm unterhielt, so als würde sie gegen irgendeinen geheimen Kodex verstoßen. Also hatte Coyote in diesem Punkt lieber seine Schnauze gehalten und die Xcabberin statt dessen mit Geschichten von seinen Abenteuern mit dem schwarzen Taxi vollgelabert. Was Boda mächtig zu gefallen schien; sie hatte jedenfalls versprochen, ihm gelegentlich mal einen Auftrag zuzuschanzen, Fahrten, die für die Xcabs illegal waren. Xcabs durften nämlich keine Fuhren außerhalb der Stadtgrenzen annehmen.

Das ist auch der Grund, weshalb Coyote jetzt hier in der immer fahler werdenden Dunkelheit steht und mitten in der Pampa auf einen Fahrgast wartet. Boda hatte ihm eine Telefonnummer zugesteckt, und als er dort anrief, hatte er von einer dunkelzungigen

Stimme folgende Anweisung erhalten: *Fahren Sie zum Floating Pig, fahren Sie daran vorbei, biegen Sie in den zweiten Feldweg auf der linken Seite. Von dort fahren Sie dreihundert Meter bis zu einem verdorrten Baum. Warten Sie dort um vier Uhr früh. Warten Sie eine Viertelstunde. Wenn niemand kommt, hauen Sie wieder ab. Alles verstanden?*

Er hatte alles verstanden. Jetzt steht er hier in der Gegend herum und wartet, während der Morgen in einem orangefarbenen Minikleid seinen großen Auftritt hat. Warum war Boda nur so nett zu ihm? Coyote fiel keine Antwort darauf ein. Es war schon Ewigkeiten her, seit Güte aus seinem Napf gefressen hatte. Warum gerade jetzt? Er hatte nichts weiter tun können, als sich mit einem Kuß bei ihr zu bedanken und dann zu seinem Treffpunkt aufzubrechen. Aber dieser Kuß hatte etwas in ihm wachgerufen, eine Erinnerung an die schönen Zeiten, die längst vergangen waren, und jene, die noch kommen würden, wie der Meilenstand auf dem Zähler eines schwarzen Taxis; Schnellstraßen, Schleichwege und Sackgassen.

Zu seiner Rechten ertönt ein Geräusch, jenseits des Lichtkegels seiner Scheinwerfer. Er dreht sich um, kann aber nichts sehen, außer dem ausgedörrten Gras, das in trägen Wellen wogt, wie geschwollene Zungen in der Nacht. Er reckt schnüffelnd die Schnauze hoch, saugt die ganze Landschaft in seine Nase ein. Er wittert den Ozonbaß der Regenwolken und die beißende Mittelstimme der Sterilität des Grases und der Erde und eine hohe, trillernde Note, die er nicht zuordnen kann. Aber nichts Gefährliches, nichts Menschliches oder Halbmenschliches. Noch nicht.

Er lehnt sich gegen die Fahrertür, die Zigarette im Mundwinkel, und lauscht Gumbo YaYas Ansage für die nächste Scheibe, während er die sich zusammenbrauenden Wolken beobachtet und dabei an seine Tochter denkt und an Taxifahrerin Boda und an die Zeit und daran, wie alles den Bach runtergeht, für ihn und für alle anderen, all seine sogenannten Freunde, die die dicke Kohle scheffeln, *wenn nicht endlich dieser Scheißfahrgast auf der Bildfläche erscheint!*

Er raucht die Napalm bis zum Filter runter, wirft sie dann weg. Sie glüht noch einen Moment lang, beleuchtet einen kleinen Flecken Erde. Die Erde in dieser Gegend war nur einen kleinen Schritt vom völligen Tod entfernt, seit das Böse Blut gefallen war. Thanatos, hatten die großen Zeitungen es genannt. Die Revolverblätter hatten es als die Große Schlappe oder Ex oder das Dörren bezeichnet. Herrgott! Spielte das wirklich eine Rolle, wie sie es nannten? Die Welt jenseits der Städte war eine Wüste der Träume. Hier draußen, weit entfernt von den Städten, regnete es vielleicht einmal alle sechs Monate, und es hielten sich hartnäckig die Gerüchte, daß es in dieser Ecke der Welt *Löcher* gäbe. Und natürlich traf es gerade Coyote, über dunkle Straßen durch diese Gegend zu kurven, möglicherweise noch mit irgendeinem zwielichtigen Fahrgast. Das heißt, so er denn überhaupt noch auftauchen sollte. Es war jetzt zehn nach vier, und noch immer war keine Spur von ihm zu entdecken. Manchmal schien es Coyote so, als wäre Manchester der letzte nasse Flecken auf der Welt, und dann regte sich in ihm sofort die Sehnsucht nach den feucht schimmernden Straßen jener Stadt. Er verflucht die Tatsache, daß er hier draußen festsitzt, vielleicht für nichts und wieder nichts wartet, nur aufgrund irgendeines dummen Gerüchts, das Boda aufgeschnappt hatte. Vielleicht gab es hier gar keine Fuhre. Das einzige legale Transportsystem, das den Limbus befährt, sind die riesigen Monster-Trucks von Vaz International auf ihrer Tour von Stadt zu Stadt. Coyote war auf der Fahrt zum Treffpunkt einem von ihnen begegnet: ein gigantischer Moloch aus Feuerkraft und Flutlichtscheinwerfern, ein kreischendes Stahlungetüm in der Nacht, das Coyote so erschreckt hatte, daß er beinahe sein schwarzes Taxi in der Dunkelheit gegen einen Baum gesetzt hätte. Diese Straße ist nicht einmal auf den offiziellen Stadtplänen verzeichnet. Natürlich gibt Coyote nicht viel auf offizielle Stadtpläne. Er hat die Welt abrufbereit in seinem Kopf. Wie ein Hund, der an Laternenpfähle pinkelt, markiert Coyote sein Revier im Vorbeifahren.

Coyote ist sein eigener Stadtplan.

Er hebt seine Schnauze in den Wind, nimmt die Witterung des Regens auf und schaut dann auf seine Uhr.

4 Uhr 12.

Die Sonne schimmert rosa an den Rändern seiner Welt. Der Tagesanbruch nähert sich mit Riesenschritten, und wenn Coyote seinen Fahrgast nicht binnen der nächsten Stunde abliefert, dann könnte er sehr wohl hier stranden, durch Limbusland kutschieren und Zombies und anderen unerwünschten Elementen Freifahrten geben. Kam gar nicht in Frage. War dem Fahrgast denn nicht klar, daß Zeit Tod war? *Es kam auf die Sekunde an…*

In der Ferne schrie etwas: ein abscheuliches Kreischen, ein schriller, kratzender Laut, wie Sand unter dem Augenlid.

Coyote steckt sich eine neue Napalm an, inhaliert den Rauch tief und läßt seinen Blick dann über das Moor schweifen, hält wachsam Ausschau nach den Parasiten. Zumeist wurden sie Zombies genannt, gelegentlich die Gespenster, manchmal auch die Halblebendigen. Wie die meisten Dinge dieser Tage hatten sie viele Namen. Und der Limbus war der Ort, an dem sie lebten, aber nicht aus freien Stücken. Strikte Gesetze untersagten ihnen den Aufenthalt in Ortschaften und Städten. Und so waren diese ausgetrockneten Weiten aus zerklüftetem Fels und windgepeitschter Erde ihr Nistplatz geworden. Aber sie konnten der Wärme menschlicher Gesellschaft nicht widerstehen, und die wenigen Fahrzeuge, die vorbeikamen, boten ihnen die perfekte Gelegenheit, sich als illegale Anhalter zurück nach Hause zu schmuggeln. Coyote macht sich deswegen keine Sorgen. Er hat eine Menge Hund in sich, und an einem guten Tag ist ein Hund einem Zombie allemal überlegen. Trotzdem war es besser, ein wachsames Auge und ein ebensolches Nasenloch offen zu halten.

Er schaut abermals auf seine Uhr. 4 Uhr 15. Die Sonne ist jetzt eindeutig aufgegangen und hastet an den Rändern der Nacht entlang. Vielleicht ist es an der Zeit, die Fuhre in den Wind zu schreiben? Hatte die Stimme nicht gesagt, er solle bis Viertel nach vier warten und dann wieder verschwinden? Jetzt regnet es auch noch. Das ist mal wieder typisch. Jetzt regnet es auch noch. Das ist mal wieder typisch. Es regnet zweimal im Jahr, aber Coyote gerät natürlich in einen Schauer. Aber es ist nicht die Manchester-Art von Regen, sondern eher eine zähflüssige Flut; es sieht so aus, als würde es ein ordentlicher Guß werden. Wieder hallt ein Schrei durch die Dunkelheit. Es gibt eine Grenze, wie viele furchteinflößende Schreie in der Nacht ein Hundejunge ertragen kann. Coyote legt seine Pfote auf den Türgriff, setzt an, ihn herunterzudrücken.

Aber horch doch mal… horch und wittere. In diesem Moment, an der Schwelle eines neuen Tages… steigt ihm der Duft von Blumen in die Nase.

Blumen! In diesem Winkel der Welt? Mitten im Moor? Es ergibt einfach keinen Sinn. In diesem bazillenverseuchten, fauligen Boden kann nichts wachsen. Böses Blut war auf diesen Landstrich herabgeregnet.

Also, was genau ist das für ein Aroma?

Petunie. Jasmin. Rosmarin. Primel. Noch mehrere andere Düfte damit vermischt, verwoben – seine gewöhnlich allwissende Nase ist außerstande, die verschiedenen Elemente zu unterscheiden. Der Geruch läßt seine Nase kribbeln, bringt ihn fast zum Niesen. Coyote leidet an Heuschnupfen, jedes Jahr, ohne Ausnahme. Wird es diesmal eine heftige Saison werden?

An der Eiche rascheln die Blätter. Etwas Dunkles schiebt sich zögernd in Coyotes Blickfeld. Scheiße, die Eiche hatte keine Blätter, da war Coyote sicher. Was also raschelte da?

Zwei Menschen treten aus dem Nebel. Ein Mann und ein Kind. Der Mann trägt einen großen Sack. Die beiden riechen nicht wie Zombies; das ist Coyotes erste Reaktion. Sie duften wie ein Garten, eine ungebändigte, regengetränkte Wildnis.

Das Kind versteckt sich unter einem extralangen Anorak, die Kapuze übergestülpt, die Kordeln fest zusammengezogen, so daß man nichts von dem kleinen Mädchen erkennen kann, außer den Augen. Augen, die wie funkelnde Smaragde inmitten der Kapuzen-Dunkelheit strahlen.

Coyote weiß, daß das Kind ein Mädchen ist, vielleicht zehn oder elf, gerade an der Schwelle zur Pubertät. Er kann es am Geruch erkennen, dem Jungmädchengeruch. Der Duft ist lieblich und leicht, eine Erlösung gegen den Geruch des Regens, der säuerlich und ätzend in der Luft hängt. Der Regen läßt Coyotes Fell glitschig an seinem Körper kleben. Coyote hat das unangenehme Gefühl, daß diese Leute den Regen mitbringen. Er kann die Blumen jetzt ganz deutlich und stark riechen. Der Geruch dringt in seine Nasenlöcher, wie eine Invasionsmacht. Coyote niest. Er tritt seine Lulle mit dem Fuß aus, stampft sie in den nassen Matsch, öffnet die Taxitür, steigt ein und stellt den guten Gumbo ab.

Coyote weiß, was sich gehört.

Das Mädchen steigt hinten ins Taxi ein, läßt sich auf die Kunstledersitzbank plumpsen. Der Mann klopft mit einer Hand auf die Kofferraumhaube und verlangt, daß ihm aufgetan werde. Coyote zieht am Öffnungshebel, dann fühlt er, wie das Taxi leise unter der zusätzlichen Last des Sacks ächzt. Der Mann kommt nach vorn und tritt an Coyotes Fenster. Sein Gesicht mutet an, als wäre es aus Ruß geformt. »Sie hat das Fahrgeld«, erklärt er. Seine Stimme klingt wie Schlamm, der an einem regnerischen Tag aufgewühlt wird. »Wissen Sie, wo sie hin will?«

Coyote nickt nicht einmal, er ist zu sehr damit beschäftigt, seine Nasenlöcher mit *Sneeza Freeza* einzuschmieren. Mit seiner nicht klebrigen Hand schaltet er den Taxameter ein, das Flaggengeld. So nannten die Taxikutscher früher den Grundpreis. Das stammt noch aus der Zeit, als der Mechanismus eine grüne Plastikflagge herabsenkte, um anzuzeigen, daß das Taxi besetzt war. Coyote nennt es noch immer so, obgleich es die grüne Flagge längst nicht mehr gibt: So ist er halt. Der Taxameter erwacht grün und leuchtend zum Leben: 3,80. Standardpreis, ein Fahrgast. Er drückt den Extras-Knopf für das Sackgepäck. Auf der Anzeige erscheinen 0,60 für das Gewicht. Dann drückt er den Knopf mit der Aufschrift L für Limbus, und auf der Anzeige leuchten coole 400,20 auf, sein Preis für eine Abholung außerhalb der Stadtgrenzen. Limbusfahrten sind äußerst riskant, und Coyote findet, daß er jeden Penny wert ist.

»Alexandra Park, Manchester«, sagt der Mann. »Haben Sie das verstanden?«

Coyote ignoriert ihn einfach.

Schwarzes Taxi ist schon eine Schönheit; man muß nur mal hören, wie der alte Motor schnurrt! Coyote spürt, wie die gebündelte Kraft anspringt. Das Wissen. So nennen es die Fahrer – das

Wissen von allen Straßen: wo sie liegen, wie gefährlich sie sind, was in den dunklen Schatten auf der Lauer liegt. Coyote spult es bereits ab.

Die Hinterräder spucken eine Matschfontäne in die Luft, als er anfährt. Der Mann hält sich noch immer an der Tür fest. Vielleicht fängt er sich an diesem Tag ein paar Reibungsverbrennungen ein.

Aber wen interessiert das auch nur einen Scheißdreck?

4 Uhr 22.

Der Tag hat schon begonnen, bald wird es hell sein; jetzt wird es noch schwieriger werden, sich an den diensttuenden City Guards vorbeizustehlen; sie werden alle hereinkommenden Fahrzeuge nach Zombies durchsuchen. Coyote muß auf der Hut sein, muß sich vielleicht durch ein verborgenes Hintertürchen in Frontier Town hereinschleichen. Es kann nicht viele Stadtbewohner geben, die über Coyotes Wissen um verborgene Straßen nach in und aus dem Limbus heraus verfügen. Früher einmal hat er Vurtfedern eingeschmissen, damit sie ihm beim Fahren halfen. Aber irgendwann wurde ihm klar, daß er dabei den Biß verlor. Heutzutage fährt Coyote nackt, federlos. Die Scheinwerfer des Taxis beleuchten flüchtige Bilder von toten Bäumen und ausgebrannten Autokadavern. Coyote fährt, als wäre er selbst ein Zombie, eins mit dem Wissen um die Realität und ihren Schatten.

Zombies waren der Fluch im Leben jedes Fahrers. Coyote hatte nachts in den Imbißstuben Geschichten über Wagen gehört, die man im stinkigen Straßengraben irgendeiner dunklen Gasse in Manchester gefunden hat, die Leichen der Fahrer eingeklemmt auf den Sitzen, die Hände noch immer um das Lenkrad geklammert. Es gab die verschiedensten Geschichten über den Zustand der Leichen. Daß man ihnen alle Zähne herausgebrochen hätte. Daß man ihnen die Köpfe abgetrennt und diese dann auf der Motorhaube plaziert hatte, wie der Spirit of Ecstasy eines Rolls Royce. Daß man ihre Genitalien im Benzintank gefunden hätte. Coyote weiß nicht, was er glauben soll. Alles, was er will, alles, was er kann, seine einzige Begabung besteht darin, Leute von einer Adresse zur nächsten zu kutschieren, ob nun in Manchester oder im Limbus. Und jetzt tut er genau das, treibt sein Lieblingsspiel: Er chauffiert einen unbekannten Fahrgast nach Manchester, brettert mit Vollgas auf die schmale Lücke zu, die auf eine Landstraße führt, welche ihn wiederum zurück ins Herz des Geschehens bringt. Vielleicht wird diesmal der Traum wahr werden, und Pleasureville erwartet ihn schon hinter der nächsten Biegung. Wenn es ihm nur gelingt, diesen Fahrgast heil ans Ziel zu bringen.

4 Uhr 41.

Die Uhr am Armaturenbrett schimmert leuchtend grün. Sie erinnert Coyote an die Augen seines Fahrgasts. So vollkommen rein. Er dreht sich ein Stück im Sitz herum, um durch das Drahtgitter zu sprechen: »Was in Manchester, Miss?« Die Frage kommt als ein heiseres Knurren heraus, weil der Coyote ein Halbhund ist, und so spricht er nun mal, formt menschliche Worte mit einer Hundezunge.

Das junge Mädchen antwortet nicht.

Coyote versucht es noch einmal: »Sie Ausweis?«

Immer noch keine Antwort. Auch egal; Coyote wußte längst, daß es eine illegale Fuhre war.

»Gurt an?«

Wieder keine Antwort. Aber als er sich nach hinten umdreht, kann er sehen, daß die Gurte sich um den jungen Leib spannen. »Wetter schlecht«, versucht er es erneut. »Jahreszeit?«

Das junge Mädchen auf dem Rücksitz zieht die Anorakkapuze tiefer in ihr Gesicht.

Na schön, dann ist sie eben keine Plaudertasche. Sie wird trotzdem mit Coyotes Stimme leben müssen, sei's drum. Coyote unterhält sich für sein Leben gern mit seinen Fahrgästen.

»Wie Name, Kleine?« fragt er.

Vielleicht wird sie nicht antworten. Es dauert volle zehn Sekunden oder sogar länger, dann sagt sie schließlich: »Sie können mich Persephone nennen.« Ihre Stimme ist süß und klebrig. Wie ein Klacks Honig.

»Persephone. Name hübsch«, erklärt Coyote ihr.

Keine Antwort.

Nur das leise Raunen schwarzer Bäume zu beiden Seiten der Straße. Hin und wieder lugt der Mond hervor, ein stummes Gesicht hinter den Wolken. Aber die Sonne geht auf, und Coyote fährt darauf zu. Vielleicht lassen ihn die Zombies bei dieser Fuhre in Frieden; diese Halblebendigen hassen das Sonnenlicht. Das Prasseln des Regens auf der Windschutzscheibe. Der Blumenduft, der vom Rücksitz herüberwabert. Die Luft ist stickig. Coyote spürt, wie sich ein gigantischer Nieser anbahnt. *Dieser Heuschnupfen wird mich noch ins Grab bringen.*

Während seine Hundeaugen angestrengt auf die Straße starren, damit er sicher durch den sintflutartigen Regen steuern kann, kommt ihm unvermittelt Bodas liebliches Gesicht in den Sinn. Er läßt sich von der Vision zurückziehen, zurück zu seiner Wohnung in Fallowfield. Dann spürt er plötzlich dieses Kribbeln; das Fell in seinem Nacken sträubt sich. Gleich wird irgend etwas schiefgehen, das weiß er. Coyote schaut sich rechts und links um, sucht den Ärger. Entdeckt nichts. Dann hört er einen lauten, klatschenden Schlag vom Fond des Taxis, und das kleine Mädchen fängt an zu schreien.

Coyote schaut in den Rückspiegel, sieht aber nur Dunkelheit und das Mädchen, das ängstlich vom linken Seitenfenster wegrutscht. Er dreht den Kopf nach hinten um, und seine Nase wittert Übles. Er kann nicht sehen, was es ist. *Was zum Henker war das?* Coyote wendet seine Schnauze blitzschnell wieder nach vorn und sieht gerade noch, wie die Hecke auf ihn zukommt. Er schaltet auf Hyperhundmodus, reißt gekonnt das Lenkrad herum und schwenkt das Taxi wieder auf die blinkenden Katzenaugen zu. Etwas kracht gegen die Windschutzscheibe.

Verdammt!

Das Gesicht eines Zombies, plattgedrückt gegen die Scheibe.

Jetzt hat Coyote zwei von ihnen auf dem Hals, einen hinten, einen vorne, und der Gestank von Halbleben läßt ihn würgen. Der Zombie vorne stiert ihn an. Sein Gesicht ist aufgesprungen und zerfurcht, Regen glänzt feucht auf den schwarzen, herabbaumelnden Hautfetzen. Rote Augen starren Coyote an, erfüllt von hungriger Freßgier. Das Mädchen auf dem Rücksitz stößt einen erstickten Laut aus. Der Hundefahrer brüllt sie nur an, sie soll sich vom Fenster fern-halten, aber der Motorhaubenjockey hat bereits einen Finger um den Türgriff gekrallt.

Du hättest niemals Vurt einschmeißen sollen, du verrückter Hund!

Der einzige Weg vorwärts ist vorwärts, also tritt Coyote das Gas-pedal bis zum Bodenblech durch, verwandelt die Welt in einen ver-wischten schwarzen Schemen. Aber der Motorhaubenjockey läßt sich nicht abwerfen. Seine andere Hand hämmert jetzt gegen das Fahrerseitenfenster. Wäre an sich ja nicht schlimm, wenn er nicht einen Stein in seiner Klaue hätte. Coyote reißt das Lenkrad nach links und dann mit einem Ruck wieder nach rechts, fährt jetzt auf allen vieren, wie ein wahrer Hund. Aber dieser Zombie ist ein er-fahrener Anhalter. Der Stein kracht in einem ausholenden Bogen gegen die Scheibe und läßt ein Netzwerk aus Sprüngen erblühen. Ein weiterer Schlag, und die Scheibe kapituliert. Eine Glasscherbe bohrt sich in die Wange des Taxihundes. Kein Schmerz, noch nicht, nur das überwältigende Gefühl von angekratztem Stolz. *Das ist meine Scheibe, du Limbussack! Nimm deine Drecksfinger von meinem Leben!* Coyote nestelt an der Verriegelung, dann stößt er die Tür mit Wucht auf, so daß sie an einer gut geschmierten Angel auffliegt und den Zombie mit sich reißt. Das Drecksding kracht gegen das Chassis des Taxis, und dann schwingt die Tür wieder zu. Coyote versetzt ihr noch einen Stoß, aber die Klauen von dem Zombiesack umklam-mern noch immer den Türgriff. Coyote zieht die Tür mit einem Ruck zu. Der Zombie preßt sein kaputtes Gesicht gegen das einge-schlagene Fenster. In der Zwischenzeit wühlt Coyote mit einer Pfote im Handschuhfach. *Wo, zum Henker, habe ich das Ding bloß hinge-steckt?* Der Zombie reckt seine gierig schnappenden Kiefer ins Taxi. Ein weiterer dumpfer Schlag, diesmal von hinten, wo der andere Zombie das linke Rückfenster bearbeitet; ein erster Sprung zieht sich durchs Glas. Das Mädchen schreit.

Von den Zähnen des Motorhaubenjockeys trieft Geifer, und seine Klauenhand greift ins Taxi; lange, seit Jahren wildwuchernde Fin-gernägel krallen sich wütend in Hundefleisch, hinterlassen blutige Kratzer. Endlich findet Coyote, wonach er gesucht hat, und dann hebt er seine freie Hand zum Gesicht des Zombies. Für den Bruchteil eines Moments starrt er tief in ein Paar monströser Augen, dann drückt er ab. Die Taschenknarre geht mit einem lieblichen Knall los; eine kleine Feuerzunge schießt aus den Fingern eines Taxihundes hervor. Heißes Zombiefleisch spritzt nach allen Seiten und landet prasselnd auf Coyotes Gesicht, während er die Knarre auf den Boden des Taxis fallen läßt, nur um gleich darauf, nachdem der Rauch sich verzogen hat, in eine zertrümmerte Nase und ein einzelnes klares, triefendes Auge zu starren. Das andere Auge ist ein verlaufender Brei aus Blut und Glibber. Der Motorhaubenjockey klammert sich immer noch fest, hängt mit krallengleichen Fingern am Türrahmen und brüllt haßerfüllte Botschaften heraus, während sein brennendes Gesicht weiter nach dem Hundemann schnappt.

Coyote tut das einzige, was er tun kann, er reißt seine Schnauze auf –

Himmel! Hiernach brauche ich dringend ein Bad!

– und schlägt seine Zähne tief in das malträtierte Gesicht des Zombies. Er hat das befriedigende Gefühl von Fleisch in seinem Maul, selbst wenn es der Geschmack des Todes ist, den er da von den Knochen fetzt. Zwei kurze Sekunden lang ist Coyote ganz Hund, während sich seine mächtigen Kiefer um das Blut und das Fleisch und den Schmerz und die Zeit und den Gestank eines miesen Tages in einem miesen Leben schließen, bis das ohrenbetäubende Donnerquäken eines Nebelhorns zu den versunkenen Teilen seines Verstands durchdringt. Ein Blick nach vorn blendet ihn mit Scheinwerfern und Angst, aber alles läuft jetzt wie von selbst, das Spiel ist ganz in seiner Hand. Er gibt den Zombie aus dem Schraubzwingenbiß seiner Kiefer frei, bearbeitet das Lenkrad, schwenkt die ganze Welt nach links, damit sich der entgegenkommende Koloß von einem Vaz-Laster um Splittersbreite auf der falschen Fahrbahn vorbeizwängen kann, dann rammt er mit Wucht seinen Ellenbogen in das Gesicht des Motorhaubenjockeys, genau im richtigen Moment. Der Zombie segelt durch die Luft und klatscht gegen die stahlgepanzerten Seiten des Lasters. *Das war's, Zombieschwein.*

Coyote sieht in den Rückspiegel. Ein bleicher Arm drückt dem

Mädchen die Kehle zu. Die Anorakkapuze bietet ihr etwas Schutz, aber nicht viel, und Coyote kann sehen, daß die Kleine leidet. Vielleicht sollte er lieber das Taxi anhalten, die Tür öffnen, aussteigen und den Zombie mit seiner Flammenwaffe und seinem weltberühmten Biß konfrontieren. Vielleicht sollte er ihm dieselbe Botschaft geben, die schon sein Partner erhalten hatte: eine Fresse voll Schmerz. Aber kann er es wirklich wagen, das Taxi anzuhalten? Vielleicht lauern noch andere Zombies auf eine kostenlose Mitfahrgelegenheit? Und hat er überhaupt die Zeit dafür? Die Sonne geht auf, und wie soll er bei Tageslicht mit einem illegalen Immigranten im Wagen zurück nach Manchester kommen?

Was für ein Scheißspiel ist das hier?

Aber dann ertönt vom Rücksitz ein Aufheulen, und Coyote denkt schon, er hätte seinen Fahrgast verloren, was ihm in der Seele wehtut; Coyote hat noch nie einen Fahrgast verloren. Da erhascht er im Rückspiegel einen flüchtigen Blick auf die Kleine, und sie späht lächelnd unter ihrer Kapuze hervor. Der Zombie umklammert zwar ihren Körper, aber sein Gesicht sieht total merkwürdig aus, so als hätte sie irgend etwas damit angestellt. Coyote kriegt nicht auf die Reihe, was da passiert ist, nur daß mit einem Mal der Blumenduft so stark ist, daß Coyote fast daran erstickt. Er kann gar nicht aufhören zu niesen, und dann schießt ihm durch den Sinn: *Was für ein Zeitpunkt für einen Niesanfall!*

»Gut gemacht, Kleine«, sagt er zu ihr, erhält aber keine Antwort, außer dem einlullenden Geräusch der Scheibenwischer.

»Bei dir dahinten alles in Ordnung?« erkundigt er sich. Was so viel bedeutet wie – *wenn du diesen Zombie aus dem Fenster schmeißen willst, nur zu, aber du wirst es schon alleine machen müssen. Diese Straße ist einfach zu gefährlich.*

Schweigen vom Fahrgast, also schaut Coyote auf die Uhr, sie zeigt 5 Uhr 30, und dann schlägt er ein bißchen auf den normalen Tarif drauf, um den Kosten für die beiden kaputten Scheiben und dem Schmerz des Kampfs mit den Zombies Rechnung zu tragen. Der Standardfahrpreis beläuft sich jetzt auf 18,40. Die Extras kommen auf 1275,60. Zombies kosten Geld. Coyote hat keinen Spaß daran, sich mit ihnen herumzuschlagen, aber wenn es sein muß und wenn er als Sieger vom Platz geht, dann kommt ihm die Knete gut zupaß; der Traumtrip ist fast schon in greifbarer Nähe. Im Rückspiegel sieht er, wie der Fahrgast den Kopf des Zombies streichelt, so als wäre er irgendein Schoßtier.

Allmächtiger! Dieses Mädchen ist einfach unglaublich. Was, zum Henker, habe ich da im Wagen? Und was hat sie mit dem Zombie gemacht? Warum ist das Leben so schwer für einen Spitzenhundefahrer? Und warum bin ich urplötzlich so geil?

Der Hundefahrer hat in der Tat eine mächtige Latte. Sie drückt gegen die Unterkante des Lenkrads, und es fühlt sich so gut an, daß Coyote überzeugt ist, er könnte dieses Taxi auch freihändig steuern. Es muß irgendwie an diesem Geruch liegen, den die Kleine verströmt, während sie den Zombie streichelt wie einen ermatteten Liebhaber; das ganze Taxi mutet wie ein Frühlingsgarten an, durchzogen von Pollenschwaden. Coyote niest mit einem Ständer, was so ist, als würde er an beiden Enden gleichzeitig abspritzen. Er hat den Geschmack von Sommer in seinem Mund und in seiner Hose, und die Nacht verwandelt sich in die goldene Blüte des Morgens, während das Taxi durch die Kette der Hügel Richtung Zieladresse hinabgleitet. Noch zwölf Meilen bis zum Saatpunkt…

Frontier Town Nord.

Die im Zentrum Verhafteten haben absolut Null Ahnung, wie es in den Grenzgebieten aussieht. Sie stellen sich riesige elektrische Zäune vor, die sich um den Stadtbereich von Manchester ziehen. Sie stellen sich schwerbewaffnete City Guards vor, die den Grenzstreifen patrouillieren. Natürlich sieht es an den vier Toren, am Nord-, Ost-, Süd- und Westtor tatsächlich mehr oder weniger so aus. Aber die Landstriche dazwischen sind mit Glücksrittern bevölkert, die für ein bißchen zusätzliche Knete so ziemlich alles tun würden. Je weiter man sich vom Zentrum entfernte, desto fragwürdiger wurden die Leute, die man dort traf. Frontier Town nannten sie diese Ansammlung von Baracken und Zigeunerhundelagern. Gratwanderer. Grenzgänger. Gesetzlose und Spießgesellen. Coyote bezahlt einem asiatischen Hundemädchen zwei schwarze Vurtfedern, damit sie ihm erlaubt, ihren verborgenen Weg zu benutzen. Dann gibt's ein bißchen Ärger mit zwei Streifenwagen, die die Frontier überwachen. Aber der Stadtplan und die Straßen fügen sich zusammen. Die Reise ist Vorspiel, und Coyote beweist sich wieder einmal als wahrer Könner. Er muß ein paarmal anhalten, um weitere Patrouillen vorbeizulassen und auch um einfach nur seinen Mut und seine Orientierung zu finden, aber ansonsten verläuft die Fahrt glatt, und er gleitet mühelos in die Stadt hinein.

Manchester ist seine Geliebte.

Heimkehr.

Als sie auf der Oxford Road entlangfahren, kurz hinter der Universität, kommt ihnen ein Xcab entgegen, auf dem Weg Richtung Manchester-Zentrum. Coyote erkennt Boda hinter dem Lenkrad des Konkurrenztaxis, und augenblicklich schießt ihm Blut in den Kopf und noch mehr in den Unterleib, wie eine wohlige Flutwelle. Er antwortet mit einer feuchten Pfote auf ihr Winken, und in seinem Kopf hört er plötzlich ihre Stimme; sie sagt so etwas wie *Du bist der Meister der Straßen, Hundejunge*, so als könne sie laut und deutlich Botschaften entsenden. So als besäße sie den Shadow. Vielleicht ist sie ein Shadow. Ja, vielleicht. Er schickt ihr eine Botschaft zurück: *Hab die kleine Persephone an Bord*. Er denkt es einfach nur, und tatsächlich antwortet Boda ihm mit einem *Echte Limbo-Glanzleistung, Coy*. Vielleicht könnten sie wirklich zusammenkommen, Coyote und die Xcabberin. Ganz entschieden. Er wird sie nachher am Taxistand suchen gehen, sobald er seinen Fahrgast abgesetzt hat.

»Echte Limbo-Glanzleistung, Coy«, wiederholt Coyotes Fahrgast, so als hätte der Shadow auch zu ihr gesprochen.

Dank der kleinen Cop-Hatz zeigt der Taxameter jetzt, alles zusammengerechnet, sehr stattliche 1590,40. Richtig Geld! Coyotes Fahrkarte aus seinen Sorgen. Aber man muß sich nur mal anhören, wie er niest. Und dann dieser allmächtige Ständer. »Starkes Parfüm, Blumenmädchen«, sagt er.

»Vielen Dank«, antwortet sein Fahrgast. »Sind wir bald da?«

»So gut wie«, erwidert er. »Alexandra Park, stimmt's?«

»Bring mich zum Gras.«

Es war eine angenehme Fahrt. Zuerst auf die curryscharfen Düfte von Rusholme zu, und dann rechts rein in die Claremont Road. Der Park wischt vorbei, eine düstere Anlage aus Bäumen und Schatten.

»Halt bitte hier, da auf der linken Seite«, ruft der Fahrgast.

Coyote stoppt das Taxi vor dem Parktor. 6 Uhr 14. Regentropfen platschen auf die Windschutzscheibe. Der Hundemann fühlt sich ganz wie zu Hause. »Alles klar, Fahrgast?« fragt er. »Kein Taxi-Lag?« Das ist ein Gefühl, das einige der schwächeren Reisenden bekommen, wenn es während der Fahrt zu unerwarteten Turbulenzen kommt. Ein kurzer Blick sagt ihm, daß mit dem kleinen Mädchen alles paletti ist. Er schaut auf den Taxameter. »Das macht dann eintausendfünfhundertundneunzig Pfund und vierzig Pence, bitte.«

Wenn es darum geht, sein Fahrgeld einzufordern, spricht Coyote völlig fehlerfrei.

»Ich hab's schon hier.« Sie holt eine Blume, ein schwarzes Stiefmütterchen, aus ihrer Anoraktasche.

»Was soll das denn sein?«

Persephone streckt die Blume durch das Gitter, damit Coyote sie in seinen Pfoten halten kann. Die Augen eines armen Hundes, gebannt von den Blütenblättern der Nacht. Aber trotzdem, wird das für Pleasureville reichen?

»Soll das 'n Witz sein, Fahrgastmädchen?« fragt Coyote.

»Nur zu«, erwidert das junge Mädchen. »Warum probierst du es nicht einfach aus?«

Also schiebt Coyote die Blume in den Geldschlitz des Taxameters. Es ist Punkt 6 Uhr 16, als sich das grüne Licht der Fahrtpreisanzeige in gelbe 1590,40 verwandelt und die Worte BETRAG ERHALTEN auf dem Bildschirm erscheinen. Coyote ist verblüfft von der Meldung. Das Geld ist in sein System gewandert.

Zu genau demselben Zeitpunkt – Montag, 1. Mai, 6 Uhr 16 – verschwand ein kleiner Junge namens Brian Swallow aus seinem Federbett in Wilmslow. Die Eltern, John und Mavis Swallow, bemerkten das Verschwinden ihres Sohnes erst, als sie selbst um 7 Uhr 30 aufstanden. Brians Zimmer war leer, sein Bettzeug zerwühlt, wie nach einem heftigen Kampf. Sein Fenster war von innen verriegelt, wie auch alle anderen Fenster und Türen. Die Eltern riefen die Polizei. Ein Inspector Tom Dove kam vorbei. Die Eltern erzählten diesem Tom Dove, daß sie ihrem geliebten Sohn einen Gutenachtkuß gegeben hatten, bevor er sich am Abend zuvor um 22 Uhr 15 schlafen gelegt hatte, und dann waren sie selbst zu Bett gegangen, nachdem sie zuerst noch alle Türen und Fenster verriegelt hatten. Der Detektiv hatte sich im Zimmer des Jungen umgeschaut, am Bettzeug geschnuppert und dann schnüffelnd die Nase in die Luft gereckt. Er hatte diese Atmosphäre oft genug erlebt, um zu wissen, was sie bedeutete. Irgendwo wurde irgend jemand gegen etwas aus dem Vurt eingetauscht. Das machte es allerdings auch nicht leichter, es Mr. und Mrs. Swallow zu erklären. Tom Dove seufzte, dann eröffnete er den verzweifelten Eltern die traurige Nachricht.

Coyote fühlt sich wie beschwipst. Das Geld macht ihn trunken. Mit einem Mal kommt er sich nicht mehr wie ein Außenseiter vor.

»Gefällt es dir?« fragt Persephone.

»Mir gefällt, gefällt sehr.« Er schaut eine Weile fasziniert auf die Betrag-erhalten-Anzeige, bevor er seine Tür öffnet. Er flucht über das zerbrochene Fenster und über den Schmerz in seiner rechten Wange, in die sich die Scherbe gebohrt hat. Alles egal. Diese Fuhre war es wert. Er geht zur hinteren Tür des Taxis. Das Mädchen öffnet seinen Gurt, schubst den nunmehr schwerelosen Leib des Zombies auf den Boden. Coyote wird bewußt, daß es jetzt an ihm hängenbleibt, diese erbärmliche, erledigte Kreatur irgendwo abzuladen. Dann steigt das junge Mädchen aus. Sie tritt ganz dicht an Coyote heran. Ihr Parfüm streichelt seine Nase. Ein Nieser bahnt sich an, aber Coyote schafft es, ihn zu unterdrücken.

»Vielen Dank, daß du mich hergebracht hast«, sagt sie.

»Kein Problem«, entgegnet er.

Nur ein kalter, regnerischer Morgen im Moor, ein turbulenter Trip durch den Limbus, zwei durchgeknallte Zombies, von denen einer jetzt tot im Taxi liegt, eine Glasscherbe in der Wange, halbtotes Fleisch im Maul, ein Monster von einem Vaz-Laster, der mich fast plattgemacht hätte, ein geringer Blutverlust, Katz und Maus spielen mit den City Guards, eine Fahrt, bei der mir der Duft von Blumen fast die Nase explodieren ließ.

»Laß mich dich bezahlen«, sagt Persephone.

»Schon passiert.«

»Ich meine eine Zugabe.« Persephone nimmt ihre Kapuze ab.

Coyote betrachtet das junge Mädchen. Ihr Gesicht ist wunderschön. Er fühlt sich wie eine Biene, angezogen von diesem Anblick, diesem Duft. So verführerisch. Er weiß nicht, wo er hinschauen soll. Er sieht hinüber zu den Bäumen von Alexandra Park. Hilft nichts. Er muß wieder das Mädchen anschauen. Diese funkelnden grünen Augen, sie sehen wie zwei Blumen aus, die tief in seine Seele blicken. Die jungen, vollen Lippen des Mädchens sind wie zwei bebende Blütenblätter. »Küß mich«, fordert sie. Dieses Mädchen kann höchstens elf Jahre alt sein, aber Coyotes Lippen können sich nicht wehren, sie pressen sich auf die ihren, kosten den Pollen. Er spürt, wie ihre Zunge tief in seinen Rachen eindringt…

Allmächtiger, niemand kann eine so lange Zunge haben.

Er denkt an seinen unbekannten Vater, seine tote Mutter und seine selten gesehene Tochter. Und an seine wütende Ex-Frau und an Bodas liebliches, verführerisches Lied. Einige letzte Empfindungen.

Und dann explodiert sein Verstand in einem Feuerwerk aus Schwarz und Farben.

…o mein Gott! Die Blumen tanzen… tanzen…

Eine Minute und fünfundzwanzig Sekunden später war Coyote tot.

Mein Boß hieß Kracker: Polizeichef Jakob Kracker. Der einzige Mann, der – von seinen Eltern – nach einer speziellen Marke eines dünnen Salzgebäcks benannt wurde. Alle Cops nannten ihn hinter seinem Rücken nur den Keks. Es war Krackers Stimme über das Telefon neben meinem Bett, die mich auf diesen Trip schickte. Es war noch frühmorgens, der 1. Mai des betreffenden Jahres. Seine Worte hatten eine beschwerliche Reise zu meinem ausgetrockneten, weinbenebelten Gehirn: »Sibyl Jones… Ich habe einen Fall für Sie.« Man hatte eine Leiche gefunden, vor den Toren des Alexandra Parks. Ich sollte umgehend dorthin fahren. Es wäre eine merkwürdige Sache, hatte Kracker gesagt, ließ sich aber nicht weiter darüber aus. Was kümmerte es mich schon? Der Tod war mein Fachgebiet. Also hatte ich mich eilig angezogen und meinen üblichen Umweg ins zweite Schlafzimmer gemacht, wo mein Liebstes, mein Juwel, schlummerte. Ich hob die Abdeckung seines Kinderbetts und hauchte ihm einen Kuß zu. Dann verließ ich das Haus, stieg in meinen Fiery Comet und fuhr damit durch den Regen zum Park in Moss Side. Es gefiel mir überhaupt nicht, Juwel allein zu lassen, aber ein Cop muß in schlechten Zeiten hart arbeiten. Ich angelte mit einer Hand eine Zigarette aus der Schachtel auf dem Armaturenbrett. Natürlich Napalms. Der Hinweis auf der Schachtel lautete: RAUCHEN LÄSST DICH BESSER SCHREIBEN – DER OFFIZIELLE BIOGRAPH SEINER MAJESTÄT.

Der Geschmack von Rauch in meiner Kehle. Selbst in diesen Tagen des trockenen Staubs kann ich mich noch immer an diesen Geschmack erinnern, so, wie an den Atemhauch eines überwältigenden Liebhabers, der an den Lippen und der Zunge haftete.

Ich lebte damals – genau wie heute – in Victoria Park; eine gemütliche Mietwohnung, die ich meinem Vermieter abgekauft hatte, nachdem ich von meinem Ehemann verlassen worden war. Ich hatte früh geheiratet, mit gerade mal achtzehn und bereits schwanger. Sieben Monate später wurde mein kleines Mädchen, Belinda Jones, geboren. Mein Mann hat mich dann neun Jahre später verlassen. Und vier Tage nach meinem Mann ist auch meine Tochter weggelaufen. Sie war neun Jahre alt, was kein Alter ist, in dem ein kleines Mädchen allein auf Wanderschaft gehen sollte. Aber genau das tat sie, beschimpfte mich gelegentlich, weil ich ihren Vater aus dem Hause getrieben hätte. So sah sie nun mal die Sache. Ich vermute, sie liebte ihn einfach mehr als mich. Aber wo ging sie hin? Wohin? Ich habe seither überall nach Belinda gesucht, aber nirgends auch nur eine Spur von ihr gefunden, nicht einmal ihren Namen oder ihr Ziel. Das ist eine der Reisen meines Lebens gewesen.

Diese Reise geht nun ihrem Ende entgegen. Auf den Traum zu…

Der Cop-Äther war eine Überdosis von Nachrichten an jenem lang vergangenen Morgen, als ich meinen Fiery Comet rüber nach Moss Side steuerte. Ich war nicht in der Stimmung für offizielle Stimmen – all diese kodierten Geschichten von bevorstehender oder ausgeübter Gewalt –, also drehte ich die Skala weiter, bis ich Gumbo YaYa reden hörte. Die Cops von Manchester suchten schon seit Jahren nach diesem Hippie-Piraten, konnten aber nichts finden außer seiner Stimme, die aus dem Nichts zu ihnen drang…

»Meine Güte. Ist das heute nun ein guter Morgen, oder was? Das war ›I Can Hear the Grass Grow‹ von The Move, und ich muß euch sagen, Leute, ganz plötzlich fangen die Nasenlöcher des alten Gumbos mächtig an zu kribbeln. Blumen im Regen, Leute, Blumen im Regen. Der Pollenstand steigt sprunghaft, und zwar gewaltig. Ich kann ihn förmlich springen *hören*. Dieser alte Hippie niest bereits. Ya Ya! Die Blumen verstäuben Pollen über ganz Manchester. Gumbo hat noch nie zuvor einen solchen riesigen, goldenen Anstieg erlebt. Hab mir mal einen Moment Zeit genommen und die Datenfeder angezapft; der letzte derartige Energieschub wurde in den lang vergangenen und vergessenen Tagen von Fruchtbarkeit 10 registriert. Natürlich sind wir noch nicht einmal annähernd in der Nähe jenes Rekord-Hochs, aber es beunruhigt trotzdem. Muß wohl eine plötzliche Laune der Natur sein. Bleibt cool. Haltet euch die Nase mit *Sneeza Freeza* frei. Bestellt noch heute Doktor Gumbos patentierte Nasenstöpsel. Möge John Barleycorn Gnade mit euch haben. Der Pollenstand ist 85, Tendenz weiter steigend. Von der Straße kriege ich gerade die Nachricht über einen spektakulären Mord herein. Mehr darüber, sobald ich die heutige Copfeder anzapfen konnte. Ihr wißt ja, daß sie den Code täglich ändern, aber der gute Gumbo findet immer ein Fenster. Und nun, liebe Leute, lauscht diesem Meisterwerk von Scott Mackenzie aus dem Jahr neunzehnhundertsiebenundsechzig. Und denkt immer dran, wenn ihr dieses Jahr nach San Francisco fahrt, steckt euch auf jeden Fall was Blumiges ins Haar…«

Gumbo YaYa schien immer mehr über Cop-Fälle zu wissen als wir selbst. Er hatte sogar eine Zuhörerleitung geschaltet, aber sobald ein Cop dort anrief, verschwand das Signal in einem Netz aus Dunkelheit, was in jenen Tagen das Symbol für verborgene Geheimnisse war. Ein Kondomvirus schützte den Äther.

Durch den Regenschleier bog ich scharf und schnell nach links in die Wilmslow Road und dann nach rechts in die Claremont, führte den Comet zum Tod eines Fremden. Es war 6 Uhr 57 in der Früh. Ein Stück weiter vorn konnte ich schon die blinkenden Lichter der Streifenwagen sehen, die rote Regenbogen in die Dämmerung malten, und im Halbdunkel, zwischen den schwarzen Bäumen von Alexandra Park, die zu meiner Linken vorbeizogen, sah ich die flackernden Lichter der Robocops, die sich durch das Gebüsch bewegten. Ein weiterer Tatort. Meine Leben. Eine Meute von Hundemenschen drückte sich in der Nähe herum. Reflektierende Cop-Absperrbänder spannten sich zwischen Laternenpfählen und Streifenwagen. Ein bösartiger Hundejunge hatte sich in dem Absperrband verbissen. Als ich neben einem halb auf dem Bürgersteig geparkten schwarzen Taxi hielt, sah ich Funken durch den morgendlichen Regen fliegen. Der Hundejunge stieß ein winselndes Jaulen aus, als der Stromschlag ihn durchfuhr, und wurde dann rücklings in die Pfoten einer jungen Hündin geworfen. Ein Fleshcop fuchtelte mit seiner Waffe vor der Menge. Ich stieg aus dem Wagen aus, und ein junger Robocop-Offizier trat zu mir und richtete zur Identifizierung seinen Inphostrahl auf mich. Ich ging hinüber zu einer Gruppe von Cops, die sich um einen dunklen Umriß auf dem Boden drängten. Wir waren vis-à-vis des Seiteneingangs zum Alexandra Park, dem Tor an der Claremont Road. Ein massiger Hundecop knurrte einen Trupp mißmutiger, regendurchnäßter Officers an und befahl ihnen, endlich in die Hufe zu kommen. Einer von ihnen nieste.

»Was liegt an, Clegg?« fragte ich.

Der Hundecop drehte sich um, als er meine Stimme hörte. Sein erdbraunes Fell glänzte ölig-naß vom Regen.

»Wo ist Kracker?« wollte er wissen. Clegg war der einzige Cop, der den Boß nicht Keks nannte. Manchmal benutzte er sogar das

Wort *Herr*, wenn er über den Polizeichef sprach. Tatsache war, daß Kracker sich nicht gern die Hände schmutzig machte. Gewöhnlich zeigte er am Tatort nur kurz sein grimmiges Gesicht und eilte dann zurück an seinen Schreibtisch. Diesmal tat er nicht einmal das. Er hatte eine gute Ausrede; seine Frau erwartete jeden Moment ihr einundzwanzigstes Baby.

»Er wartet auf seinen neuesten Zuwachs«, erwiderte ich.

»Wirklich Pech. Und als Ersatz haben sie uns also einen Scheißrauch geschickt.«

Chief Inspector Z. Clegg war ein guter, aufrechter Hundecop. Seine lange Spürnase und sein ausgezeichneter Geruchssinn hatten schon bei einer beachtlichen Zahl von Mordfällen die Lösung erschnüffelt. Er war halb Hund, halb Mensch, mit einem tiefen Haß auf alle, die den Shadow in sich trugen. Auf mich zum Beispiel. Ich bin eine Rauchfrau, was bedeutet, daß ich jede Menge Shadow in mir habe, vermischt mit dem Fleisch. Alle Kreaturen tragen einen Hauch des Shadows in sich, aber einige von uns haben direkten Zugang. Cleggs tiefe Abneigung gegen den Shadow war krankhaft.

»Hat das Opfer Hund in sich, Zero?« erkundigte ich mich. Ich fragte das wegen des feucht schimmernden Blicks in Cleggs Augen. Ich hatte ihn schon zu oft bei früheren Fällen gesehen, um nicht zu wissen, was dieser Blick bedeutete.

Z. Clegg nickte nur.

Das Z stand für Zulu, aber Clegg haßte diesen Namen, also nannte er sich selbst Z. Ich nannte ihn Zero, nur um zu sehen, wie sich ihm das Fell sträubte. Es brachte ihn höllisch auf die Palme. Zero gehörte zu den Hundemännern, die verzweifelt versuchten, ihre hündische Seite zu verleugnen. Was schon fast ein Witz war, wenn man das Fell in seinem Gesicht und die langen Barthaare bedachte, die zu beiden Seiten aus seinen Wangen sprossen. Er konnte es nicht leiden, als Hund bezeichnet zu werden. Vielleicht weil die Hundemenschen ganz allgemein für die niederste Lebensform der Gesellschaft gehalten werden. Für die meisten Bürger standen sie nur eine Fellhaarbreite über den Bewohnern des Limbus', den sogenannten Zombies. Selbst ein Robo war höher angesehen als ein Hund. Zombies, Hunde,

Robos, Shadows, Vurt und Reine; das war die Rangordnung der Wertigkeit. Daher endeten die meisten Hunde auf der falschen Seite des Gesetzes. Ein Hund, der zu den Cops ging, war beständigem Druck ausgesetzt. Nicht nur von seiten der reinen Cops, sondern auch durch die irren Hundejungs auf der Straße, die darin den schäbigsten Verrat sahen. Wenn man dann noch Cleggs Abneigung gegenüber dem Shadow hinzunahm sowie die Tatsache, daß er nicht verheiratet war, niemals auch nur einen Funken Lust gegenüber Frauen oder Männern oder wenigstens Hunden gezeigt hatte – dann war er das perfekte Beispiel für wachsende gekreuzte Einsamkeit. Ich hatte eine Million Theorien darüber, warum Clegg so war, wie er war, woher all diese tiefsitzende Verbitterung rührte. Nichts von alledem machte unser Verhältnis einfacher. Aber mehr als alles andere haßte Zero es, wenn jemand mit auch nur dem Hauch, einer Spur von Hund in sich getötet wurde. Das war sein Zugeständnis an den Hund, den er in seinen durcheinandergewürfelten Genen mit herumschleppte.

»Habt ihr schon einen Namen, Zero?« fragte ich. »Habt ihr die Todeszeit?«

»Klar. Die Fahrerlizenz im Taxi nennt ihn Coyote. Die Uhr des Pathologen sagt, daß der letzte Atemzug um 6 Uhr 19 heute früh ausgehaucht wurde.«

»Ist dir der Name schon mal untergekommen?« Zero kannte alle wichtigen Hunde, besonders jene auf der dunklen Seite des Gesetzes.

»Fang schon endlich an, Sybil«, knurrte Zero. »Mach mich glücklich.«

Ich streifte mir ein Paar Steri-Handschuhe über, dann kniete ich mich neben die Leiche; Anfang Zwanzig, mit glattem schwarzweißem Fell, das aus seinem Hemdkragen ragte und sich wie eine gefleckte Maske über sein ganzes Gesicht zog. Der Hundejunge war eine Schönheit gewesen. Bekleidet mit einer schwarzen Jeans und einem Lederblouson, die Jacke verziert mit Fanclubabzeichen – Manchester City Vurtball Club, Belle Vue Robohounds, Rusholme Ruffians Basketball Posse. Dieses Opfer liebte Manchester. Einige Verletzungen im Gesicht – Bißspuren und Glasscherben.

Trotz allem trug das Opfer ein Lächeln zur Schau, eingefangen auf seinem toten Gesicht. In dieses Lächeln hinein hatte jemand – der Mörder? – einen Blumenstrauß gestopft. Es waren rote Blumen, die sich auf langen grünen Stengeln erhoben und ihre Köpfe dann sanft über seine Wangen fallen ließen. Eng aneinanderliegende rote Blütenblätter, die lange Gehänge bildeten. Ihr schwerer, süßlicher Geruch machte mich fertig, während ich mein Gesicht wieder über die Leiche beugte. Abgesehen von den Blumen im Mund, war eine dünne Schicht irgendeiner Paste über die Nasenlöcher geschmiert. Hier und da schimmerte gelber Staub auf seinem Fell.

»Hat jemand die Leiche angefaßt?« fragte ich.

Zero Clegg nieste, bevor er antwortete. »Du bist die erste.«

Ich schnupperte an dem Schmierfilm um seine Nase. »Er litt unter Heuschnupfen«, stellte ich fest. »Das ist *Sneeza Freeza.*«

»Das wird uns eine große Hilfe dabei sein, den Täter zu fassen, Jones«, gab Zero zurück. »Willst du jetzt so eine Shadowvisitation machen?« Bei ihm klang das wie eine Krankheit.

Vielleicht ist es das ja auch.

Auf jeden Fall ist es der Grund, weshalb die Cops mich eingestellt haben. Ich kann die Gedanken der Lebenden lesen, und manchmal, wenn wir sie früh genug finden, kann ich auch die Gedanken der Toten lesen, ihre letzten Eindrücke, bevor diese sich verflüchtigen. Genau das versuchte ich jetzt, während ich meine Rauchhände über das Gesicht des Toten führte und mich vorsichtig zu den letzten Augenblicken seines Lebens vortastete.

Kontakt. Sterbende Momente dringen zu mir durch, Staub zu Staub, Rauch zu Rauch…

…der Geschmack ist so süß, so voll… kann kaum atmen… so süß… wie Honig… ich küsse Blumen… ihre Zunge ist wie eine Efeuranke… und für ein junges Mädchen, ein so junges Mädchen… es ist der Geschmack von… der Geschmack von Eden… laß mich dort schlafen… laß mich schlafen… laß mich schlafen und wachsen… Allmächtiger… niemand kann eine so lange Zunge haben…

Und dann eine Explosion von Farben, die mir die Tränen in die Augen schießen ließ.

…o mein Gott! Die Blumen tanzen… tanzen…

Ich wanderte im Kopf des toten Hundejungen umher, trieb von einer Explosion in allen Farben des Spektrums zu einem Sturz ins Nichts…

…denk an mich, Boda… sing dieses Lied ein letztes Mal…

Der letzte Satz von Coyotes Leben verhallte in der Stille… jener Name, den er so voller Verlangen rief. Es war ein schöner Tod.

»Was hast du da gesagt?« Cleggs Stimme.

»Hä?« Ich war noch immer verloren in der Reise in die Dunkelheit.

»Du sagtest gerade, es wäre ein schöner Tod gewesen, Jones?«

»Tatsächlich? Ich weiß nicht, was ich gesagt habe. Vielleicht habe ich die Botschaft einfach über die Shadowpfade entsandt, Kopf an Kopf, Shadow an Hund.«

»Gibt es so etwas wirklich, Smokey? Einen schönen Tod?«

»Er hat Blumen im Kopf, Zero.«

»Hab' ich durchaus bemerkt.«

»Nein, nein. In seinen Gedanken. Es ist wie eine Explosion… eine Explosion von Blumen… ich…«

»Was soll dieser Mist? Ich will nur eine Spur, irgendeinen Hinweis.«

»Ich kann es nicht beschreiben… eine Explosion von Blumen…«

»Du bist wirklich eine große Hilfe.«

Ich ignorierte die bissige Bemerkung und griff statt dessen nach einer der Blumen in Coyotes Mund, setzte an, sie aus dem Strauß herauszulösen.

»Würdest du mir jetzt vielleicht sagen, wie er gestorben ist?« fragte Clegg.

»Das ist Skinners Ressort.«

»Reiz mich bloß nicht, Smoke. Hast du einen Namen in seinem Kopf gefunden? Den Mörder vielleicht? Oder verlange ich da zuviel von dir?«

»Sie war jung. Vielleicht noch ein Mädchen. Der Name Boda tauchte auf. Sagt dir das irgendwas, Zero?«

»Nein, tut es nicht. Und hör endlich auf, mich Zero zu nennen.«

Die Blume wollte sich einfach nicht herausziehen lassen. Irgend etwas hielt sie im Mund des Hundejungen fest. Ich umfaßte die Stiele des Straußes mit beiden Händen und zog mit einem Ruck daran. Half nichts. Es fühlte sich so an, als würden die Wurzeln der Blumen tief in seinem Rachen von einer gleichstarken Hand festgehalten.

»Wer würde denn einem Opfer einen Strauß Blumen in den Mund stecken?« fragte Zero.

»Sie lassen sich nicht herausziehen«, erwiderte ich, während ich weiter mit den Blumen kämpfte.

Zero schob mich beiseite. »Laß mich mal…« Er kniete sich hin und packte die Stengel.

»Zero! Paß doch auf die Fingerabdrücke auf…«

»Da muß man nur mal mit Kraft ziehen… Heiliger Hund!«

»Ich hab's dir ja gesagt.«

»Scheißblumen!« Der Hundecop legte sich mächtig ins Zeug. Plötzlich ertönte ein Geräusch, so als würde etwas reißen, und dann plumpste Zero auch schon rücklings auf sein Hinterteil, den Blumenstrauß in seinen beiden Pfoten umklammert. »Mistdinger!« entfuhr es ihm, dann nieste er. Und ich sah, daß die Flüssigkeit in seinen Augen nicht nur Tränen waren, nicht nur Tränen des Schmerzes. »Dieser verfluchte Heuschnupfen!« schniefte er, während er hektisch versuchte, wieder auf die Beine zu kommen. »Fängt jedes Jahr früher an.« Er reichte mir die Blumen, und ich untersuchte kurz die unteren Enden der Stengel.

Sie waren abgerissen und voller Saft. Ich steckte meine Hände tief in den Rachen des toten Hundes und tastete umher. Meine Finger fanden eine Reihe scharfer Spitzen. Und als ich meine Finger wieder aus seinem Mund nahm, waren sie mit Saft vollgeschmiert. Ich sah Zero an.

»Was geht hier vor, Smokey?« fragte er.

»Die Blumen wurden nicht einfach nur in seinen Mund gestopft«, erwiderte ich.

Ich war mit meinen Fingern schon wieder im Hals des Opfers. Ich konnte die Wurzeln der Pflanzen fühlen, die sich in seine Halsmuskeln gegraben hatten. Das alles ging total über meinen Erfahrungshorizont.

»Was willst du damit sagen, Shadowmädchen?«

»Ich sage, daß ich längst kein Mädchen mehr bin.«

»Komm mir jetzt nur nicht mit Politik, Jones. Raus damit.«

Also sagte ich es ihm: »Die Blumen sind in seinem Hals verwurzelt.«

»Das hier ist ein ganz schlimmes Szenario. Meine gute Nase wittert Übles. Und sieh dir das an, Sibyl…« Er zeigte zum Taxi hinüber. »Wirf mal einen Blick auf den Taxameter.«

Ich schaute in das Taxi. Das Fahrerfenster war eingeschlagen, und ein fettiger Film war über die Tür und die Motorhaube verschmiert. Ich stippte meinen Finger hinein und schnupperte daran. »Zombieblut, stimmt's?« erkundigte sich Zero. »Sieht ganz so aus, als hätte er einen Anhalter erledigt.« Dann sah ich den Fahrpreis, der mir gelb entgegenleuchtete.

»Wo hat er seinen Fahrgast abgeholt?« fragte ich. »Australien?«

»Viel weiter weg, Smokey«, erwiderte Zero und ging zum Kofferraum. »Der Hund muß jemanden aus dem Limbus geholt haben. Und unterwegs hat er sich böse mit den Zombies angelegt. Laut der Anzeige gibt's Gepäck im Kofferraum.«

»Habt ihr schon nachgeschaut?«

Er schüttelte den Kopf, holte eine Tube Vaz hervor, drückte etwas davon ins Schloß und probierte dann mit seinem Copschlüssel herum, bis sich der Kofferraum mit einem leisen Seufzen öffnete. Nichts als gähnende Leere. »Wir haben einen Anruf von den Cops draußen in Frontier Town, nördlicher Sektor, bekommen«, berichtete Zero. »Sie haben ihn dabei ertappt, wie er einen Immigranten reingeschmuggelt hat, und die Verfolgung aufgenommen. Hat sie allerdings im Labyrinth abgehängt. Heiliger Hund! Der fuhr schon einen heißen Reifen, dieser Coyote. Ein großer Volksheld noch dazu; ich erwarte, daß wir ganz schön unter Beschuß geraten wegen dieser Sache. Das gibt einen neuen Hundeaufstand. Kracker wird mir den Kopf abreißen, wenn ich ihm nicht pronto einen Schuldigen liefere.«

Den ersten Hundeaufstand hatte es vor ein paar Jahren gegeben, entzündet durch den sinnlosen Mord an einem jungen Hundemädchen in Bottletown. Robo-Skinner und sein Team von Kriminaltechnikern hatten festgestellt, daß die Kleine das Opfer einer Shadowvergewaltigung geworden war. Ein weiterer Zwischenfall in dem Krieg zwischen Rauch und Fell. Wir hatten unser Bestes versucht, es nicht auf die Straße durchdringen zu lassen, aber Gumbo YaYa stibitzte das Wissen aus unserem Äther. Anschließend hat er es über seinen Sender verbreitet, und die Hunde waren auf die Barrikaden gegangen, hatten Gerechtigkeit, Gleichstellung und Rache gefordert. Seit damals waren die Hundeleute eine tickende Bombe; explodierten gelegentlich – einer Art hündischem Zyklus folgend –, wann immer ein Hund umgelegt wurde. Coyote war nur der letzte in einer langen Reihe.

Zombies, Hunde, Robos, Shadows, Vurt und Reine. Die Rangleiter der Wertigkeit befand sich im Krieg, eine Sprosse gegen die andere.

»Habt ihr schon irgendeine Spur, Clegg?« fragte ich.

»Weißt du was, Smokey? Für mich riecht die ganze Sache nach Nebel. Ich denke, das hat ein Shadow getan.«

»Natürlich… verstehe…«

»Hast du einen anderen Verdächtigen, Smokey?«

»Jedesmal, wenn ein Hund den Löffel abgibt, denkst du, ein Shadow wär's gewesen.«

Der Hundecop ignorierte meine Bemerkung. »Laß uns mal auf dem Rücksitz nachsehen«, sagte er. Die Tür ging auf, und eine Woge gelber Luft wallte hinaus auf die Straße. Zero hielt schnüffelnd seine Nase in den Geruch…

»Mein Gott!« entfuhr es mir.

»Du sagst es, Smokey… o Scheiße… nicht schon wieder –«

Er setzte zum Niesen an… es war dieser Geruch…

HAAAAAAAAAAAAAAAAAAAAAAAAAAAAAATSSSSSSSSSSSSSSSSSSSSSSSSCH-HHHHHIIIIIIIIIIIIIIIIII!!!

»Heiliger Hund!«

Der Geruch von Blumen waberte aus dem Fond des Taxis. Die Luft im Innern schien förmlich vom Duft tausender Blüten zu leuchten. Ein Glitzern von Farben, und darunter noch etwas anderes, wie Blumen auf einer Wunde... der Geruch von überdecktem Tod.

»Hast du so etwas schon mal gerochen, Jones?« Zero wischte sich die Nase mit einem triefnassen Taschentuch ab. »Irres Parfüm, was?«

»Nein. Noch nie.« Ich sah hinüber zu den anderen Cops. Sie waren jetzt alle am Niesen... leise Explosionen... Rufe... Flüche...

»Würdest du jetzt *bitte* diese Tür wieder zumachen?«

Ich reagierte nicht. Da war etwas an diesem anderen Geruch... diesem verborgenen Geruch... ich beugte mich in die Fahrgastkabine...«

»Eine Frage, Jones. Wie kommt es, daß uns allen hier schier der Kopf platzt vom Niesen, und dir kribbelt nicht mal das Näschen? Wie kommt es, daß du nicht niest?«

Im Innern des Taxis...

...die Welt war ein Geruch... ich kletterte hinein... wechselte die Sinne... ein farbiges Glitzern auf dem Sitz... dasselbe wie auf dem Gesicht des Hundejungen... ich schaue genauer hin... gelb... intensiv... winzig... stippe meinen Finger hinein... es kitzelt... steigt mir in die Nase... ein fettiger Schmierfleck... Sneeza Freeza?... Nein... das ist es nicht... zu purpur... vertraut... tauche meine Finger hinein... es brennt... kalt... ich rieche daran... Tod... Halbtod...

Ich kletterte wieder aus dem Taxi und baute mich vor Zero auf.

»Jones?«

»Schlechte Neuigkeiten.«

»Raus damit.«

»Er hat einen reingebracht. Eine unzulässige Lebensform.«

»Einen Zombie?«

»Es lebte noch, Zero. Es gibt keine letzten Gedanken in dem Taxi.«

»Ein Zombie. Klasse. Gut gemacht, Sibyl. Ein Zombie hat Coyote umgebracht. Könnte gar nicht besser sein. Wir haben hier einen wahrhaftigen Volkshelden, der von einem Unzulässigen umgelegt wurde. So wie es in Bottletown im Moment brodelt, könnten wir

50

uns bei jedem anderen Szenario, jedem *Shadow-Szenario*, schon mal auf einen neuen Hundeaufstand vorbereiten. Ich denke, ich rufe die Zombie-Truppe und überlaß es diesen niederen Chargen, hier aufzuräumen.«

Die Fleshcops kicherten und niesten abwechselnd. Für sie war dieser ganze Fall schlagartig zu einem Witz geworden. Zombies standen ganz oben auf der Haßliste der Bürger, hauptsächlich weil die Halbtoten von Natur aus abstoßend und gewalttätig waren, und schon allein die Vorstellung einer Kreatur, die der verzweifelten Kopulation eines Lebenden mit einer Leiche entsprungen war, erzeugte in jenen Tagen Abscheu. Für die Cops waren sie nichts weiter als ein Ärgernis, etwas, das sie wegräumen mußten, wie Abfall auf einer öffentlichen Straße. Außerhalb des Limbus waren Zombies Schwächlinge, besonders, wenn das Licht des Tages auf sie schien; das war das Paradoxe an ihren ständigen Versuchen, per Anhalter zu reisen.

Zero schob sich eine Vurt-Copfeder in den Mund, um direkt mit Chief Inspector Kracker sprechen zu können. Und da ich nun mal bin, wie ich bin, vurtlos, war das Ganze nur Schweigen für mich – ich sah lediglich das freudige Grimassieren von Zeros Gesicht, als er die frohe Kunde dem Boß übermittelte, der in jenem Moment zweifelsohne die Hand seiner gerade gebärenden Frau hielt.

Ich konnte nur danebenstehen und erschaudernd zuschauen, während mir Coyotes letzte Botschaft immer wieder durch den Kopf ging, sich dabei zu einem Muster formte. Einem Shadowmuster… dieser Name, den er zuletzt gerufen hatte… *denk an mich, Boda… sing dieses Lied ein letztes Mal…*

Zero zog die Feder aus seinem Mund, dann bellte er die anderen Fleshcops an: »Packt zusammen, Officers. Der Fall ist erledigt.« Die Cops waren bereits eifrig dabei, wiesen das Hunderudel an, sich gefälligst zu verziehen, das Spektakel sei vorbei.

»Hältst du das für klug, Zero?« bemerkte ich.

»Was willst du denn noch, Smokey?«

»Ich denke nur, daß diese Entscheidung etwas zu schnell kommt.«

»Lad mich doch mal in dein Bett ein, dann werden wir ja sehen, wer hier zu schnell kommt.«

»Was ist mit den Blumen?«

»Der Zombie hat sie dagelassen. Coyote hat einen Zombie mitgenommen. Der Zombie hat ihn umgebracht und ihm dann die Blumen in den Mund gestopft.«

»So tief?«

»Verdammt noch mal, was weiß ich denn, was so bei Zombies abgeht? Ich vermute, daß sie da draußen im Limbus alle möglichen seltsamen Fähigkeiten und Dinge erlernen. Womit sollen sie denn sonst die Zeit totschlagen?« Er kehrte mir den Rücken zu und brüllte einige Voyeure an, daß sie sich jetzt endlich verziehen sollten.

»Und was ist mit dieser Boda-Spur?« hakte ich nach.

»Kracker ist mit der Zombie-Lösung vollauf zufrieden. Und ich schließe mich da ganz seiner Meinung an.« Er knurrte die Hundemeute jenseits der Absperrbänder an.

»Wie steht's mit einer Obduktion?« fragte ich.

»Klar doch. Ich werde für morgen eine bei Robo-Skinner anmelden.«

»Für morgen erst?«

»Denkst du etwa, das hier wäre der wichtigste Todesfall in der Stadt, Smokey? Hör zu, ich habe bereits den Fall einer verschwundenen Person am Hals. Der einzige Sohn des Stützeamt-Leiters wurde heute morgen vom Vurt geraubt. Officer Dove ist an dem Fall dran. Meinst du, ich sollte ihm seine Verstärkung verweigern? Außerdem muß ich eine Patrouille für Bottletown organisieren. Kracker hat mir die Anweisung erteilt, jeden Funken bereits im Keim zu ersticken. Keine Aufstände mehr. Hast du kapiert?« Er drehte sich zu seiner Einheit um. »In Ordnung, Officers, schickt das Dreckspack endlich nach Hause.«

Ich war eine einsame Gestalt, um die herum ein Cop-Zirkus die Manege regierte. Ich stand keinen Meter von Coyotes Leiche entfernt. Der herausgerissene Blumenstrauß lag auf dem Bürgersteig. Ein Fleshcop stopfte ihn achtlos in einen Beweisbeutel. Einer der Blumenkelche fiel herunter, und der Regen spülte die Blütenblätter fort, vermischte gelbe Körner mit dem Wasser, und einige ungebetene Gedanken regten sich in meinem Shadow.

Sechsunddreißig Jahre war ich damals alt.

Tage der Coparbeit. Tage des Bluts und des Rauchs, des Nebels und des Fleisches. Tage des Wunderns und des Wanderns. Tage der Luft.

Das alles ist jetzt vergangen, unwiederbringlich vergangen…

Xcab-Fahrerin Boda hat gerade eine einträgliche Fuhre in der Bottle-town-Zone abgeliefert und ist wieder auf dem Rückweg nach Manchester. Es ist 6 Uhr 1 in der Früh, am selben Tag. Vor ein paar Minuten hatte sie etwas Ärger auf der Claremont Road Höhe Alexandra Park gehabt, als plötzlich ein Copbus aus einer Seitenstraße schoß, wie eine Dosis Boomer-Droge auf dem Weg zum Gehirn. Der Bus war in einem irisierenden Purpur lackiert, mit verspiegelten Scheiben und dem Cop-Logo auf der Seite – eine glitzernde Karte von Manchester, umschlossen von Handschellen. Die Kiste raste ein Stück weit Seite an Seite neben Boda her, drängte sie halb auf den Bürgersteig, bis dem Xcab schließlich lange Messer wuchsen. Natürlich wußte Boda, daß Cops und Taxis dieser Tage eigentlich zum Wohle der Allgemeinheit am gleichen Strang ziehen sollten, daher hatte sie die Klingen auch nur auf Streichelweite ausgefahren. Die Cops merkten es nicht einmal, als die Messer fünf dünne Linien in den purpurnen Lack kratzten. Nun, jedenfalls hatten die Jungs jetzt was zu tun, wenn ihre Schicht vorbei war. Anschließend hatte Boda Karo um Boomer-Geschwindigkeit gebeten, was den Copbus weit hinter sie zurückfallen ließ, und Boda war abermals die Königin der Straße.

»Klasse gemacht, Karo«, hatte Boda ihr Taxi gelobt, und in Bodas Taxisichtfeld waren die Worte Das gehört alles zum Service, Schätzchen aufgeleuchtet. Boda ist ihr Xcab-Name. Abkürzung für Boadicea. Genauso wie Karo eine Abkürzung für Karosse ist. Von den Fahrern wurde verlangt, daß sie all ihren Besitz, all ihr Haar, all ihre Erinnerungen und Schätze aufgaben, wenn sie in den Taxistall eintraten. Ihr Prätaxi-Leben verschwand in einer Wolke aus Straßenstaub, und einer der Schätze, die man aufgeben mußte, war der ursprüngliche Name, der Elternname. Boda ist nicht der Name, mit dem sie geboren worden war, aber es ist der einzige, den sie kennt.

Boadiceas Karosse braust majestätisch durch Manchester, während sich die maßgeschneiderten Klingen wieder lautlos in ihr Gehäuse zurückziehen.

Sie ist jetzt auf der Wilmslow Road, auf dem Rückweg in die Stadt.

Oxford Road.

6 Uhr 5.

In diesem Moment sieht sie Coyote in seinem wunderschönen schwarzen Gefährt vorbeisausen. *Du bist der Meister der Straßen, Hundejunge* hatte sie zu ihm entsandt, ohne überhaupt zu wissen, ob das Gefühl ihn erreichen würde. Aber es war eine schwache Botschaft vom Gehirn des Hundejungen zurückgekommen. Irgend etwas darüber, daß er ein Mädchen namens Persephone an Bord hätte, also hatte Boda zurückgeschickt: *Echte Limbo-Glanzleistung, Coy*. Der gefleckte Taxihund brachte das Beste in Boda hervor, er ließ das Lied der Straße in ihr erklingen. Das war alles natürlich ein Haufen romantischer Scheiße. Aber zum Teufel auch, fühlt sie sich heute morgen nicht einfach toll?

Columbus meldet sich über den Taxiäther. Hör augenblicklich auf zu singen, Fahrerin Boda. Und Boda hört auf, wie sie es immer tut, wenn Columbus sich meldet. Hast du vor, heute vielleicht noch mal irgendwann zum Taxistand St. Ann's zurückzukommen, Fahrerin? Wärst du vielleicht so gütig, den einen oder anderen Fahrgast zu befördern?

»Wird gemacht, Columbus«, antwortet Boda.

Es ist 6 Uhr 12 oder so um den Dreh, als Boda sich am Taxistand St. Ann's einfindet, und sie bekommt sofort eine neue Fuhre: Eine simple Fahrt, ein Robocrusty, der nach einem ausgiebigen Boomergelage heim nach Chadderton will. Sein Gerede macht Boda ganz heiß auf einen Schluck von dem lieblichen Gesöff. Vielleicht nachher… mit Coyote zusammen? Klar, einen Versuch ist es wert. Boda liefert ihren Fahrgast ab, nimmt auf dem Rückweg gleich einen neuen Fahrgast auf, irgend so einen Hippie-Hund, der bei einem Vurtkongreß sein will, sobald sich die Pforten öffnen. Sie bekommt ein ganz merkwürdiges Gefühl wegen Coyote, allein von dem Geruch auf dem Rücksitz; mieser Hund! Abgesehen davon war es eine ruhige Fahrt, alles lief glatt, keine Probleme. Nun, fast keine. Auf dem Rückweg setzt sich irgendein kleines Knäuel am Unterboden ihres Taxis fest, irgendein Parasit, der auf eine Gratismitnahme nach Manchester hofft. Das war der Ärger mit den Vorortfahrten; einige der kleineren Zombies hatten es mittlerweile bis hierher geschafft. Jetzt rechnete einer davon mit einer Freifahrt zum Ziel seiner Träume; womit er nicht gerechnet hatte, war das eingebaute Überwachungssystem der Xcabs. Am Armaturenbrett blinkte ein rotes Lämpchen, und das Wort SYSTEMSTÖRUNG leuchtete in Bodas Taxiaugen auf. LOKALISIERUNG DER STÖRUNG… DER AUSPUFFTOPF. URSACHE DER STÖRUNG… UNIDENTIFIZIERTE HALBTOTE LEBENSFORM. WÜNSCHT DU EINE TERMINIERUNG, FAHRERIN? Ja, dachte Boda, eine Terminierung ist ganz in meinem Sinne. »Zeig, was du kannst, Karo, Babe.« TERMINIERUNGSSEQUENZ EINGELEITET. »Es wird kurz ein paar Turbulenzen geben, Fahrgast«, sagte Boda laut. Ihre Stimme wurde vom eingebauten Verstärkersystem aufgefangen und in die hermetisch abgeschlossene Fahrgastkabine im Fond übertragen. »Kein Grund zur Panik.« TERMINIERUNG AKTIVIERT. Das Xcab leuchtete einen Moment lang feurig rot auf, während der Strom Richtung Auspufftopf schoß. Eintausend Volt blanker Wut. Boda hatte sich in die Unterbodenkamera eingeklinkt. Sie sah etwas Scheißefarbenes aufschreien, die winzigen Klauen bis auf die Knochen verbrannt. Offensichtlich eine streunende Gespensterkatze, die sich mit aller Kraft ihres erbärmlichen pelzigen Leibs festklammerte. Und dann fiel das Knäuel vom Auspufftopf ab in die Vorortleere, hüpfte wie ein Gummiball über den Asphalt. »Das wird dir eine Lehre sein, du Zombiedreck!« STÖRUNG ERFOLGREICH BESEITIGT, FAHRERIN. »Darauf kannst du einen lassen! Freie Fahrt voraus.«

Und so brausen sie gemeinsam durch die grauen Straßen, Boda und Karo, Fahrer und Karosse, verschmolzen zu einer Einheit, einem Wesen. Boda behält wachsam den Verkehr im Auge und den Äther im Ohr, aber eigentlich fährt Karo ganz allein; Boda ist viel zu sehr damit beschäftigt, an Coyote zu denken. Der gefleckte Taxihund war vor drei Wochen in ihr Leben getreten, im Nightingale Cafe, wo alle Xcabber abhingen, wenn ihre Schicht zu Ende war. Coyote kam nicht oft dorthin, da die Xcabber ihm gegenüber argwöhnisch waren, aber in jener Nacht war er dort gewesen, und er und Boda waren ins Gespräch gekommen. Um ehrlich zu sein, es blieb nicht beim Gespräch, aber es waren nur vielsagende, tiefe Blicke, mehr nicht. Boda kann zwar noch nicht sicher sein, aber sie ist überzeugt, daß sich da etwas Gutes und Schönes zwischen ihnen entwickelte. Etwas, das Xcabs nicht erlaubt ist, besonders nicht mit einem ungebändigten gefleckten Taxihund. Von Xcabbern wurde erwartet, daß sie sich nur mit anderen Xcabbern verheirateten. Dadurch wurde sichergestellt, daß die Taxi-Gene rein blieben. Columbus hatte sich megawütend eingeschaltet, hatte Boda erklärt, daß sie nur einen Hauch von der Terminierung entfernt wäre. Boda hatte nicht auf ihn gehört. Wie hätte sie auf ihn hören können? Der Weg war zu unberechenbar und faszinierend, besonders als Coyote erzählte, daß er Columbus schon ein paarmal besucht hätte. Keiner der Fahrer hatte die leiseste Ahnung, wo Columbus war oder auch nur wie er aussah, daher wollte Boda unbedingt mehr wissen. Coyotes Worte bargen nur Andeutungen auf dunklere Geheimnisse, aber die Tatsache, daß er mehr *Freiheit* als sie zu haben schien, hatte Bodas Verlangen entfacht. Sie hatte sich noch viermal mit Coyote getroffen, und beim zweiten Mal hatte sie gespürt, wie ihre Gedanken unvermittelt und ungewollt aus ihrem Verstand in den seinen trieben, so als würde sie den Shadow oder so etwas besitzen. *Heiliges Taxi! Was geschieht bloß mit mir?* Bodas Gedanken in der Gegenwart von Hundejungenfleisch. Es war einfach zuviel. Coyote hatte auf ihre geheimen Einflüsterungen geantwortet, so als ob er Direktverbindung zu ihrem Verstand hätte. Und bei ihrem letzten Treffen vor zwei Nächten hatte sie ihm den Tip für eine Limbusfuhre gegeben. Xcabs war es verboten, die Grenzen zu überfahren. Der interne Straßenplan endete am Rand des Großraums der Stadt, und dort, in Frontier Town, erlosch das Wissen, so daß kein Xcabber darüber hinaus vordringen konnte. Und bei jener Weitergabe einer Fuhre hatten sie beide sich über zwei halbleeren Bechern Chrism-Saft geküßt, und dieser Kuß war so saftig, so voller Verheißung gewesen. Boda konnte in jener Nacht nicht schlafen, mußte immer wieder an diesen Kuß denken. Vielleicht würde sie dieser Taxihund über wonnige Wege zu schönen Orten führen.

Boda ist achtzehn Jahre alt. Den einen oder anderen Freund hat es in ihrem Leben schon gegeben, aber der Richtige war bislang noch nicht dabei; sie ist jetzt gerade für etwas Gutes und Schönes bereit. Sie steckt sich mit dem eingebauten Anzünder eine Zigarette an. Der Hinweis auf der Schachtel lautet: Rauchen nach dem Sex ist toll – die offizielle Geliebte Seiner Majestät.

7 Uhr 4.

Boda nimmt einen weiteren Fahrgast auf, und auf dem Rückweg nach Manchester stellt sie auf der Skala den Piratensender ein.

»Heftige Attacke auf die Hippie-Nasenlöcher. So was hat's noch nie gegeben. Gumbo YaYa niest bereits. Ich erhebe meine Blumen in den Wind, um die Zukunft zu riechen… die Zukunft ist eine Nasenexplosion. Greift zu euren Gumbo-YaYa-Fiebermasken, meine Kinder; es wird eine holperige Reise durch die Pollenwolken. Solch ein brennendes Verlangen hat es seit den Tagen von Fruchtbarkeit 10 nicht mehr gegeben, als der schwebende Samen uns einen Pollenstand von 862 bescherte, den höchsten, der je in Manchester gemessen wurde. Gumbo YaYa glaubt, daß dieser Rekord jetzt gebrochen wird. Möge John Barleycorn die Lust auf euch vergehen. Und denkt immer dran, glaubt den Behörden nichts; nur Gumbo kennt die Wahrheit. Der Pollenstand liegt bei 125, Tendenz weiter steigend…«

Boda wartet mittlerweile auf einen neuen Fahrgast. 7 Uhr 29, Taxistand St. Ann's, zehnte in der Reihe, so über den Daumen eine Viertelstunde bis zur nächsten Fuhre. Sie steigt aus dem Taxi aus und geht zum dritten Fahrer in der Reihe.

Boda – die Art, wie du gehst, weitausholend und geschmeidig, wie ein Engel mit Flügeln aus Rauch. Und wie du aussiehst: dein Kopf kahlgeschoren und auf dem nackten Schädel eine Lasertätowierung von gewundenen Straßen in Schwarz und Weiß. Du bist ein wandelnder Stadtplan der Wonne, gekleidet in Jeans und Filz, Spitze und Polyvinylchlorid. Vazboot-Turnschuhe an den Füßen und ein Kummerbund aus Samt um deine Taille. Ein Kordbeutel lässig über die Schulter geworfen, und darin deine ganze Welt; dein antiker Stadtplan von Manchester und deine Wollmütze und dein Geld, deine Fahrerlinzenz und deine Zigaretten.

Der dritte Fahrer in der Reihe heißt Roberman. Roberman ist ein gut gebauter Robohund, ein Dobermann-Pinscher von Geburt, aber alle Fahrer im Stall nennen ihn nur Roberman, weil er genau das ist. Es ist nicht eine Spur von Mensch in ihm, nichts als ein Durcheinander von Hundefleisch und Inpho, zusammengemengt in einem strammen Bündel aus Muskeln und Plastik. Die Genmechaniker nennen diese Kreuzung *Hardwere*. Es gibt nichts Menschliches an Roberman, aber Hunde können manchmal menschlicher als Menschen sein. Xcabs hat ihn wegen seines Hundewissens von den dunklen Straßen eingestellt. Die meisten der anderen Fahrer reden nicht mit Boda, weil sie sie für zu eigenbrödlerisch halten, für zu abweisend, zu verdreht, um sich mit ihr abzugeben. Roberman ist anders. Er stößt eine lange Folge von kehligen Knurrlauten und Jaulern aus, von denen Boda nicht einen einzigen versteht, aber die Tränen in seinen Augen sagen alles. Sie legt ihre linke Hand auf die Tür seines Taxis; mehr braucht es nicht, um sich in das interne System des Gefährts einzuklinken. Jedes Xcab besitzt ein eingebautes Verstärkersystem. Robermans Stimme schallt aus den Lautsprechern, sein winselndes Jaulen vom integrierten Übersetzer in Englisch verwandelt, ganz zum Wohle nervöser Fahrgäste. Diese Option ist nötig, wenn Fahrer und Fahrgast verschiedenen Rassen angehören. »Hast du schon die tragische Nachricht gehört, Boda?« erkundigt sich der Lautsprecher.

»Ich bin gerade erst zurückgekommen. Was ist los?«

»Sie haben einen Fahrer ermordet.«

»O Scheiße. Wen?«

Auf der Straße gilt es als obercool, einen Xcab-Fahrer zu erledigen, weil sie so gut geschützt sind. Und weil ein Xcab eine Trophäe ist, für die es sich zu töten lohnt.

»Keiner von uns, Boda«, preßt Roberman heraus.

»Kein Xcabber?«

»Außenseiterhund.«

»Ein Hundefahrer?«

»Der Schwarzweiße.«

»Coyote?«

»Hatte 'ne tödliche Fuhre zum Alexandra Park.«

»Coyote… o mein Gott…« Bodas Blick wandert die Straße entlang, auf der Suche nach Trost. Findet keinen. Findet überhaupt nichts Gutes.

Nur den Wind und den Regen…

»Alles in Ordnung, Boda?« fragt Roberman.

»Ja… ja, klar… ich bin… wer hat es getan, Rober?«

»Cops wittern Null.« Was bedeutet, daß die Cops keinen blassen Schimmer haben, aber Boda hört schon nicht mehr zu. Sicher, eine Hand ist immer noch gegen das Taxi gedrückt, aber mit der anderen muß sie sich unwillkürlich über die Augen wischen.

»Ist mit dir wirklich alles in Ordnung, Boda?« erkundigt sich Roberman.

»Boda geht es gut«, ringt sie ihren Stimmbändern ab. Aber innerlich kann sie nur an diesen gefleckten Taxihund denken. Nur daran, daß er der letzte seiner Art war. Nur daran, daß nun die Schönheit seines Lebens auf immer verloren ist. Nur daran, daß er seit langer Zeit die erste Hoffnung auf einen guten Liebhaber gewesen war, die des Wegs gekommen war. Und Boda hatte noch nicht einmal…

»Die Hunde werden auf die Barrikaden gehen. Es wird Ärger geben.« Robermans Stimme spricht zu ihr, und der Regen fällt als dumpfer Schmerz vom Himmel. Boda, du hast keine Antwort darauf. Du hast nur die regennasse St. Ann's Church in deinem Blickfeld und vor deinem geistigen Auge die Vision von Coyotes letztem Zuwinken, aus dem Fenster jenes geliebten schwarzen Taxis heraus.

Roberman läßt einen gewaltigen Nieser frei, so als würde die ganze Welt seine Nase verstopfen. Das Liebeslied eines Taxis erstirbt in Bodas Herz, und der Regen fällt auf ihren Blouson des offiziellen Manchester-City-Vurtball-Fanclubs. Coyote hatte sie zu einem

Spiel eingeladen, hatte ihr eine Karte für das Halbfinale in vier Tagen geschenkt.

Dieses Spiel wird sie nun verpassen.

»Roberman, wir haben Coyote diese Fuhre gegeben.«

»Ich will es nicht hören.«

»Roberman, es ist unsere Schuld. Er hat ein Mädchen namens Persephone aus dem Limbus abgeholt. Hat sie nach Alex Park gebracht. Vielleicht hat der Fahrgast ihn umgebracht.«

»Bitte, Boda. Ich will es wirklich nicht hören.« Roberman steht die Angst in die Augen geschrieben, als er das sagt.

In genau diesem Moment, 7 Uhr 34, hört Columbus, der Xcab-König, den Taxiäther ab. Er bekommt mit, wie Fahrerin-Boda Fahrer-Roberman gegenüber den Namen Persephone erwähnt.

VERFLUCHTE TAXISCHEISSE!

Plötzlich wird Columbus von Angst gepackt. Sein eines Prozent Mensch kommt ins Spiel, verdrängt alle Vurtvernunft. Fahrerin-Boda muß mit dem gefleckten Taxihund Coyote über die Fuhre gesprochen haben. Boda weiß über den Besucher Bescheid. Sie weiß, daß Coyote Persephone am Alexandra Park abgesetzt hat.

Wie sollte er in dieser unerwarteten Situation verfahren? Er mußte Boda eliminieren. Columbus überlegte den Bruchteil eines Augenblicks und tätigte dann einen geheimen Telefonanruf. Anschließend schaltete er sich wieder in den Taxiäther ein…

Columbus meldet sich über den Taxiäther, unterbricht die Unterhaltung zwischen Boda und Roberman. FAHRERIN-BODA, AUF EIN WORT BITTE, sagt er.

»Zentrale?« Boda bringt unter ihren Tränen kaum die Kennung ihres Bosses heraus.

ICH HABE EINE FUHRE FÜR DICH.

»Zentrale, mir geht's nicht…«

DU WURDEST NAMENTLICH ANGEFORDERT. ICH GLAUBE, DU HAST DA DRAUSSEN EINEN VEREHRER, EINEN MR. DEVILLE. KENNST DU IHN?

»Nein, ich…«

Abholung in der Hyde Road, Ardwick. Ziel Dukinfield. Sei in Ardwick auf der Hut. Da ist es um diese Tageszeit recht ungemütlich.

»Ich glaube nicht, daß ich im Moment eine Fuhre…«

Du bist ein Xcabber.

»Ich habe gerade eine sehr schlimme Nachricht erhalten, Zentrale.« Bodas Stimme ist heiser. Sie kriegt den schmerzlichen Verlust einfach nicht aus ihrem Kopf.

Dürfte ich dich an Klausel 7.2 im Fahrervertrag erinnern? Darin steht klar und deutlich, dass alle Fahrer verpflichtet sind –

»Ich weiß, was da steht, okay?«

Was ist los mit dir, Boadicea? Hast du etwa keine Lust mehr?

»Ich mach's ja, okay? Bin schon unterwegs.« Boda steigt wieder in Karo ein und startet mit zittrigen Fingern seinen Motor.

Schön, dich wieder online zu haben, Fahrerin.

Columbus meldet sich ab, und Karos Stimme nimmt leuchtend seinen Platz im Sichtfeld ein, während die Fahrt beginnt. Wohin geht es, Boda?

»Hyde Road.«

Stimmt etwas nicht?

»Halt die Klappe und fahr einfach!«

Karo verstummt. Das Taxi rollt bekümmert weiter.

Boda wollte einfach nur fahren; sie wollte einfach nur der ganzen Welt entfliehen…

Statt dessen kommt sie gerade mal bis Ardwick, wo die aufgehende Sonne das Brachland um eine Ansammlung von stillgelegten Fabriken herum in ein schimmerndes Licht taucht. Ein Mann wartet an der verabredeten Abholstelle. Er ist der einzige weit und breit, und er ist so dünn, daß Boda zweimal hinschauen muß, bevor sie ihn sieht. Ein Unbekannter, sie hat ihn noch nie gefahren. Boda bringt Karo zum Stehen und spricht über das Lautsprechersystem des Taxis:
»Deville?«

Der Mann nickt. Er scheint aus irgendeinem Grunde nervös.

»Steigen Sie ein.«

Der Fahrgast macht es sich mit seinem dürren Leib auf dem Rücksitz bequem. Bodas Blick fällt auf die Vurtballkarte, die Coyote ihr geschenkt hat und die nun auf dem Armaturenbrett liegt. Boda läßt den Motor an. Karo reagiert nur träge, kriecht langsam die Straße entlang.

»Karo, was ist los?«

ICH WEISS ES NICHT, BODA, ICH FÜHLE MICH EIN WENIG SCHLAPP.

»Was?«

ES KOMMT MIR SO VOR, ALS WÜRDE ICH MEINE KRAFT VERLIEREN…

»Ach, komm schon.«

Boda hört, wie die Trennscheibe aufgeschoben wird.

»Hier können Sie halten«, sagt der Fahrgast.

»Ich bin nicht in der Stimmung für Spielchen.« Boda dreht sich um und sieht, wie sich die Trennscheibe zwischen ihr und dem Fahrgast öffnet. Er lächelt sie an. Boda drückt den Trennscheibenknopf, aber nichts tut sich. Die Trennscheibe ist jetzt bis zum Anschlag offen. Boda dreht sich wieder nach hinten um.

Eine Waffe ist auf ihren Kopf gerichtet. Der Fahrgast gibt ihr ein Zeichen, das Taxi anzuhalten. Boda weigert sich, wendet sich wieder zum Armaturenbrett, ruft die Zentrale…

WAS IST?

»Ich habe einen Irren an Bord, Columbus.«

HERRJE.

»Hast du den Kerl denn nicht überprüft?«

DU KENNST DAS VERFAHREN, FAHRERIN. AKTIVIERE DEN VERTEIDIGUNGSMECHANISMUS.

Boda drückt Karos Stromschlag-Knopf, lenkt den Saft in die Fahrgastkabine. Nichts passiert. Der Fahrgast sitzt einfach nur lächelnd da, die Waffe schnurstracks auf sie gerichtet. »Was geht hier vor, Karo?«

ICH KANN NICHTS DAGEGEN MACHEN, BODA, erklärt das Taxi.

»Was?«

COLUMBUS BEHINDERT MICH.

Karos Stimme verliert sich in der Dunkelheit. Der Fahrgast drückt Boda die Waffenmündung in den Nacken. »Warum tun Sie das?« fragt sie ihn, verzweifelt darum bemüht, ihre Stimme unter Kontrolle zu halten.

»Sei still!«

»Columbus, was geht hier vor?« Columbus antwortet nicht. Zum allerersten Mal antwortet Columbus nicht. Bodas Blick hängt starr an der Vurtballkarte, so als wäre es die Fahrkarte aus dem ganzen Schlamassel. Sie greift danach. Es ist so, als würde sie nach Coyote greifen.

Boda packt die Karte genau in dem Moment, als…

Genau in dem Moment, als der Fahrgast abdrückt. Bodas Kopf ist leicht verdreht, weil sie sich zur Karte beugt. Die Kugel pflügt einen Weg in die Seite ihres Schädels, streift den eintätowierten Stadtplan. Dadurch verändert sich die Flugbahn des Geschosses, und es durchschlägt die Windschutzscheibe des Taxis. Glas splittert in einem Verbundnetz. Notfallmaßnahmen. Karo tritt unvermittelt in Aktion und braust los. Der Fahrgast und Boda werden vom Ruck der Beschleunigung in die Polster gedrückt. Karo macht mit Vollgas eine scharfe Kehrtwende. Der Kopf des Fahrgastes knallt gegen die Trennscheibe, und die Waffe fällt ihm aus der Hand.

»Karo? Was passiert hier?

WIR MACHEN DIE BIEGE! HALT DICH FEST, erwidert das Taxi.

Die Trennscheibe schließt sich, während das Taxi die Hyde Road hinunter und dann links in die Brunswick rast. Der Fahrgast wird auf dem Rücksitz hin und her geschleudert, eingesperrt in die Taxikabine. Boda nimmt wieder das Lenkrad in die Hand. Columbus schaltet sich megawütend ein: BOADICEA, WAS MACHST DU DA?

»Was, zum Henker, machst *du* da?«

ES HAT EIN MISSVERSTÄNDNIS GEGEBEN.

»Das kannst du wohl laut sagen.«

FAHRERIN-BODA. ICH BITTE UM ERKLÄRUNG.

»Ich habe eine neue Fuhre, Columbus.«

NEGATIV. ES WURDE KEINE FUHRE REGISTRIERT. ICH BITTE UM ERKLÄRUNG.

»Ich bin auf dem Weg, einen neuen Fahrgast abzuholen.«

Es wurde keine Anforderung registriert. Ich verlange eine Erklärung.

»Leck mich.«

Es gibt keine Fuhre, Boda. Hörst du mich?

Keine Wahl.

Keine Wahl für den Fahrer oder den Stadtplan.

Der Fahrgast, der sich Deville nennt, versucht strampelnd, sich in der abgeschotteten Fahrgastkabine wieder aufzurichten, als eine scharfe Rechtskurve an der Upper Brook Street ihn abermals gegen die Seitenwand schleudert. Während das Taxi in halsbrecherischem Tempo die Straße entlangbrettert, leuchtet abermals Karos Stimme im Sichtfeld auf: Boda, bitte lass mich los. Hör auf, unter meinem Armaturenbrett herumzufingern. Nimm deine Hände von den sechzehn Steckern unter meinem Armaturenbrett.

»Was?«

Die sechzehn Stecker unter meinem Armaturenbrett. Bitte, zieh sie nicht heraus.

»Ich fasse dich doch gar nicht an.« Ihre Augen sind nach vorn auf die Straße gerichtet, wenn sie nicht gerade wieder nach hinten schaut, um zu sehen, was der Fahrgast macht. Er sieht hinter der Scheibe aus wie ein sterbender Goldfisch.

Du solltest die sechzehn Stecker besser nicht herausziehen, Boda, denn über sie ist Zentrale mit dir verbunden. Du möchtest doch nicht die Verbindung zu Columbus kappen, oder?

»Was passiert dann mit dir?«

Mach dir um mich keine Sorgen.

Columbus meldet sich, seine Worte brennen sich in das System. Was, zum Henker, machst du da, Xcab-Karosse? Bist du scharf auf den Schrottplatz?

Ich tue, was ich kann, Columbus. Alles, was ich nur kann.

Boda lächelt. »Hab schon kapiert, Karo.«

Boda greift unter das Armaturenbrett, langt nach den Kabeln des Systems, die dort eingestöpselt sind. Sie zieht das erste heraus. Karo schreit auf, und Boda nimmt erschreckt ihre Hand weg.

So ist's brav, Fahrerin, sagt Columbus. Lass uns jetzt nichts unüberlegtes tun. Aber seine Stimme bebt, und das treibt Boda an. Ihre Hände greifen wieder unter das Armaturenbrett, um den zweiten Stecker herauszuziehen, auf dem Weg zur manuellen Kontrolle. Karo ruft sie über den schwächer werdenden Äther an, seine Stimme wird immer dunkler und dunkler, die Buchstaben erlöschen in Bodas Taxisichtfeld... mach dir um mich keine Sorgen... Boda... mach dir um mich keine Sorgen... Boda... mach dir... mach dir keine Sorgen... mach dir...

Boda ignoriert die sterbende Stimme, auch wenn es ihr das Herz bricht, und ihre Finger zerren am neunten Stecker, als Columbus sich abermals meldet.

In Ordnung, Boda. Jetzt mal ganz ruhig. Diese Karosse gehört mir.

»Das werden wir ja sehen.«

Du lässt mir keine andere Wahl.

»Ach ja?« Der vierzehnte Stecker...

Boadicea Jones, du bist mit sofortiger Wirkung als Fahrerin der Extraordinary Private Personnel Transportation Company terminiert. Der noch ausstehende Lohn wird umgehend in dein System eingespeist.

Boda sieht auf ihrem Guthabenmeter traurige blaue 227,60 aufleuchten.

Der fünfzehnte Stecker...

Auf Wiedersehen, Boda. War nett, mit dir zu arbeiten. Columbus' letzte Worte werden von Karos schwacher Stimme aufgegriffen...

Auf Wiedersehen... Boda... War nett... mit... vielleicht noch ein letzter Stromschlag, bevor ich dich verlasse?

Boda drückt den Hebel, der den Stromschlag in der Fahrgastkabine aktiviert. Betäubungsvolt. Das Taxi glüht auf. Der Fahrgast schreit vom Rücksitz, als der Blitz in ihn fährt, und dann stürzt das System ab, erlischt...

War nett, mit dir zu arbeiten... War nett, mit dir zu arbeiten... nett...

Karo rollt aus und kommt schließlich zum Stehen, die gesplitterte Windschutzscheibe blind vom Regen. Der Mancunian Way erhebt sich auf seinen Betonstelzen über ihr. Autos brausen vorbei. Boda zieht den sechzehnten und letzten Stecker heraus.

Das Taxi gehört nun Boda. Ganz allein.

Es war jetzt 7 Uhr 42, und etwas Seltsames passierte mit dem Stadtplan von Manchester. Alle Straßen buckelten und wanden sich im Xcab-System, brachen ihre Verbindungen miteinander und fügten sich dann zu neuen Mustern zusammen. Es gab 2000 Taxis im Xcab-System, alle untereinander verbunden. Jetzt gab es 1999 unterbrochene Verbindungen. Und der Grund für diese Mutation lag ganz allein in der Herauslösung eines einzelnen Taxis aus dem Stall, denn jeder Teil war das Ganze. Ein Gestalt-System. Überall in der Stadt waren Xcabber überzeugt, sie wären zu den angegebenen Zielorten unterwegs, nur um dann erleben zu müssen, daß die wütenden Fahrgäste sie beschimpften und ihnen das Entgelt verweigerten, weil sie an den falschen Adressen abgeliefert worden waren. Diese befremdliche Situation machte Columbus verrückt; er wußte nicht, was er tun sollte. Er fühlte sich angeschlagen, krank. So als hätte er sich einen Virus eingefangen. Dieses Miststück Boda hatte sich aus dem Taxistall abgesetzt. Das hatte noch nie zuvor jemand getan. Columbus war einige Minuten lang verwirrt, während er spürte, wie glatte siebenundneunzig Beschwerden in sein System fluteten. Xcabs erhielten niemals Beschwerden! Heiliges Taxi! Columbus war erst einmal eine Weile überlastet, und er gab sich selbst die Schuld an dem Malheur. Wenn er doch nur nicht versucht hätte, Boda eliminieren zu lassen. Wenn er nur nicht sein eines Prozent Menschlichkeit die Oberhand über seine Gefühle hätte gewinnen lassen. Aber all diesen Selbstzweifeln zum Trotz gelang es ihm dann doch, sich wenigstens einen Abglanz seiner früheren Souveränität verfügbar zu machen. Er hatte, Barleycorn sei Dank, einen Ersatzplan parat, aber es würde eine Weile dauern, ihn einzuspeichern. Er setzte diesen Prozeß in Gang, während er gleichzeitig alle Beschwerden höchstpersönlich beantwortete. Es dauerte eine knappe Viertelstunde, bis der neue Stadtplan geladen war. Es handelte sich um eine frühe Kopie, ein Überbleibsel aus den ersten Jahren des Xcab-Lebens, und sie würde nur so vor Lücken und Auslassungen strotzen. Aber für den Moment mußte sie genügen.

Sobald der Ersatzplan eingespeist war, entsandte Columbus eine Durchsage an alle Taxis und wies sie an, den Fahrgästen gegenüber gute Miene zu machen, dann erklärte er den Tag zu einer Werbeaktion, bei der jedermann kostenlos zu seinem Ziel gebracht wurde. Etwas noch nie Dagewesenes. Es würde kein Fahrgeld fällig werden. Für Columbus war das reine Schadensbegrenzung. Und sobald das alles erledigt war, rief er bei all seinen unbesetzten Taxis durch und befahl ihnen, nach der flüchtigen Fahrerin zu suchen. Boda kümmerte ihn recht wenig, aber das Fahrzeug wollte er unbedingt zurückhaben. Dieses Taxi namens Karosse war Teil seines Systems, ein lebenswichtiges Organ im Xcab-Körper. Der neue Stadtplan, den er online bringen wollte, war nutzlos, solange Columbus selbst nicht vollständig war.

Scheisse! Warum habe ich dieses Miststück...

Columbus haßte es, wütend zu werden, es war eine so durch und durch menschliche Verhaltensweise. Die Situation war noch nicht unter Kontrolle. Ihm blieben nur noch sechs Tage, bis der neue Stadtplan vom Vurt übermittelt wurde. Persephone war eine kurz blühende Blume. Sechs Tage, in denen er sein verlorenes Taxi finden und Boda zum Schweigen bringen mußte.

Ein für allemal.

Der Teufel soll diesen unfähigen Fahrgast holen! Verfluchtes Taxi! Er sollte die Fahrerin töten und sie nicht dazu treiben, sich aus dem Plan abzusetzen.

Columbus hatte noch ein weiteres Problem: Jetzt, wo Karosse für das Xcab-System verloren war, war es nur noch ein anonymes Fahrzeug auf den Straßen, eins von vielen. Zentrale konnte zwar den Weg des Wagens verfolgen, aber er konnte nicht zu ihm sprechen. Er konnte ihn nicht dirigieren. Karosse war jetzt ein freier Radikaler. Ein Maverick. Natürlich kannte Columbus die Position des Taxis: die Kreuzung Upper Brook Street und Mancunian Way. Columbus entsandte vier Taxis zu dieser Stelle. Und er hatte in seinen Datenbanken auch immer noch Bodas Wohnadresse: Dudley Road, Whalley Range. Er schickte zwei andere Taxis aus, damit sie dort Posten bezogen. Drei weitere Taxis fuhren zum Alexandra Park, nur für den Fall, daß es Boda zur letzten Zieladresse des gefleckten Taxihunds ziehen sollte.

Alles Nötige war also in die Wege geleitet, und Bodas Flucht würde bald ein Ende haben, aber tief in seinen Kreuzungen und Gabelungen fühlte Columbus, wie der Verlust an seiner Straßenseele fraß.

Boda hievt den elektroschock-betäubten, schlummernden Leib des Fahrgastes aus der Kabine, dann steigt sie wieder in Karo ein. Sie bearbeitet die Schalter und Knöpfe, bis sie den Motor wieder zum Laufen gebracht hat. Die Fahrt ist schleppend, und das Taxi fühlt sich krank an, und so merkt Boda erst nach gut fünfzig Metern, daß sie keine Ahnung hat, wo sie sich eigentlich befindet.

Der Xcab-Stadtplan in Bodas Kopf ist tot, Boda ist eine Fremde in ihrer eigenen Heimatstadt. Zum ersten Mal seit neun Jahren hat sie sich verirrt. Ein verirrtes Mädchen. Dieses Gefühl läßt ihre Hände zittern, während sie das Lenkrad umklammern. Boda biegt mit dem Taxi in eine Seitenstraße und parkt. Die Straße heißt Cloak Street. Boda zermartert sich das Gehirn, was das wohl heißen kann, aber sie findet kein Wissen. Keinen Hinweis. Ihr Schädelstadtplan schmerzt von der Kugel, die sie gestreift hat, und sie reibt sich die aufgerissenen Straßen an der Wunde. Ihre Finger sind blutverschmiert. Ein fahles Licht schimmert entlang der Windschutzscheibe, dann folgt eine Stimme aus bebenden Worten: Schön, dich wiederzuhaben, Boda. Hahaha.

»Karo! Du bist es.«

So leicht wirst du mich nicht los. Lass uns die Strassen erobern, Baby.

Ihre Lippen verziehen sich zu einem verkniffenen Lächeln; die Xcabs werden ohne ihr Taxi im Stall ebenso orientierungslos sein. Columbus wird natürlich irgendeinen Notplan hervorzaubern, aber bis dahin kann Boda ungehindert umherstreifen. Vielleicht hat sie nur wenige Minuten, aber mehr braucht sie auch nicht. Boda ignoriert ihren schmerzenden Kopf, greift nach ihrer Schultertasche auf dem Armaturenbrett und holt die zerfledderte, antike Ausgabe des Manchester-A-Z heraus. Sie sucht im Index Cloak Street heraus, findet ihre Position, dann überfliegt sie kurz die ersten Seiten mit dem Übersichtsplan von Manchester. Ihr Blick fällt auf einen Ort namens Whalley Range. Etwas klingelt bei ihr. Ihr Zuhause. Ihre kleine Mansarde mit den Postern von Kid Bliss und den zerbrochenen Boomerflaschen. Fünfzehn Sekunden später wendet sie das Taxi und fährt auf dem Mancunian Way zurück in Richtung Whalley Range. Sie hat keinen Schimmer, wie sie von A nach B kommen soll, von A nach Z ganz zu schweigen, aber mit dem aufgeschlagenen Stadtplan auf dem Armaturenbrett wird Boda ihren Weg schon machen. Karos Stimme meldet sich in ihrem Kopf; wie kann das sein? WIR WERDEN ES SCHAFFEN, BODA.

»Das hoffe ich.«

WIR SIND ABER HEUTE EMPFINDLICH.

Karo folgt jetzt seinem eigenen Weg, macht sich die Straßen untertan, immer dem Kühlergrill nach.

Es liegt etwas in der Luft, etwas, das Boda nicht ganz zu benennen vermag, eine Art drückende, lastende Präsenz, die nicht von den Schmerzen der Kopfwunde herrührt. Chorlton Road, vier Xcabs verfolgen sie, wie sie im Rückspiegel sieht. Boda steuert das Taxi wie ein wahrer Meister, aber ihre Nase fängt an zu kribbeln, und ihre Augen tränen. Der Duft von Blumen kriecht ihr in die Nasenlöcher. Sie möchte niesen. Es fühlt sich an, als wären ihre Stirnhöhlen mit Schießpulver vollgestopft…

Jetzt wird es gleich…

Aber dann läßt das Kribbeln wieder nach, und Boda bleiben nur noch ein Gefühl der Leere, ein Kopf voll enttäuschtem Verlangen und die Frage, was der nächste Moment wohl bringen wird.

Sie reißt das Lenkrad herum und biegt mit qualmenden Reifen in die Stretford Road. Das erste Xcab schießt schnurgerade über die Kreuzung, aber die anderen drei kriegen die Kurve. Von der Stretford geht es in die Henrietta. Von da in die St. John's, das Verfolger-Xcab-Trio immer noch dicht auf: der Vater, der Sohn und der Heilige Geist ihres vergangenen Lebens. Bodas Blick huscht von Straße zu Rückspiegel, von Rückspiegel zu A-Z. Das vorderste Xcab küßt ihre hintere Stoßstange, während Boda auf der Russell Road entlangbraust und dann rechts in die Dudley zieht, wo sie wohnt. Von einem nahegelegenen Garten weht Blumenduft herüber.

Wieder versucht Boda zu niesen.

Der Moment… der Moment…

Blumen im Regen.

Sie wird gleich…

Niesen!

Niesen!!!

Komm schon, du Miststück! Schneuz es raus! Mach schon!

Nein. Nichts passiert. Es bringt einfach nichts, es will kein Nieser kommen.

Das ist nicht fair.

Boda fühlt sich wie eine nicht explodierte Bombe.

Sie folgt der langgezogenen Biegung der Dudley Road, bis ihr Haus in Sicht kommt. Zwei Xcabs parken vor ihrem Vorgarten. Boda tritt das Gaspedal bis zum Bodenblech durch. Das Taxi schießt zwischen den beiden Fahrzeugen hindurch, leckt gelben und schwarzen Lack von ihren Seiten. Boda beobachtet im Rückspiegel, wie die beiden Xcabs zum Wenden ansetzen, nur um sich hilflos in den drei Verfolger-Xcabs zu verheddern. Zwei der Taxis krachen ineinander. Boda brettert links in die College Road. Dann rechts in die Withington. Sie drückt den Bleifuß-Geschwindigkeit-Knopf, wirft noch einmal einen Blick in den Rückspiegel. Zwei Taxis folgen ihr. Nach links in die Wilbraham Road. Wilbraham ist eine Rennstrecke; Boda läßt den Asphalt qualmen, um ihren Verfolgern zu entkommen. Die Wahrheit ist, daß sie keine Ahnung hat, wo sie ist oder wo sie hin will. Dieses Mädel fährt einfach nur. Ein weiteres Taxi kommt aus der Wilmslow Road und hält schnurgerade auf Boda zu. Columbus ist im System allgegenwärtig, verfolgt sie auf jeder Route, die sie einschlägt. Wie soll sie seinem allsehenden Auge entkommen? Boda zieht das Lenkrad eine Haaresbreite zur Seite. Ihr Taxi schabt mit Vollgas an dem Hindernis vorbei, beschneidet dem Xcab die Flügel. Und als das Xcab unter der Wucht des Zusammenstoßes kapituliert, sieht Boda, wie die anderen Taxis einen Augenblick lang orientierungslos umherirren, während sich der Stadtplan dem Verlust anpaßt. Boda biegt jetzt in den Kingsway, wo immer der auch ist; ihr A-Z ist beim Abbiegen vom Armaturenbrett gefallen. Sie irrt durch eine Ortschaft namens Burnage, noch immer mit zwei Xcabs im Schlepptau. Dann biegt sie in eine Seitenstraße namens Kingsway Crescent, hält das Taxi an und aktiviert die bewährten Boadicea-Felgenklingen. Die Xcabs schleudern ins Blickfeld ihres Rückspiegels. Boda setzt ihr Taxi mit Vollgas zurück und rammt das erste Xcab. Das satte Scheppern von Stahl auf Stahl ertönt, während sie ihren Verfolger nach hinten schiebt, die Stoßstangen ineinander verkeilt, bis sie auf der richtigen Höhe ist, um wieder nach rechts zurück auf den Kingsway abzubiegen. Boda zieht mit zwei Rädern über den Bürgersteig, rasiert Lack von einem geparkten Wagen und schlitzt gleichzeitig zwei tiefe Wunden in die Reifen des Xcabbers. Das zweite Xcab irrt hilflos umher, als der erste Xcabber den Dienst quittiert. Bodas Radio schaltet sich ein. Boda hat jetzt freie Fahrt voraus. Zurück über den Kingsway. Heimwärts. Ohne einen Schimmer, wo ihr Heim jetzt ist.

Die Narbe an ihrem Kopf zieht sich einen tätowierten Kingsway entlang, und die Straße, auf der sie fährt, ist gleichermaßen verwundet, eine Phalanx aus zertrümmerten Autos und brennenden Häusern. Doch Bodas Gedanken gehen eigene Wege, führen schnurgerade zu Columbus' Verrat. *Was zum Teufel hat dieser Drecks-kerl vor? Der Boß hat versucht, sie umbringen zu lassen! Was ist nur mit der Welt los?*

»Vielen Dank für diese Darbietung der jüngsten Nachrichten, Wanita. Deine liebliche Stimme kann selbst aus dem Tod noch Poesie machen, und war das nicht wirklich eine schlimme Nachricht über diesen Taxihund? Coyote ist von uns gegangen, Leute. Der Gumbo ist oft in jenem tapferen schwarzen Taxi gereist, wenn der Magic Bus nicht verfügbar war. Ihr könnt mich ruhig altmodisch nennen, aber dieser Hippie hat seit jeher eine Schwäche für unangepaßte Individualisten, für Rebellen und Außenseiter. Coyote war mein Held.«

»Meiner auch«, stimmt Boda mit ein.

»Bei ihm war eine Taxifahrt noch eine wahre *Reise*, ganz anders als bei diesen supersauberen und effizienten Xcabs. Die, wo wir gerade dabei sind, heute einige Probleme mit ihrem ach so grandiosen Metastadtplan haben.«

»Darauf kannst du wetten, Gumbo.«

»Ich werde mich nachher mal in den Stadtplan einklinken, um herauszufinden, was da eigentlich abgeht. Und die geheime Copnachricht des Tages? Ergebnis null, wie üblich. Ach ja, wieder einmal wurde irgendein wundervolles Geschöpf durch die Hand eines Hundekillers seines Lebens beraubt, und was machen die Cops? Absolut nichts. Wenn ein Hund dran glauben muß, dann legen sich die Cops schlafen. Ya Ya! Coyote war ein herausragender Vertreter seiner Rasse, und sein Tod wird Wellen im Hundereich schlagen. Aber in der Zwischenzeit erst mal einen Blick in den Garten, wo der Pollenstand neue Höhen erreicht. 195, Tendenz weiter steigend. Die nächste Scheibe spiele ich im Gedenken an Coyote. Möge er im Hundehimmel einen großen Knochen finden. Hier also ›A Day In the Life‹ von den Beatles. ›I read the news today, oh man. About a lucky dog who made the grave.‹ Mr. Lennon bringt es wie üblich genau auf den Punkt. Dann legt mal los, Jungs…«

Und dann verwandeln die Beatles auch schon Tod in Musik, und Boda lauscht mit Tränen in den Augen, während sie den Kingsway entlangfährt. Karo meldet sich abermals in ihrem Kopf, SPAR DIR DIE TRÄNEN, SCHÄTZCHEN, sagt er ihr. SUCHEN WIR UNS EIN VERSTECK.

»Und wo?«

Das Blut aus ihrer Wunde strömt vom Kingsway nach Süden, an ihrem Hals hinunter in die dunklen Gefilde ihrer Kleidung.

ES GIBT NUR EINEN ZUFLUCHTSORT, FAHRERIN.

Dienstag
2. Mai

Der erste Schnitt des Scannermessers zog einen tiefen Graben über die linke Wange nach unten, vom Mundwinkel bis zu den Halsmuskeln. Dann senkte sich das Scannermesser ein zweites Mal herab, der gleiche Schnitt, aber jetzt auf der rechten Seite. Der Name des Coparztes war Robo-Skinner, und er war die personifizierte Präzision. Ich schaute zu, wie er die Zwillingshautstreifen vom Gewebe schälte und beiseite zog, bis ich tief in den Gaumen des Opfers sehen konnte. Ich hatte seine Halsmuskeln voll im Blickfeld, eine grausige Abstraktion auf dem Monitor, und ich konnte die abgebrochenen Stengel der Blumen erkennen, die es sich dort heimisch gemacht hatten. Seine Kehle war von ihnen durchdrungen und aufgerissen worden. Skinner machte einen dritten, geraden Schnitt quer über den Hals, und dann noch einen, ein Stück tiefer, auf der Suche nach dem Ursprung.

Die Tentakel reichten tief hinab, reichten bis zu den Wurzeln zurück.

Skinner öffnete Coyotes schwarzweiße Brust mit der Videopistole. Brach ein paar Rippen, zog sie heraus, griff mit beiden Objektiven in den Körper, streichelte die Stengel, folgte ihnen mit Kamerafingern bis ganz hinunter in dunkles Fleisch, folgte dem blutigen Stadtplan des Körpers. Ich sah das alles auf den Monitoren im Betrachtungsraum, während ich gleichzeitig im Kopf noch einmal Coyotes letzte Gedanken abspielte…

Laß mich dort schlafen… schlafen und wachsen.

Noch einige tiefe, tiefe Schnitte, bevor Skinner die Wurzeln fand. Sie hatten sich in Coyotes Lungenwände eingegraben, ein harter, wuchernder Knoten, wie Pflanzenkrebs.

…Allmächtiger! Niemand kann eine so lange Zunge haben!

Zero Clegg, Hundecop, stand einfach nur herum, trippelte von einer Pfote auf die andere, rempelte gegen die aufgereihten Proben.

Ich hatte ihn noch nie zuvor so erlebt. Gewöhnlich benahm er sich bei Obduktionen wie ein Köter am Tresen eines Schlachters. »Heiliger Hund!« knurrte er. »Sieh dir doch nur mal diese Wurzeln an, Jones!« Dann verzog sich sein Mund zu einem verkniffenen Lächeln, als würde ihn der Geruch des Todes fertigmachen, aber kämpfte er denn nicht dagegen an?

»Schon irgendwas Näheres über die Blumen?« fragte ich.

Cleggs Panzer zerbricht, und er niest kräftig... und taucht dann mit einer Grimasse auf dem Gesicht wieder auf, um frische Luft zu schnappen.

...die Blumen tanzen... tanzen...

Der Geruch des Todes, der Duft von Blumen – eine intime Verbindung.

»Sibyl, die Botaniker machen Überstunden.« Wieder mein richtiger Name, ein Beweis dafür, daß Clegg wirklich neben sich stand, gänzlich aus der Bahn geworfen von Skinners Grabungen.

»Und?«

»Hör dir das an.« Zero schiebt ein Band ein. Eine satte Stimme schallt aus den Lautsprechern...

»Bericht betreffs der pflanzlichen Probe 267/54, von Jay Ligule, Botanisches Institut, Universität Manchester. 2. Mai, 8 Uhr 4. Erster Befund: eine Abart der *Amaranthus Caudatus*. Dunkelrote Blütenblätter in spiralförmiger Anordnung, die quastenförmige Blütenstauden bilden. Knapp fünfzig Zentimeter am Scheitelpunkt. Die Blume läßt sich in allen Teilen leicht und bereitwillig bewegen. Sekundärer Befund nach Öffnung der Blütenblätter: dreifache Staubgefäße. Dichte Pollenansammlung am Staubbeutel. Das leuchtendste Gelb, das mir je untergekommen ist. 75 Mikronen. Zu hoch für die Gattung. Sollte im Bereich 20–40 liegen. Pollenkörner bilden Sechsergruppen. Sie erwecken den Anschein, sich zu bewegen. Tertiärer Befund: Die Pollenkörner reagieren auf elektrische Stimulation. Sie weichen Schmerz und Tod aus. Kohlenstoffmoleküle nachweisbar. Irgendeine Art von fleischlichem Leben? Unbekannte Abart. Randbemerkung: Ist das irgendein dummer Streich? Hab' so etwas noch nie gesehen und auf Nachfrage eine Probe an Kirkpatrick, Professor der Zytologie, Universität Glasgow, geschickt. Scheiße! Die Pollenkörner sind vom Objektträger entkommen! Wo sind sie hin? Scheiße! Der Pollen tanzt. Weitere Randbemerkungen: Ich kann nicht aufhören zu niesen. Das ist wirklich eine mächtige Blume. Hab so was noch nie gesehen... Scheiße! Wenn mich meine Augen nicht trügen, dann bewegt sich der Pollen auf mich zu. Mein Gott! Warum kriege immer ich diese Scheißaufträge?«

Die Aufnahme endete mit dem Geräusch eines gigantischen Niesers.

Skinner tauchte auf, seine Kameras voll von Tränen und Blut und mit einem Niesen in seiner Metallkehle. Selbst die Robos litten. Was für ein Heuschnupfen war das bloß? Und warum merkte ich nicht das geringste davon? Gewöhnlich war jeder Frühling ein Alptraum für mich. Aber jetzt, während überall um mich herum Hund und Robo niesten, war diese Shadowfrau unerklärlicherweise total immun. Vielleicht war es nicht der übliche Heuschnupfenstamm. Und aus irgendeinem Grunde mußte ich immerzu an Boda denken; ein verlorenes Mädchen in den letzten Träumen eines Taxihundes von der dunklen Seite der Straße. *Denk an mich, Boda... sing noch einmal dieses Lied.* Warum ließ mich dieser letzte Satz einfach nicht los?

»Das war nicht die Tat eines Zombies, Clegg«, stellte ich fest.

»Bis du jetzt etwa in den Verein für die gerechte Behandlung von Zombies eingetreten?« Zero hatte sich wieder unter Kontrolle.

»Wir müssen es Kracker sagen«, fuhr ich fort. »Denn wenn das hier nicht auf das Konto eines Zombies geht, wer hat es dann getan, verflucht noch mal?«

»Wir können es uns einfach nicht erlauben, daß es irgend jemand anderes getan hat.«

»Ich finde, du machst es dir zu einfach, Zero. Ich denke, wir sollten dieser Boda-Spur nachgehen.«

»Ach wirklich?«

»Zombies pflanzen keine Wurzeln in die Lungen ihrer Opfer.«

»Kracker sagt, schließt den Fall ab, bevor ein weiterer Hundeaufstand ausbricht.«

»Und ich sage, wir sollten weiter ermitteln. Wie man auf der Straße so hört, war diese Boda Coyotes Freundin. Du weißt doch, daß die meisten Morde von Partnern begangen werden, oder?«

»Ach, ist das so?«

»Hattest du je eine Freundin, Zero?«

»Kracker hat die Leiche freigegeben.«

»Was?«

»Die Beerdigung ist morgen.«

»Clegg, ist das nicht etwas übereilt?«

»Kracker will die Hunde glücklich machen. Was verlangst du von mir, Sibyl? Soll ich mich gegen den Boß stellen?«

»Die Stimme seines Herrn. Wauwau.«

Clegg zeigte mir all seine Zähne, aber über seinen wütenden Shadow konnte ich fühlen, daß es ihn verletzt hatte. Daß es Furcht in ihm weckte.

Vielleicht wußte ich schon in diesem Moment, daß die Ermittlungen ganz allein an mir hängenbleiben würden.

Coyote hatte in einer kleinen Wohnung über einem Fish-and-Chips-Imbiß in der Ladybarn Lane, Fallowfield, gelebt. Der Imbiß nannte sich *Bingo Rex's*, und vor dem Eingang kläffte eine Traube von wütenden Hundejungs, als Zero knurrend seine Copzähne fletschte, um uns einen Weg zwischen ihnen hindurch zu bahnen. Bingo entpuppte sich als ein schmieriger, vaztropfender Hunde-Ehemann, der uns in ein feuchtes Wohnzimmer hinter dem Imbiß führte, wo seine ramponierte und sehr menschliche Ehefrau uns aus einem blau unterlaufenen Gesicht anlächelte, während sie Fischstücke in eine Schüssel mit wäßrigem Teig tauchte. Vom Wohnzimmer aus führte eine Treppe hinauf in die Dunkelheit und den Moschusgestank eines läufigen Hunds. Zero hielt sich die Schnauze zu, so als wollte er nicht eingestehen, daß dieses Opfer zu seinesgleichen gehörte.

»Alles in Ordnung, Zero?« fragte ich.

»Klar, Smokey«, erwiderte er. »Geh weiter.«

Es war gerade Viertel nach zwei durch. Die Zeitungen und die Tagesfedern hatten sich auf den Fall gestürzt.

Hundeheld von Blüten ermordet?
Mit den Blumen kam der Tod.
Tod durch Blütenblätter.

Schlagzeilen. Noch schlimmer war, daß Gumbo YaYa auf dem Kreuzzug war und die Cops mit seinem anscheinend uneingeschränkten Zugriff auf den Inphoäther verhöhnte. *Die Blumen des Bösen*, nannte Gumbo diesen Fall.

Und so standen wir beide jetzt hier, ein widerwilliger Hundecop und sein Shadow, auf der Suche nach Spuren. Ich kam nicht umhin, Mitleid mit Zero zu haben, so hin- und hergerissen zwischen dem Guter-Cop-Modus und seiner Loyalität gegenüber seinem Herrn, Jakob Kracker. Zero hatte mir erklärt, er würde mich rein aus Freundschaft begleiten, wofür ich ihm sehr dankbar war, selbst wenn ich es nicht glaubte.

Eine von Pfoten zerkratzte Tür führte uns in mustergültige Sauberkeit. Ein jüngst gesaugter Teppich. Ein Einzelbett, das Bettzeug frisch gewaschen. Ein Bord mit Büchern. Eine Sammlung von *Air-Vaz*-Plastikmodellen – alle ordentlich an Fäden von der Decke hängend – und ein großer, laminierter Stadtplan an der Wand.

»Die Behausungen der Opfer«, sinnierte Zero.

»Was ist damit?« fragte ich.

»Immer diese Leere, diese Einsamkeit.« Er öffnete die Schubladen der Anrichte. »O ja!« verkündete er. »Pornographie!«

Zero hielt eine rosa Feder in seinen Pfoten. Er steckte sie sich in den Mund, und seine Augen schlossen sich einen Moment lang in wohliger Lust. Dann nahm er die Feder wieder aus dem Mund und meinte: »Sehr hübsch. Sehr menschlich. Keine Spur von einer läufigen Hündin. Dieser Mann hatte Geschmack.«

»Manchmal, Zero…«

»Was?«

»Manchmal verstehe ich dich einfach nicht.«

»Manchmal…« Und dann sah Zero Clegg mich mit einem Blick an, so als wolle er sagen *Manchmal verstehe ich mich selbst nicht. Also halt verdammt noch mal die Klappe.*

Eine Welle der Verbitterung schwappte über den Shadow zu mir herüber, also tat ich, weswegen ich hergekommen war. »Laß uns die Bude durchsuchen«, schlug ich vor.

Wir beide gingen die persönlichen Habseligkeiten eines Taxihundes durch, in der Hoffnung auf irgendeine Spur, einen Hinweis, aber wir fanden nur Nichtigkeiten, die angesammelten Fundstücke eines einsamen Lebens: zerkrümelte Kekse und an der Decke tanzende Modellflugzeuge und kalter Tee, der langsam in einer Tasse eindickte. Billige Taschenbuchkrimis, die aufgeschlagen neben dem Einzelbett lagen. Manchester-City-Vurtball-Programmhefte, aufgetürmt zu ordentlichen Stapeln. Auf der Kommode ein Kalender, herausgegeben vom offiziellen Fanclub. Ich schlug ihn auf, blätterte die letzten Seiten durch, entdeckte den Namen *Boda*, klappte den Kalender eilig wieder zu. Ich steckte ihn klammheimlich ein, damit Zero es nicht merkte.

»Schon was gefunden?« fragte Zero.

»Noch nicht«, log ich, ohne zu wissen, warum. Außer natürlich, daß Zero nach Hinweisen auf eine Zombiefuhre suchte, weil das die Hunde der Stadt besänftigen würde, oder zumindest glaubte Kracker das. Die Cops waren immer noch guter Hoffnung, den Fall schnellstens abschließen zu können, mit einem Zombie in der Rolle des Schurken. Aber die Zombies waren nicht von Natur aus Killer, sie waren einfach nur verzweifelte Überlebenskämpfer. In jenen Tagen war die Welt ein beständiger Tanz auf Messers Schneide zwischen den verschiedenen Spezies. Durch das winzige Fenster über Coyotes Bett konnte ich die Hundemeute bellen hören, ihre kehligen Stimmen erfüllt von Haß und Angst.

»Mein Gott, wie es mir davor graust, die Habseligkeiten der Opfer zu durchsuchen«, bemerkte Zero. »Es ist so deprimierend.« Er hielt einen durchsichtigen Plastikbehälter hoch.

»Was ist das?« fragte ich.

»Nanoflöhe.«

»Was?«

»Roboflöhe. Man kauft sie in Zoohandlungen. Symbiose, Smokey. Das alte Geben-und-Nehmen-Szenario. Hält den Wauwau sauber.«

Ich erschauderte bis hinab in den Shadowlevel; was sich die Hundeleute so einfallen ließen. Zero schraubte den Deckel ab, und ich bekam es plötzlich und vollkommen irrationalerweise mit der Angst. *Bitte laß diese Monster nicht heraus!* Wie soll man sich gegen solche Gefühle wehren?

»Guck dir das hier mal an, Clegg«, sagte ich in der Hoffnung, ihn abzulenken. Mein Blick wanderte über den großen Stadtplan an der Wand. »Siehst du auch, was ich sehe?«

Der Cophund nieste: »Sieht für mich wie ein einziges Kuddelmuddel aus. Worauf willst du hinaus?«

»Ich will darauf hinaus, daß Coyote hier seine Fuhren notiert hat.«

Der Plan war mit Stecknadeln gespickt und mit Filzstiftkritzeleien übersät. Es war eine Karte von Manchester und allen Außenbezirken. Der Limbus wurde durch Schlangen symbolisiert, die über Feldwege krochen. »Siehst du das da«, sagte ich, und Zero kam näher heran. »Dort hat Coyote seinen Fahrgast abgeholt.« Ich zeigte auf eine einzelne Nadel, die jenseits von Littleborough im Limbus steckte, nordöstlich der Stadt, wo die Karte aufgrund spärlich vorhandenen Wissens vage wurde. Blackstone Edge. Direkt unter der Nadel war in Hundehandschrift das Datum des Vortags vermerkt, 1. Mai, und eine Zeit, 4 Uhr früh. Darunter stand eine Federfonnummer.

»Ich denke, du solltest diese Nummer mal anrufen, Clegg«, meinte ich.

Clegg atmete lautstark ein, dann nieste er so heftig, daß die Nanoflöhe hochstoben. »Heilige Scheiße! Sieh nur, was du angerichtet hast.« Er kratzte sein juckendes Fell.

»Ich will ja nicht behaupten, daß diese Boda ihn getötet hat«, erklärte ich. »Ich sage nur, daß sie in Frage käme. Sind wir nun gute Cops, oder nicht?«

»Du denkst, wir wären gute Cops?« Die Flohbisse peinigten Zero.

»Könntest du Columbus dazu kriegen, daß er mir ein Bild von Boda überspielt? Wenn Boda Coyote nicht umgebracht hat, dann weiß sie vielleicht, wer es war. Einen Versuch ist es jedenfalls wert.«

»Kracker sagt nein. Kracker sagt, schließt den Fall ab. Ende der Geschichte.«

Ich konnte einfach nicht glauben, daß Kracker und Zero Clegg sich so dagegen sträubten, nach Boda zu suchen. Das war doch schließlich die Standardvorgehensweise, oder? Ging hier irgend etwas hinter den Kulissen ab, irgendeine geheime Copgeschichte? Oder spielte mir mein Shadow nur einen Streich? Wie auch immer, ich hatte beschlossen, daß ich Zero den Kalender des Taxihundes nicht zeigen würde.

»Kracker ist der Herr«, erklärte Zero. »Er ist der Boß. Und er hat wichtigere Dinge auf seiner Tagesordnung. Die Xcabs haben sich mal wieder über Gumbo YaYa beschwert, weil er ständig in die Stadtplan-Dateien einbricht. Kracker will, daß ich mich um den Fall kümmere.«

»Denkst du wirklich, mich interessiert irgend so ein alter Hippie, Zero?«

»Der zufälligerweise die Gesetze bricht.«

»Ich hab' da so ein ganz merkwürdiges Gefühl, was diesen Fall betrifft, Zero.«

»Behalt's für dich, und hör endlich auf, mich Zero zu nennen.« Er mußte sich immer noch sein juckendes Fell kratzen.

»Gib mir wenigstens eine Chance, aus Freundschaft. Laß uns herausfinden, wem die Nummer auf dem Stadtplan gehört. Wirst du mir helfen?«

»Ich bin ja schließlich auch mit hergekommen, oder? Scheiße. Es ist sehr gut, daß dich niemand haben will, Smokey. Mit dir könnte sowieso niemand mithalten.«

Ich antwortete nicht.

Später an jenem Tag fuhr Zero mit mir hinaus nach Norden, zu den toten Weiten. Blumen wuchsen aus dem Asphalt, während wir durch Manchester fuhren, und Hunderudel rotteten sich hinter uns zusammen. Die Luft war geschwängert von Pollenbotschaften. Zero nieste und kratzte sich beständig, während er sich eine blaue Fonfeder ins Maul schob. Er rief die Nummer an, die auf dem Stadtplan an Coyotes Wand gestanden hatte, dann sagte er mir, daß sich nur statisches Knistern meldete. Und dann nieste er wieder und verfluchte den Heuschnupfen. Die Fahrt hatte für einigen Wirbel gesorgt, besonders als ich eine Drei-Wagen-Patrouille angefordert hatte: ein Wagen vorneweg, einer hinter uns. Und volle Bewaffnung. Nichts von dem erhielt ich. Zero ließ den Starken raushängen und erklärte, daß er es den Scheißzombies schon zeigen würde, wenn sie frech werden sollten. Aber ich konnte die Angst in seinen Augen sehen, besonders als wir durch die Mutantenstämme von Nord-Manchester fuhren. »Heiliger Hund!« sagte er zu mir. »Was ist heutzutage bloß mit der Welt los? Niemand ist mehr einfach nur er selbst. Herrgott noch mal, guck dir das doch nur mal an! Siehst du diese Kreatur da drüben, Smokey? Was zum Henker ist das? Scheißmutant!« Das letzte Wort brüllte er aus dem Fenster.

»Weißt du was, Zero?« entgegnete ich. »Es heißt, daß einige von denen sogar Hund in sich hätten.«

»Ja nun... das war echt mies, Smokey. Heiliger Hund! Da fragt man sich doch, wie schlimm die Zombies sein können.«

Dann kamen wir zum Nordtor der Stadt, Richtung auswärts, einem riesigen Koloß von einem Gebäude, wo Funken von den Blitzleitern stoben, während ungebetene Zombiefahrgäste von den Monster-Trucks abgewaschen wurden. Wir zwängten unseren Wagen hinter einem International-Vaz-Laster in die Warteschlange. Seine Hinterräder ragten höher auf als der Fiery Comet, und die City Guards leuchteten mit ihren Lasern die Unterseite des Lasters nach illegalem Transportgut ab. Durch einen Drahtzaun konnte ich zur Pforte für den hereinkommenden Verkehr hinübersehen, wo Tanklaster mit Anti-Zombie-Saft abgespritzt wurden.

Der Laster vor uns fuhr weiter, und während Zero dem Guard seinen Copcode eingab, erscholl ein Jaulen von der anderen Seite, und etwas krachte gegen den Drahtzaun.

Ein Zombie-Anhalter, der von einem hereinkommenden Fahrzeug gespritzt worden war.

Beine und Arme strampelten gegen den Maschendraht.

»Heiliger Hund!« schnauzte Zero einen unbeteiligt dreinschauenden Zöllner an. »Müssen wir uns so etwas eigentlich gefallen lassen?« Der hereingekommene Zombie schlängelte seine Arme durch den Maschendraht, bis er mit seinen Klauen fast an unserem Wagen kratzen konnte. Brutzelndes Fett platschte gegen unsere Windschutzscheibe. Zero zog seine Waffe. »Ich werd' es dem Sack jetzt zeigen.« Er kurbelte das Fenster herunter. Ich versuchte, Zero zu beschwichtigen, aber wenn erst einmal der Hund in ihm die Oberhand gewonnen hatte, dann gab es für ihn kein Halten mehr. Die Guards kamen ihm jedoch zuvor und bearbeiteten die Kreatur mit ihren Blitzleitern. Es erscholl ein furchtbares Gejaul, das selbst Zero zurückschrecken ließ, und die Luft ging plötzlich schwanger mit dem Gestank von verschmortem halbtotem Fleisch. Der Zombie war zu einem schwarzen Gerippe verkohlt. Unwillkürlich mußte ich an mein geliebtes, illegales Juwel denken, ganz allein in seinem Zimmer daheim in meiner Wohnung. Wie konnte ich ihn nur beschützen?

Wir brachten den Kontrollpunkt hinter uns, verließen die Hauptstraße und rasten einen Feldweg entlang, vorbei an zertrümmerten Autos und einem ausgebrannten Waggon inmitten des Moors, Meilen entfernt von jedem Gleis.

Limbusland.

Dort fanden wir eine große, verwitterte Eiche, gebeugt vom Wind, ihre Äste ein kahles, verwobenes Netzwerk. Jenseits davon ragte ein letzter Telegrafenmast vor dem bebenden Himmel auf.

Die exakten Koordinaten. Blackstone Edge.

Hier war nichts als totes Gras und ausgedorrte Winde. Zero nieste wie verrückt, und seine Hand zuckte beständig zu seinem Halfter, während sein Blick wachsam über das Moor wanderte und nach Zombies Ausschau hielt. »Du weißt, daß es hier draußen Löcher gibt, oder?« sagte er. »Löcher vom Vurt.«

Ich wagte mich weiter hinaus ins Moor. Von einem der Isolatorenköpfe des Telegrafenmastes baumelte eine lose Leitung herunter; knotige Wurzeln sprossen aus ihrem Ende und verschwanden im weichen Morast der Erde.

Im Süden der Stadt, gerade außerhalb der Reichweite des Stadtplans und bevor die Weiten des Moors des Limbus beginnen, parkt ein Xcab unter einem Felsvorsprung. Hier war es sicher, hier gab es keine Cops, die ihm Ärger machen konnten. Jenseits von Alderley Edge löste sich die Straße in Nichts auf. Die Fahrerin war gerade weit genug gereist, um für Columbus unsichtbar zu werden.

Dank eines A-Z-Plans war es eine einsame Fahrt hinaus zu diesem Felsen gewesen. Boda hatte einem mürrischen Grenzlandgeschöpf eine hübsche Stange Geld bezahlt, um einen verborgenen Weg zu finden. Letzte Nacht hatte sie im Taxi geschlafen, mit dem Rascheln von Laub an den Scheiben und dem Stöhnen von Zombies aus den Tiefen des Moors in den Ohren. Sie hatte zuvor alle Verteidigungssysteme aktiviert, und Karo hatte ihr geschworen, die Augen offenzuhalten, aber dennoch war ihr Schlaf unruhig gewesen, unterbrochen von dem dröhnenden Donnern der vorbeibretternden Vaz-Laster und dem Schmerz, der ihre verwundete Straße befuhr. Und von den Gedanken an Coyote, tief in ihrem Kopf, in ihrem Herzen. Sie konnte einfach den Gedanken nicht loswerden, daß sie seinen Tod auf dem Gewissen hatte; es war ihre Schuld gewesen. Ihr Verstand hatte es stundenlang in der Dunkelheit gedreht und gewendet. Wenn nur Roberman nicht die Limbusfuhre an sie weitergegeben hätte. Und wenn sie diese Fuhre nur nicht an Coyote weitergegeben hätte. Wenn Coyote nur nicht diese Nummer angerufen hätte. Wenn sie ihn nur mehr geliebt hätte – und früher. Wenn nur, wenn nur, wenn nur… es gab zu viele *Wenn nur* in ihrem Leben. Und was führte Columbus im Schilde? Was hatte sie denn getan, um den Boß derart zu erzürnen? Bei diesem Gedanken hatte Boda in ihre Schultertasche gegriffen und ihr Adreßbuch herausgeholt. Darin war die Nummer notiert, die Coyote angerufen hatte. Eine Limbusnummer. Vielleicht sollte sie diese Nummer anrufen? Vielleicht brachte sie das ja auf die Spur des Taxihundmörders. Will sie sich den schnappen? O ja, denn damit würde sie ihre Schuld wiedergutmachen, ihm die Nummer gegeben zu haben. Aber wie soll sie zu einem Telefon kommen, ohne wieder auf den Plan zurückzukehren? Schließlich war sie eingeschlummert, nur um mit demselben

Problem im Kopf zu erwachen. Sie saß jetzt schon seit Stunden in diesem Taxi, wurde immer hungriger und deprimierter. Der zweite Tag ihrer neuen Welt strebt langsam gegen Dunkelheit, Zombiezeit, und das Mädchen hat Angst.

Über dem Horizont, tief in Limbusland, tanzen Lichter. Sie mag gar nicht daran denken, was dort draußen alles lauert. Sie hat so viele Gerüchte gehört. Für den Moment ist Boda hier sicher, gefangen zwischen Obrigkeit und Chaos, solange sie sich die Zombies vom Leib halten kann. Aber die Vorstellung des Stillstehens sagt ihr nicht zu. Ein weiterer Vaz-Laster brettert über die Limbusstraße. Die Erschütterung bring Karo ins Schaukeln. MUSS ICH MIR DIESE STÄNDIGEN STÖRUNGEN GEFALLEN LASSEN? mosert er.

»Welche Wahl bleibt uns denn?« fragt Boda. »Und wie kommt es überhaupt, daß ich immer noch deine Stimme höre? Du solltest doch für meine Ohren tot sein.«

EHRLICH GESAGT, ICH KÖNNTE ETWAS ZU ESSEN VERTRAGEN.

»Etwas zu essen?«

BENZIN, LIEBES.

»Ich auch«, erwidert Boda. »Richtiges Essen, meine ich.« Ein zweiter Vaz-Laster donnert vorbei, wie ein von Feuerschein beleuchteter Ozeandampfer. Boda läßt Karos Motor an und zieht im Kielwasser des Lasters auf die Straße, braust auf die tanzenden Lichter tief im Limbus zu.

Zwanzig Minuten später halten sie auf dem Vorplatz einer einsam gelegenen Tankstelle mit Imbiß. Das Gebäude ist trostlos wie eine Ruine und steht mutterseelenallein inmitten der Weiten des Limbus. Auf einem flackernden Neonschild steht COUNTRY JOE'S FUTTER- UND TANKSALOON. STEUERFREIES BENZIN. LETZTE TANKSTELLE VOR DEM ENDE DER WELT. ZIMMER FREI. Auf dem Dach des Imbisses montierte Laser lassen Lichter am Himmel tanzen. Boda bezahlt für das Benzin, dann fragt sie den jungen Hundeburschen an der Zapfsäule, ob noch ein Zimmer frei sei. Er deutet nur mit einem Nicken auf das beleuchtete Schild und knurrt: »Kannst du nicht lesen, Shadowschlampe? Frag nach Joanna.«

Was soll das heißen, Shadowschlampe? Bin ich das jetzt? Es wirft sie einen Moment lang aus der Bahn, während sie zu den Schwingtüren des Saloons hinübergeht. Von drinnen hört man Country-und-Western-Musik, eine singende Frau und die Stimme eines Mannes, der begeistert und anzüglich dazu johlt.

Boda bleibt einen Moment draußen stehen, späht über die Kante der Schwingtüren hinein…

Direkt gegenüber, auf einer zusammengezimmerten Holzbühne, die offenkundig ein Ranchhaus darstellen soll, singt die Frau und begleitet sich dabei selbst auf der akustischen Gitarre. Die Sängerin ist eine abgetakelte Blondine, ausstaffiert mit Cowgirlmontur: Stetson, Kordelkrawatte und ein großkarierter Rüschenrock.

»… As some good steer makes a run for open ground, Joe makes a loop to pull that maverick down.«

Dann kommt der Refrain, irgend etwas darüber, daß ihr Herz genauso frei sein will wie jener Maverick. Das Publikum aus vierschrötigen Fernfahrern stimmt lautstark mit kehligem Johlen und einer Niesexplosion mit ein. Und da ist noch ein merkwürdigeres Geräusch, eine Art feuchtes Summen, das von der hinteren Ecke des Raums kommt. Dunkle Gestalten bewegen sich dort. Das Lied geht zu Ende, und die Sängerin bahnt sich einen Weg hinüber zur Bar, wobei sie die Avancen des Publikums mit fester Hand und einem kecken Lächeln abwehrt.

Boda betritt die Schankstube.

Schweigen begrüßt sie. Ein einzelner kehliger Pfiff zerreißt die Luft. Dann ein furchtbares Niesen. Gut die Hälfte der Fernfahrer trägt improvisierte Pollenmasken, bunte Tücher, die sie sich um Nase und Mund gebunden haben. Einer der Fernfahrer klopft sich auf den Schenkel, eine Einladung für Boda, dort Platz zu nehmen.

Boda lehnt höflich ab.

Die Fernfahrer sind in Ordnung – Boda kommt damit klar, schließlich hat sie selbst neun Jahre auf der Straße zugebracht –, aber als sie tiefer in die Schankstube vordringt, beginnen die dunklen Gestalten in der Ecke, sich in ihre Richtung zu bewegen.

Zombies! Scheiße!

Die Kreaturen stieren sie durch einen Nebel aus Rauch und Schweiß an. Die Fernfahrer sitzen auf einer Seite des Raums, die Zombies auf der anderen. Zwischen ihnen wabern schimmernde, dunstige Luftschwaden, wie ein Vorhang, der zugezogen wurde, um etwas Abstoßendes zu verbergen. Die Sängerin steht hinter der Bar und lächelt Boda an. Eine beachtliche Sammlung von Wildwest-Accessoires ziert die Wand, darunter fünf oder sechs Revolver und ein Gewehr. Die Fernfahrer und die Zombies starren auf Bodas nackten Schädelstadtplan. Boda holt die Wollmütze aus ihrer Schultertasche, zieht sie sich über den Kopf und fragt dann die Sängerin: »Haben Sie Boomer?«

Gelächter und Niesen von der Fernfahrerseite des Raums.

»In dieser Gegend wird nicht oft Boomer verlangt«, erwidert die Sängerin. »Aber wir haben einen guten Jack-Daniels-Bourbon. Wie ist es damit?«

Boda nickt, bezahlt das Feuerwasser, trinkt die Hälfte. Keinen Meter von ihr entfernt trennt der wabernde Luftvorhang sie von einem vierschrötigen, zwei Meter großen Zombiemann, der beinahe wie ein Mensch aussieht. Klar, er ist fettig und Teile seines Körpers sind irgendwie *lose*, aber verglichen mit seinen Saufkumpanen, von denen sich mittlerweile etliche entlang der unsichtbaren Trennwand aufgereiht haben, sieht dieser Kerl wie ein Vurtstar aus. Er scheint sich dieser Tatsache auch bewußt zu sein. Auf seinem Schädel sitzt ein leuchtend gelber Stetson. Die Barfrau tritt durch den Luftvorhang, bedient den vierschrötigen Zombie und kehrt dann wieder auf die Seite der Fernfahrer zurück.

»Sind Sie Joanna?« fragt Boda die Barfrau.

»Kommt ganz darauf an, welcher Tag heute ist«, knurrt der vierschrötige Zombie.

Himmel, die können sprechen?

»Kümmer dich nicht um Bonanza«, schaltet sich die Barfrau ein. »Er ist nur ein großer Ochse.«

»Ich habe der Kleinen ja bloß einen gutgemeinten Rat gegeben«, mault Bonanza zurück. »Es war bloß ein Ratschlag.«

Boda ignoriert ihn, überrascht über ihre eigene Gelassenheit. Hieß es nicht allgemein, daß Zombies gemeingefährlich wären? »Haben Sie ein Zimmer für die Nacht?« erkundigt sie sich bei der Barfrau.

»Ich teile gern meins mit dir, Süße«, brüllt einer der Fernfahrer dazwischen.

»Hab' jede Menge«, erklärt Joanna ihr. »Essen ist im Preis mit drin. Ich kann es dir rauf aufs Zimmer bringen. Du willst doch sicher nicht mit diesen Rabauken essen.«

»Danke. Gibt es hier ein Telefon?«

»Drüben neben dem Napalmautomat.«

Boda wählt die Nummer, erhält nur ein ZUGANG VERWEIGERT. Sie kehrt zurück an die Bar. »Das ist ein Federfon«, sagt sie. »Haben Sie auch ein richtiges Telefon? Eins, das Geld nimmt?«

Die Barfrau blickt tief in die Augen des neuen Mädchens, dann entgegnet sie: »Komm mit. Ich hab' eins im Hinterzimmer.«

Sie gehen nach hinten, und die Barfrau stellt sich als Joanna vor, die Schwester von Country Joe, der gerade nicht in Frontier Town weilt.

»Was ist das hier eigentlich?« fragt Boda. »Ich wußte nicht mal, daß es hier eine Stadt gibt.«

»Nun ja, du weißt ja auch einen Dreck«, erwidert Joanna. »Es ist weniger eine Stadt, mehr eine Geisteshaltung.«

»Mir hat Ihr Lied gefallen.«

»Vielen Dank.«

»Was ist ein Maverick?«

»Das weißt du nicht? Nun, das solltest du aber. Es ist ein alter Cowboyausdruck. Das ist eine Kuh, die sich weigert, beim Viehtrieb mit der Herde zu laufen.«

Sie sind jetzt in einer Art Wohnzimmer. Kuhhörner zieren die Wände. Gumbo YaYas Stimme tönt aus einem antiken Radio. Aufgereiht an der Wand, lehnt eine Sammlung von Akustikgitarren, und auf einem wackeligen Tisch steht ein uraltes Telefon mit Handkurbel. »Die Sache ist nämlich die, daß ich keine Federn nehmen kann«, erklärt Joanna. »Ich bin ein Dodo. Ich vermute, bei dir ist es ebenso, sonst hättest du wohl nicht nach einem Geldfon fragen müssen, oder?«

»Vermutlich.«

»Hast du in der letzten Zeit häufig geniest?«

»Überhaupt nicht. Ich hab's ein paarmal versucht. Aber es will einfach nichts rauskommen.«

»Dachte ich's mir doch. Mir geht's genauso.«

»Was hat das zu bedeuten?«

»Die einzigen nicht niesenden Fernfahrer, die ich kenne, sind ebenfalls Dodos. Hast du zufällig plötzlich merkwürdige Gelüste?«

»Zum Beispiel?«

»Ach, ich weiß auch nicht. Rastlosigkeit, eine innere Unruhe, so könnte man es vielleicht nennen. Zumindest ist es bei mir so. Und bei den Dodo-Fernfahrern auch. Es ist… der Drang, einfach aufzubrechen und wegzulaufen, verstehst du? Ich habe das Gefühl, wir Dodos werden gerufen.«

Was soll Boda dazu sagen? »Wieso hängen denn all diese Zombies in Ihrer Bar herum? Machen die keinen Ärger?«

»Du bist wirklich naiv, junge Dame. Ich verdiene meinen Lebensunterhalt mit Ärger. Frontier Town ist ein seltsames Reich. Da lernst du die Leute schnell kennen.«

»Leute?«

»Klar, Zombies sind auch Leute. Das hier ist der letzte Atemhauch der Stadt vor dem Limbus, und da muß man tolerant sein. Das Country Joe's ist offen für alle. Hast du den Wonderwall in der Bar gesehen? Der Wonderwall ist Joes Erfindung.«

»Hält er die Zombies fern?«

»Er hält die Zombies *unter sich*.«

»Könnte ich hindurchgehen?«

»Ich würde es dir nicht raten.«

»Aber Sie können es, oder?«

»Ich bin auch was Besonderes. Wie heißt du?«

»Boda.«

»Du bist auf der Flucht, stimmt's, Boda?«

»Man könnte es wohl so nennen.«

»Zeig mir mal deinen Kopf.«

Boda nimmt die Wollmütze ab. Joanna stößt einen leisen Pfiff aus.

»Meine Herren. Das nenne ich aber einen Plan. Oh… wurdest du verletzt?«

Boda hebt die Hand an ihre Wunde. »Das ist nichts. Nur ein Kratzer.«

»Unsinn. Hier… laß mich mal… du meine Güte. Das ist ein ganz schön böses Ding. Ich werd mal besser was drauf tun.«

»Nein, wirklich, es ist nichts.«

»Rühr dich nicht vom Fleck.«

Joanna verschwindet in der Küche und kommt kurz darauf mit einem Tuch und einer Flasche mit irgendeiner Tinktur zurück. Boda muß sich herunterbeugen, während Joanna die Tinktur auf die Wunde tupft. »Du solltest zu einem Arzt gehen.«

»Nein.«

»Dann laß es mich wenigstens verbinden.«

»Kein Verband.«

»Schon gut.«

Boda steht abwehrend auf und holt ihr Adreßbuch aus ihrer Schultertasche. Sie sucht die Nummer heraus – die Nummer für die Fuhre, die Roberman ihr gegeben und die sie dann an Coyote weitergegeben hatte. Das war alles, was sie hatte, keine Adresse, kein Name, nur eine Telefonnummer. Während sie jetzt abermals darauf wartet, daß der Anruf durchgestellt wird, überschlagen sich ihre Gedanken. *Das muß es sein. Diese Nummer hat Coyote getötet.* Es hatte irgend etwas mit diesem Mädchen namens Persephone zu tun. Statisches Knistern dringt aus dem Hörer, und dann…

Irgendwo draußen auf dem dunklen Moor nördlich der Stadt steht ein letzter Telegrafenmast. Von jenem Mast baumelt eine einzelne Leitung, abgezweigt ins Unterholz. Die Leitung windet sich durch das Gebüsch, wird auf ihrem Weg langsam grün, verwandelt sich von Draht in Pflanzentrieb. Sie ist jetzt eine Ranke, die sich durch Lehm und Torf windet, eine Pflanzenleitung.

Boda steht in Joannas Wohnzimmer und lauscht den wispernden Geräuschen, die aus dem Hörer dringen. Explosionen. Stimmen der Dunkelheit. Pflanzenleben. Ein unterirdischer Sturm. Sie lauscht dem Platzen von Samenkörnern, dem Knarren wachsender Wurzeln, dem Wühlen von Würmern, dem Knacken sich reckender Blumen.

Die Leere am anderen Ende der Leitung wird für Boda unerträglich. Ihre einzige Spur hat zu nichts geführt, zu einem Geräusch, das sie nicht versteht. Sie legt den Hörer wieder auf die Gabel, kappt die Verbindung. Es gibt nun keinen Weg mehr, dem sie folgen kann.

Boda steigt hinauf zu ihrem feuchten Zimmer. Soweit ist es also gekommen: ein Bett und eine Kommode. Ein kleiner Tisch. Nicht viel.

Coyote.

Sie muß immer wieder an Coyote denken. Daran, daß er ihr versprochen hatte, mit ihr diesen kommenden Donnerstag abend zum Rückspiel des Vurtball-Halbfinales zu gehen. Manchester City. Daran, daß der Sinn des Lebens auf der Außen- und nicht auf der Innenseite liegt. Das hatte Coyote zu ihr gesagt, vor vier Tagen im Nightingale Cafe. War das wirklich erst vier Tage her?

Xcabs war die Innenseite. Coyote war die Außenseite.

Er ist meinetwegen gestorben. Das ist es, was ihr immer wieder durch den Kopf rast.

Später, während sie ihr Essen kaut – zwei Eier, ein Würstchen, Hash Browns und Baked Beans –, hört Boda Joanna unten »Are You Lonesome Tonight?« singen, untermalt von den wispernden Geräuschen des Limbus' in der Dunkelheit jenseits ihres Zimmers. Es ist noch ein weiter Weg bis nach Hause, nach Whalley Range. Wenn sie überhaupt je wieder dorthin zurückkehrt. Wenn sie je wieder dorthin zurückkehren möchte. Warum sollte sie dorthin zurückkehren? Ihrem Kopf geht es bereits besser; Kingsway ist verschorft. Vielleicht sollte sie einfach weiterfahren, tiefer hinein in den wahren Limbus. Sie könnte dort draußen in der Dunkelheit und dem beißenden Wind schon irgendwie ihr Leben fristen. Die Vorstellung gewann mittlerweile einen gewissen Reiz. Morgen würde sie Karo in das tödlichste Moor fahren. Sie war mit Manchester fertig.

Boda legt sich in das knarrende Bett. Trotz aller Entschlossenheit vermißt sie doch die tröstliche Umarmung der Xcabs. Sie gestattet sich ein paar schläfrige Gedanken an jene seidigen Tentakel, die einst Antrieb und Zweck ihres Lebens waren. Und an die Lehrzeit bei Roberman. Sie kann sich an die Fahrten erinnern, die sie mit ihm gemacht hatte, als sie gerade mal neuneinhalb Jahre alt war; damals, als sie noch neu bei den Xcabs gewesen war. Drei Jahre lang war sie seine Schülerin gewesen, hatte auf dem Beifahrersitz gesessen und das gute Wissen von ihm gelernt. Im Alter von zwölf hatte sie dann das erste Mal menstruiert, und da hatte Columbus erklärt, daß es nun an der Zeit wäre, mit ihrem eigenen Taxi auf den Plan zu treten. Die Initiationszeremonie hatte Boda mit links geschafft, trotz der feuerspeienden Dämonen, die ihr unterwegs begegneten, und sie hatte ihren neuen Namen, *Boadicea*, und ihre neue Identität extrem schnell und rückhaltlos angenommen.

Jetzt kann sie Columbus nicht mehr trauen. Und wenn sie Columbus nicht mehr trauen kann, wem kann sie denn dann noch trauen?

Sie streckt die Hand nach dem primitiven Radio neben dem Bett aus, und ihre Finger drehen an der Skala, bis Gumbo YaYas schwache Stimme erschallt, herübergesickert über den Rand des Stadtplans. Eine menschliche Stimme. Der Hippie-Pirat spielt ein Lied namens »Blue Suede Shoes«. Boda hofft, daß die Musik ihr etwas Frieden bringen wird. Aber durch das ganze Lied hindurch kann sie an nichts anderes denken als an Verlust. Den Verlust der Xcabs, den Verlust von Coyote, den Verlust ihres früheren Lebens. Sie ist wie ein leeres Blatt, eine Schneewehe. Sie hat ihr ganzes Leben für die Xcabs aufgegeben, und jetzt treibt sie im Leeren, ohne jede Erinnerung an ihr Leben vor den Taxis. Sie weiß nicht einmal, wie ihr richtiger Name lautet.

Ich wünschte, ich wäre jetzt in dir, Karo, denkt sie. Ich wünschte, ich würde mit dir über die Straßen reisen. Sie ist müde, kann aber nicht einschlafen, und in diesem Schattenzustand malt sie sich eine Unterhaltung mit dem Taxi aus.

GEHT ES DIR GUT, BODA? fragt Karo.

So gut wie es eben geht.

BRAUCHST DU HILFE?

Ich fühle mich einsam, aber ich denke, daran werde ich mich gewöhnen.

MÖCHTEST DU EINE FAHRT MACHEN?

Morgen früh. Klar. Laß uns wegfahren, weit weg.

IN DEN SONNENUNTERGANG?

In den Sonnenuntergang. Die Sonne geht am Morgen auf.

DAS WEISS ICH.

Und außerdem sind wir in Richtung Süden unterwegs, nicht in Richtung Osten.

WEG VON DER STADT?

Weg von allem. Sprichst du tatsächlich mit mir?

NATÜRLICH TUE ICH DAS. ICH BIN IN DEINEM SHADOW.

Das ist lächerlich. Ein kurzes Überlegen… und dann… Bin ich das wirklich?

DAS IST DEINE PRÄTAXI-IDENTITÄT, BODA. DU SPRICHST MIT MIR ÜBER DEN SHADOW.

Dann bin ich also ein Dodo? Ich kann nicht träumen?

DU BEGREIFST SCHNELL, FAHRERIN.

Boda lächelt leise, eingewickelt in eine dünne Bettdecke, dann flüstert sie: »One for the money, two for the show. Three to get ready…«

Unter ihrem Fenster ertönt Karos Hupe. Dreimal.

Gute Nacht, Karo.

GUTE NACHT, BABE.

Als Elvis seine Goldkehle schließt und sich Gumbos Stimme wieder meldet, erhält Boda den Schock ihres Lebens…

»Boadicea, Boadicea, Boadicea! Hörst du dort draußen zu, Killermädchen? Zuhörer, hört zu. Boadicea, oder auch schlicht Boda, ist der Name der jungen Xcabberin, die gestern morgen aus dem Xcab-Betriebssystem ausgebrochen ist. Ihretwegen ist der Stadtplan abgestürzt, weshalb all ihr Fahrgäste auf dem trockenen gesessen habt. Ya Ya! Gumbo hat das Xcab-Gedächtnis durchforstet und herausgefunden, daß dieses Mädchen justament zu der Zeit am Alex Park vorbeifuhr, als der Mord geschah.«

Boda fährt im Bett hoch. »Was?«

»Außerdem war sie die Geliebte von Coyote, dem wunderschönen Taxihund, der gestern getötet wurde. Seine Beerdigung ist übrigens schon morgen, denn die Polizei will die Sache schnell begraben. Die Sache spitzt sich zu, Zuhörer. Also, warum sind die Cops nicht hinter dieser Boda her, statt das Verbrechen irgendeinem mythischen Zombie anzuhängen? Wenn die Cops schlafen, dann müssen die Leute das Gesetz in die eigenen Hände nehmen. Gumbo YaYa fordert deshalb alle Zuhörer auf, nach dieser abtrünnigen Fahrerin Ausschau zu halten. Boda fährt ein flüchtiges Taxi namens Karosse, und sie hat einen krassen Stadtplan von Manchester auf ihren Schädel tätowiert. Wenn ihr sie irgendwo seht, laßt es den Gumbo unter der üblichen Nummer wissen. 7-7-7-Y-Y. Ihr wißt ja, daß es eine sichere Nummer ist. Columbus hat vier goldene Federn als Belohnung für denjenigen ausgesetzt, der das Mädchen einfängt. Tut dem alten Taxikönig diesen Gefallen nicht. Der Gumbo setzt eine Belohnung von fünf goldenen Federn aus! Ya Ya! Bringt mir diese Mörderin. Der Pollenstand liegt bei 225, Tendenz weiter steigend. Aber jetzt kommt erst mal die Spencer Davis Group aus dem Jahr neunzehnhundertfünfundsechzig mit ›Keep On Running‹. Dies ist das neunundfünfzigste Revival der Sixties, das der Gumbo erlebt hat. Also dann, äh, keep on running, Taximädchen. Wir werden uns schon bald sehen.«

Das Lied beginnt. Boda ist vor Schrecken starr. *Was soll das? Ich war am Alex Park zu der Zeit, als Coyote gestorben ist? Nein, das war ich nicht. Columbus will mir die Sache anhängen. Zuerst hat er versucht, mich umzubringen, und jetzt versucht er… Scheiße, ganz Manchester wird Jagd auf mich machen.*

Selbst die Leute hier in der Bar…

Now go, cat, go!

Sie springt aus dem Bett, rafft ihre Habseligkeiten zusammen, eilt zum Fenster. Der Rahmen wird von langen, rostigen Nägeln unverrückbar an seinem Platz gehalten. Karo steht noch immer unten auf dem Hof, wartet geduldig, gestreichelt vom Neonschein des Ende-der-Welt-Schilds. Es nieselt. Jenseits von Karo steht eine einsame, massige Gestalt im Regen. Dem Umriß nach muß es dieser Zombiemann sein. Bonanza, hieß er nicht so? Der Zombie starrt zu ihrem Fenster im ersten Stock hoch. Boda erschaudert. *Laß den Motor laufen, Karo. Wir hauen hier ab.*

Sie schleicht sich, so leise es geht, zur Tür.

Joanna erwartet sie schon. Die Barfrau trägt einen knöchellangen Morgenmantel aus Leopardenfell, hochhackige Pumps aus Pelz, und ihr blondes Haar ist etwas zerzaust. »Willst du irgendwo hin, Logisgast?« fragt sie.

»Ich habe mich gegen das Zimmer entschieden«, erwidert Boda.

»Hast wohl Gumbo gehört, Kleine?« sagt Joanna, ihre Stimme klingt tief und kehlig. »War eine recht interessante Sendung. Ging um flüchtige Fahrer und Hundemörder. Er hat da eine wirklich hübsche Belohnung ausgesetzt. Ich selbst hab ja keine Verwendung für Federn, aber ich könnte sie gut an die Jungs verkaufen. Bringt mir die nötige Kohle, damit ich hier abhauen kann.« Mit diesen Worten tritt Joanna dichter heran, so nah, daß Boda unter der verlaufenen Theaterschminke dunkle Stoppeln auf den Wangen der Frau sprießen sehen kann. Und während Joanna vortritt, holt sie eine Waffe aus den Falten ihres Morgenmantels, die sie auf Boda richtet. »Das hier ist ein echter 45er Colt-Revolver, Taximädchen. Die Waffe, die den Westen eroberte.«

»Bitte, ich bin unschuldig.«

»Wie ich schon sagte, Süße, ich kann das Geld gut gebrauchen.«

»Spreche ich mit Mr. YaYa?«

»Klinge ich wie ein Kerl?«

»Dann sind Sie wohl Wanita-Wanita?«

»Volltreffer. Was liegt an?«

»Könnte ich bitte mit Mr. YaYa sprechen? Hier ist Country Joanna. Ich habe eine wichtige Neuigkeit für den Gumbo. Sind wir gerade auf Sendung? O mein Gott…«

»Wir sind *nicht* auf Sendung, Lady. Beruhigen Sie sich. Ich vermute, Sie haben Boadicea gefunden?«

»Ja, das habe ich.«

»Sie und tausend andere, Joanna.«

Boda langt nach ihrer Schachtel Napalms. Packungshinweis: RAUCHEN KANN DIE NACHT WENIGER EINSAM MACHEN – DER PERSÖNLICHE ELVIS SEINER MAJESTÄT. Sie zündet sich eine an, inhaliert tief und läßt den Rauch durch die Luft zwischen ihr und Joanna wabern. Boda hockt auf einem Sitzkissen im Wohnzimmer hinter der Schankstube von Country Joe's. Joanna lehnt schwitzend an der gegenüberliegenden Wand, die Waffe in der Hand. In der anderen Hand hält sie den Telefonhörer.

»Ist das hier meine letzte Zigarette?« fragt Boda.

»Halt den Mund«, faucht Joanna mit kehliger Stimme, dann wendet sie ihre Aufmerksamkeit wieder dem Telefon zu. »Jetzt hören Sie mir mal zu, Miss Wanita, dies ist ein ernstgemeinter Anruf. Ich habe das Mädchen hier bei mir. Sie sitzt direkt vor mir. Ich halte eine Waffe auf sie gerichtet.«

»Beweisen Sie es. Wir haben Zugriff auf die Xcab-Stimmabdrücke. Lassen Sie das Mädel reden.«

Joanna zögert. Sie hält den Hörer mit ihrer Schulter am Ohr, während sie die Anrichte öffnet, um eine Flasche Boomer herauszuholen.

»Ich dachte, hier gäbe es keine Nachfrage nach dem Zeug?« bemerkt Boda.

»Ich nehme, was mir gefällt. Das geht dich einen Scheißdreck an!« Boda erhebt sich von ihrem Sitzkissen, während Joanna zwei Schluck Boomer kippt. Boda kennt die Wirkung von Boomer nur zu gut, schließlich hat sie das Zeug oft genug selbst gepichelt. Zwei Schluck Boomer machen dich glücklich und unvorsichtig. »Wanita, sind Sie noch dran?«

»Ich warte immer noch, Lady.«

»In Ordnung, Boadicea kommt jetzt an den Apparat. Sind Sie bereit?« Joanna winkt Boda heran. Boda nimmt den Hörer und spricht hinein…

»Wanita. Hier ist Boadicea, ehemals Angehörige der Xcabs Company. Ich werde gegen meinen Willen fest…«

»Reicht schon, reicht schon! Wir haben eine Stimmbestätigung. Bleib dran, Boda. Gumbo, komm schnell her. Wir haben das Mädchen…«

»Gumbo, ich bin unschuldig. Bitte, glauben Sie mir…«

»Gib mir das Telefon!« Joanna reißt Boda den Hörer aus der Hand. »Gumbo YaYa, hier spricht Joanna. Ich hab' das Mädchen, und jetzt können wir über das Geschäftliche reden.«

»Klar doch… fünf goldene Federn, wie versprochen.«

»Nein, ich will mehr. Sind wir jetzt auf Sendung?«

»Nein.«

»Ich will auf Sendung gehen, Gumbo. Ich will im Radio singen. Sie müssen nämlich wissen, ich bin Country-and-Northern-Sängerin.«

»Ich kann Sie nicht einfach so auf Sendung gehen lassen, Joanna. Da müssen erst technische Dinge geklärt werden. Wenn ich tatsächlich…«

»Gumbo, jetzt hören Sie mir mal zu. Dieser Song heißt ›Maverick Tendencies‹. Das ist meine bekannteste Nummer. Vielleicht würde er auch Ihren Zuhörern gefallen. Sehen Sie mal, was Sie davon halten…«

Und dann fängt Joanna an zu singen, über das Telefon, es ist das Lied, das Boda sie vorhin hat singen hören:

> We were driving the cattle to another hick town,
> My lover blaming me for the rain coming down.
> As some good steer makes a run for open ground,
> Joe makes a loop to pull that maverick down.
>
> And I've got maverick tendencies in my heart,
> Since the night you broke me apart.
> Your love is gonna set me loose from the noose.
> I've got maverick tendencies in my heart.

Joannas kristallklare Stimme reitet auf den Noten wie das Cowgirl, das sie besingt. Boda kann ihre Augen nicht von dem Anblick losreißen; es sieht so aus, als würde Joanna um ihr Leben singen. Es verbirgt sich eine tiefe Verzweiflung in der Melodie und den Worten. Diese Verzweiflung und die Geschichte, die das Lied erzählt, machen Boda total fertig. Himmel, diese Frau kann wirklich singen: Jede Note ist eine Flamme. Dieses Lied zündet…

> *As that good steer runs for wide open space,*
> *Joe standing tall in the saddle, rain on his face.*
> *He throws the lasso to catch the traces*
> *Of a prey that won't be branded or placed.*

Boda greift sich eine von Joannas Gitarren. Sie zupft die simplen Akkorde der Melodie. Joanna schließt die Augen und lächelt Boda tatsächlich zu, während beide gemeinsam den Refrain anstimmen.

> *I've got maverick tendencies in my heart,*
> *Since the day you broke me apart.*
> *Your love has set me loose from noose.*
> *I've got maverick tendencies in my heart.*

Boda ist wie verzaubert von dem Lied. Oder liegt es an der Sängerin? Es ist da etwas an Joanna, das Boda an Coyote erinnert. Die Sängerin und der Taxihund teilen sich denselben Platz in Bodas neugeborenem Shadow, jenen Platz, der für die Einsamen reserviert ist, für die Schönheit des Unerreichbaren.

> *The rope slips free from the horns of the steer,*
> *That maverick beast runs on without fear*
> *Into the wide open fields. I won't shed no tears,*
> *Come the morning, Joe, I'll be running clear.*

Boda erkennt, daß sie hypnotisiert wird. Sie muß sich von dem Lied, der Situation losreißen. *Karo, wir müssen hier weg!*

Shadowreise, und plötzlich ist Boda *im Innern* von Karo, bedient die Hebel und Schalter, startet den Motor, und dann steuert sie das Taxi mit ihrem Shadow, brettert schnurgerade auf das Neonschild der Imbißstube zu. Boda schwingt die Gitarre über ihre Schulter, holt aus, um Joanna damit einen überzuziehen. Joanna öffnet die

Augen, und sie hebt ganz gelassen den Revolver, den Finger am Abzug, die Mündung auf Bodas Kopf gerichtet. Joanna singt immer weiter. Letzter Refrain…

> I've got maverick tendencies in my heart.
> I'm gonna pull this old world of mine apart.
> I've a heart that won't be tamed, blamed or ashamed.
> I've got maverick tend…

Draußen gibt es eine Explosion, Lichter am Fenster, während Boda drinnen die Wucht des Aufpralls spürt, als Karo in das Neonschild kracht. Joanna dreht den Kopf in Richtung des Lärms. »Was, zum Henker, war das?« Boda führt die Gitarre in einem ausholenden Bogen zu ihrem Ziel, trifft die Sängerin seitlich am Kopf…

Echos des Liedes vibrieren durch den Klangkörper des Instruments, die gerissenen Saiten und die hohlen Knochen von Joanna. Die blonde Perücke fällt ihr vom Kopf, legt den Bürstenschnitt darunter frei. Joanna schreit auf – diesmal mit einer tiefen Männerstimme. Das Telefon fällt zu Boden. Joanna versucht, die Waffe wieder auf ihr Ziel zu richten, aber jetzt hat Boda die Oberhand. Sie greift sich den Revolver und richtet ihn auf Joanna.

»Hinsetzen!«

»Bitte… tu mir nicht weh.« Er weint jetzt wieder in seiner Frauenstimme, pendelt zwischen männlich und weiblich. »Bitte… keine sichtbaren Verletzungen.«

»Hinsetzen!«

Joanna setzt sich hin.

»Sie sind Country Joe, stimmt's?« fragt Boda. »Sie sind ein Transvestit.«

»Ich bin kein Transvestit. Wie kannst du es wagen, mich so zu nennen? Ich bin ein makelloses Kind. Ein Kind von Fruchtbarkeit 10. Das ist alles. Ich bin etwas Besonderes. Etwas ganz Besonderes. Du wirst dafür bezahlen, Mädchen.«

Boda hebt den Telefonhörer auf. »Gumbo? Sind Sie noch dran?«

»Was geht da vor, Boda?« antwortet Gumbo.

»Lassen Sie mich gefälligst in Ruhe, Gumbo.«

»Ich erfülle nur meine Bürgerpflicht.«

»Ich bin unschuldig. Unschuldig! Und ich werde alles in meiner Macht Stehende tun, um herauszufinden, wer Coyote umgebracht hat. Sagen Sie das Ihren Zuhörern, Mr. Piratensender-DJ. Haben Sie mich verstanden?«

Sie knallt den Hörer auf die Gabel.

»Was hast du jetzt vor, Mädchen?« fragt Country Joe.

Gute Frage.

Boda greift sich die Flasche Boomer, steckt sie in ihre Schultertasche. Dann fällt ihr Blick auf die blonde Perücke auf dem Boden. Auch die verschwindet in der Tasche. »Na schön, Joe«, sagt sie. »Ich wette, Sie haben ein paar hübsche Klamotten im Kleiderschrank.«

Hinauf in Joes Zimmer, mündungsgesteuert. Ein Palast aus Glitzer, Seide und Rüschen. Noch mehr Perücken, verschiedene Farben. Boda wählt einige der konservativeren Modelle aus. »Haben Sie den Schlüssel für dieses Zimmer?« fragt sie.

Country Joes Augen sind tränennaß und wimperntuscheverschmiert. Er deutet auf den Schlüssel an der Rückseite der Tür. »Du wirst mir doch nicht weh tun, Boda, oder?«

»Jetzt hören Sie mir mal gut zu«, entgegnet Boda. »Wir Mavericks… wir müssen aufeinander aufpassen. Stimmt's?«

»Denn wer, zum Henker, würde es sonst tun?«

Country Joe sackt auf seinem Fellbett zusammen.

»Sie sind ein guter Mann, Joe«, fährt sie fort. »Heute ist einfach nur ein schlechter Tag auf der Ranch.«

»Es hat mir Spaß gemacht, mit dir zu singen«, sagt Country Joe mit bebender Stimme. »Ehrlich…«

Boda schließt das Zimmer hinter sich ab und schleicht die Treppe hinunter und durch die Schankstube. Der Vorhang des Wonderwalls flirrt in der Dunkelheit, und Boda kann irgendeine primitive Präsenz in der Zombiehälfte des Raums spüren. Aber die Tür zur Außenwelt ist abgeschlossen und verriegelt, der Saloon ist fensterlos. Eine Stimme ruft durch den Wonderwall zu ihr herüber, und als

Boda angestrengt hinsieht, kann sie Bonanza erkennen, den gelben Stetson auf seinem Kopf. Er winkt sie mit einem Finger heran.

»Ist es nicht gefährlich?« fragt sie.

Der fettige Finger lockt.

Boda tritt durch den Vorhang.

Die Luft um sie herum atmet so wie Haut auf Haut, und Finger aus Rauch tänzeln über ihren Körper. Sie fühlt sich beschwipst, beinahe ausgelassen. Und als sie auf der anderen Seite aus dem Vorhang tritt, spürt sie, wie sich etwas Neues in ihr öffnet. Sie hat das Gefühl, daß sie auf einen anderen Teil ihres Selbst zugeht.

Endlich ein Gefühl der Stärke.

Bonanza führt sie zu einer anderen Tür, einer Zombietür, die sich auf den Parkplatz öffnet. Während Boda über den Parkplatz läuft, fällt eins von Country Joes Kleidern herunter und wird in den Matsch getrampelt. Karo ist da, verkeilt in das Neonschild. Boda deaktiviert die Verteidigungssysteme, dann streichelt sie zärtlich die Haut des Taxis. *Alles in Ordnung, Karo?* sendet sie. Nichts, was etwas Liebe nicht wieder richten könnte, antwortet er.

Bonanza steht lächelnd neben ihr, Regen tropft von seinem Stetson, und seine fettige Haut schimmert naß. Boda schüttelt seine Hand. Shadow berührt Zombie, Mädchen an Junge. »Vielen Dank«, sagt sie.

»Kein Problem«, knurrt er. »Ich wünsche dir eine gute Fahrt.«

»Warum helfen Sie mir?«

»Ich helfe nicht *dir*.«

Boda steigt ein. Was jetzt, Fahrerin? fragt Karo.

»Fahr los, Karo.«

Wohin?

»Zurück nach Manchester.«

Zurück zu den Wurzeln, um den Killer zu finden. Boda denkt, daß Columbus ein guter Anfangspunkt wäre. Coyote selbst hatte vor ihr damit geprahlt, daß er Columbus besucht hätte, aber wie soll Boda eine so nebulöse Gestalt finden, besonders jetzt, wo sie plan- und coyotelos war?

Bonanza ist ein zitternder Umriß im Regen, als Boda Karo zurücksetzt, weg von dem zertrümmerten Schild und hinaus auf die Straße. Sie sieht Country-Joe aus der Zombietür kommen. Er bückt sich, um das matschbeschmierte Kleid aufzuheben. Er geht zu Bonanza und fängt an, auf die Brust der Kreatur einzuschlagen, wieder und wieder trommeln seine winzigen Fäuste auf halbtotes Fleisch. Der Zombie steht einfach nur da und steckt es ein, bis der Sänger ohnmächtig in seine Riesenarme sinkt. Die beiden Umrisse verschmelzen zu einem einzelnen Wesen, während Boda Karo immer weiter von den Lichtern der Fernfahrerimbißstube wegsteuert.

Die zweite Leiche wurde in jener Nacht gefunden, kurz bevor der alte Tag sein Amt an den Nachfolger übergibt: Dienstag, 23 Uhr 49. Ein Beet im Alexandra Park, umschwirrrt von einem Radar aus Fliegen. Sie aßen sich satt, diese Insekten, angestachelt von dem Geruch des toten Fleisches. Fette Brummer, Hunderte von ihnen. Wir mußten eine Schallbombe zünden, bevor wir Hand an den Grabhügel legen konnten.

Irgendein Hundepenner hatte ihn entdeckt, während er in den Nebelschwaden nach Nahrung schnüffelte, und was er fand, ließ ihn eiligst die Flucht ergreifen.

Mitternacht. Ruf die Cops. Ruf Sibyl Jones.

Ich war noch wach, als der Anruf kam, aufgewühlt von dem, was ich über Gumbo YaYas Sender gehört, und von dem, was ich in Coyotes Kalender gelesen hatte. Jede Zeile der letzten Seiten war eine überschwengliche Liebeserklärung an die Adresse Bodas, und dazwischen steckte ein Stück Papier: ein Liebesgedicht an den Taxihund, unterschrieben in Bodas gradliniger Handschrift. *Wird er mich wieder den holprigen Weg entlangführen,* fing es an. *Wird er mich wieder den holprigen Weg meines Verlangens entlangführen und mich in das wogende Gras hinabziehen, auf daß ich darin ertrinke.* Die Schrift ist mir vertraut. Zwischen den Seiten steckte auch eine Eintrittskarte für das Manchester-City-Vurtballspiel am kommenden Donnerstag. Laut den Eintragungen im Kalender hatte Coyote Boda zu dem Spiel eingeladen. Etwas in der Liebesgeschichte des Kalenders machte mich fertig, jenes Gefühl, begehrt zu werden.

Nachdem ich es gelesen hatte, war ich von der Taille aufwärts nackt und beugte mich über das Kinderbett in Belindas ehemaligem Zimmer. Mein Bauch war gegen den Bettrand gedrückt, so daß meine Brüste über dem Baby hingen. An meiner linken Brustwarze wurde genuckelt. Da kam natürlich keine Milch, dieser Quell war längst versiegt. Trotzdem nährte sich mein Juwel, mein geheimer Sohn, an etwas. Während der Nacht hatte er immer wieder geniest. Ich hatte ihm mit einem feuchten Tuch die Augen und die Nase abgewischt. Er gurgelte mir einige Worte zu. Ich mußte darauf vertrauen, daß es sich um Worte der Liebe handelte, denn es gab keine Übersetzung für sie. Mein Juwel sprach mit toter Zunge. Über den Shadow empfing ich einige Fetzen der Liebe. Ich tröstete Juwel eine Weile, wiegte seinen mißgestalteten Kopf in meinen Armen, und stillte ihn dann abermals. Das Telefon riß mich von diesem mütterlichen Dienst fort. Was das, was wir im Park fanden, noch schmerzlicher machte.

Die Fahrt zum Alexandra Park war eine Reise durch einen Frühlingsgarten; winzige Schößlinge brachen durch den Asphalt der Straßen, und die Kanten und Ecken der vorbeiziehenden Geschäfte und Häuser waren von einem Weichzeichner aus Laub gerundet worden. Die Experten verkündeten, daß wir auf den schlimmsten Heuschnupfen aller Zeiten zusteuerten, schlimmer noch als damals während Fruchtbarkeit 10. Im Park fanden wir eine wohlgerundete Skulptur aus Humus, verschlungene Blumen, die sich aus der Erde erhoben, und einen fauligen Gestank. Gesuchter Zombie gefunden und dingfest gemacht. Diese Kreatur war zum letzten Mal per Anhalter gefahren; hatte eine letzte Heimatadresse in ungeheiligtem Boden gefunden. Eine Ruhestätte inmitten der Blütenblätter. Sein Leib aus Erde geformt, vollkommen umgewandelt.

Zero erwartete mich schon vor Ort. »Weißt du was, Smokey? Es macht mich traurig, den Täter so aufzufinden. Denn ich war ganz heiß darauf, den Zombie höchtpersönlich abzuknallen. Das hätte Kracker glücklich gemacht. Und wenn der Herr glücklich ist, dann bin auch ich glücklich. Aber jetzt hat sich dieser Zombiedrecksack umbringen lassen, und ich stehe mit leeren Händen da.«

»Du willst Zombies abknallen? Das haben wir früher mit Hunden gemacht.«

»Spar dir die Krokodilstränen, Smokey. Zombies sind nicht menschlich.«

»Sie sind zu einem Teil menschlich.« Ich kniete mich neben die Leiche.

»Was, zum Teufel, machst du da?«

»Meine Arbeit.«

»Wir brauchen hier keine verdammte Shadowvisitation, Jones.«

»Das entscheide immer noch ich.«

»Himmel, du würdest wohl selbst noch bei 'ner Küchenschabe, die du zufällig zertreten hast, eine Shadowvisitation abziehen, was? Der Fall ist abgeschlossen. Verschwinde hier.«

»Zu spät, Hundecop.«

Ich versank bereits in toten Gedanken, ließ Finger aus Rauch durch den Verstand einer Zombieleiche tasten...

Pechschwarze Finsternis... kein noch so schwaches Flackern... keine Anzeichen von Leben... Halbleben... irgendeiner Form von letztem Leben... fruchtlos... meine Schatten dringen durch Schichten von Dunkelheit vor... immer tiefer... die Dunkelheit wächst... so kalt... Schichten von Tod öffnen sich... und schließen mich dann ein ... ich muß hier raus... zurück zum Leben... und dann... ein schillerndes Licht in den verborgenen Tiefen... explodiert... sprengt die Welt mit Grün... zuviel Farbe, um es ertragen zu können ... große, saugende Blumen an meinem Shadowhals... Blätter der Liebe ... brennende Blumen... sie tanzen... tanzen...

Raussprung...

Ich kämpfte mich zurück zum alltäglichen Leben, dem lebenden Leben, das ich jetzt mehr als alles andere brauchte.

Ich hatte erwartet, daß Zero zumindest Interesse zeigen würde, aber als ich wieder zur Erde zurückkehrte, stand in seinen Augen nur Abscheu ob meiner Shadowfähigkeiten. Ohne sich darum zu scheren, was ich vielleicht gefunden hatte, steckte er sich die Copfeder in den Mund und blies die Zombiesuche ab. »Chief Kracker, Herr, wir haben das Monstrum gefunden. Alles wieder im Lot.« Etwas in der Art, vermute ich. Er zog die Feder aus seinem Mund und blickte dann mit seinen feuchten Augen zu mir. »Eine Sorge weniger, Smokey«, sagte er. »Hundekiller erledigt und abgehakt. Scheiße! *HAAAAAATSSSSSSSCHIIIIIIII!*« Er konnte nicht aufhören zu niesen. »Diese Blumen machen mich fertig.«

»In Ordnung«, sagte ich, »wer hat den Zombie umgebracht?«

»Wen interessiert das? Heiliger Hundesohn! Zombies zählen nicht.«

»Er wurde von Blumen getötet, Zero. Genau wie Coyote. Ich habe in ihren beiden Köpfen das gleiche gefunden. Die Explosion. Es ist irgendeine Art Garten.«

»Kracker sagt, daß wir den Taxihund morgen beerdigen. Kracker will der Presse bekanntgeben, daß der Zombie Coyote ermordet hat und daß wir den Zombie mit Copsalven erledigt haben. Was meinst du, Smokey? Ist das ein guter Vorgehensplan? Wird das einen Aufstand verhindern?«

»Und Gumbo YaYa wird bei dieser Lüge mitmachen?«

»Gumbo hat bei der Polizei nichts zu melden, Smokey.«

»Ach nein? Hast du ihn in der letzten Zeit mal gehört?« Zero nickte. »Dann weißt du ja auch, daß er eine Fahndung nach einer Xcabberin namens Boadicea ausgegeben hat. Sie hat sich gestern vom Taxistall abgesetzt, wenige Stunden nach dem Mord. Sie ist auch als Boda bekannt. Klingeln da bei dir die kleinen Hundeglocken, Zero?«

»Heiliger Hundesohn!« knurrte Clegg. »Was hast du denn bloß mit dieser Boda? Bist du scharf auf sie?«

»Hast du mich belogen, Clegg?«

»Was?«

»Gumbo behauptet, daß Boda in den Taxidaten auftaucht. Sie war gestern morgen um 6 Uhr 19 am Alexandra Park. Um genau diese Zeit wurde Coyote ermordet. Wußtest du das schon vor seiner Sendung?«

»Sie war seine Freundin, Smokey, das ist alles.«

»Hast du es gewußt?«

»Seine Freundin! Heiliger Hund! Vielleicht haben sie auf dem

Rasen eine Nummer geschoben. Wer weiß? Sie vögeln also im Park, und währenddessen klettert der Zombie klammheimlich aus dem Taxi. Sie dachten, sie hätten ihn erledigt, okay? Aber du weißt ja, wie schwer diese Halblebendigen zu töten sind. Sie lieben den Tod, stimmt's? Er ist wie eine Mutter für sie.«

»Jemand hat den Zombie umgebracht.«

»Vielleicht hat Boda ihn erledigt. Gut. Ein Zombie weniger. Okay, der Zombie legt also Coyote um. Und an was denkt man schon in seinen letzten Momenten, Smokey, an die allgemeine Wirtschaftslage? Wohl kaum. Ich denke, auf *deiner* letzten Liste dürfte wohl auch der Name deines Liebsten ganz oben stehen. Aber vielleicht weißt du ja auch gar nicht, was Liebe ist?«

»Hier geht irgend etwas vor, Zero.«

»Das ist doch wohl nicht zufälligerweise wieder eine von deinen Shadowahnungen, oder, Sibyl?«

»Ich habe gestern abend versucht, in die Xcab-Datenbank einzuloggen. Ich wollte wissen, wer Montagmorgen im Gebiet um Alexandra Park einen Fahrgast abgesetzt hat. Ich erhielt nur ›Zugriff verweigert‹ als Antwort. Ich dachte immer, die Taxis und die Cops würden zusammenarbeiten. Hier stimmt was nicht, Zero, und ich werde weitersuchen, mit oder ohne deine Hilfe. Gumbo behauptet, Boda wäre irgendwo unten in Frontier Town Süd.«

»Nun, dann auch viel Glück, Smokey. Das Mädel könnte mittlerweile schon in *London* sein. Die Sache fällt nicht mehr in unseren Zuständigkeitsbereich.«

»Komm mit, Zero. Nach Limbus-Süd.«

»Wie bist du denn drauf, Jones? Du hörst zuviel Gumbo. Meinst du wirklich, dieser Pirat würde die Wahrheit kennen? Du wirst doch wohl auf deine alten Tage nicht weich, oder? *HAAAAAAATSSSSSCHIIIIII!!!!* Scheiße! Entschuldige. Hauen wir endlich aus diesem Komposthaufen ab.«

»Hilf mir, Clegg. Kracker muß es ja nicht erfahren.«

»Kracker muß es ja nicht erfahren?!«

»Ich bitte dich um deine Hilfe.«

»Du verlangst von mir, daß ich den Boß hintergehe?«

»Eines Tages wirst du dich von seiner Leine losreißen müssen, Zero.«

Zeros Hundeaugen strahlten. »Weißt du was, Jones?« knurrte er. »Manchmal geht ihr Menschen mir mächtig auf den Sack.« Ich hatte nie zuvor gehört, daß Zero sich verächtlich über Menschen geäußert hätte. Er begriff sofort, was er da gesagt hatte, und das Strahlen in seinen Augen war auf einmal wie ausgeknipst.

Fleshcops gruben die Erde auf, befreiten den Zombie aus seinem Grabhügel aus Blumen. Die Cops niesten wie verrückt, nur ich war oberclean, völlig unberührt. Aus Zeros großer Schnauze lief der Schnodder, als er sich wieder zu mir umdrehte. »Was ist los mit dir, Jones?« fragte er. »Hast du was gegen's Niesen? Bist du plötzlich zum Mutanten geworden?« Und dann sprangen Tränen in seine Augen, vielleicht Tränen des Pollens, vielleicht auch nicht. »Ich würde dir ja gerne helfen, Jones. Ehrlich…«

»Du würdest gern?«

Der bullige Hundecop wandte sich abermals ab und marschierte über das Gras davon, um die Fleshcops zu nerven. Und in diesem Moment wurde mir klar, daß tatsächlich etwas nicht stimmte, und zwar mit den Cops. Und Zero steckte mittendrin.

Dieser Hund konnte mir einfach nicht in die Augen sehen.

Mittwoch
3. Mai

Sein Name ist Dove. Thomas Dove. Er bereist die Köpfe von Fremden wie eine Feder. Und das ist er: Eisschnelläuferkörper, das orangefarbene Haar keilförmig ausrasiert, ein Paar Copflügel und ein Blutkreislauf voller Vurt. Der Traumfluß. Tom Dove ist der beste Vurtengel, den die Manchester Cops je hatten, und er fliegt runter nach Rio de Bobdeniro, mit einer Ladung Tests für die Phantasmen dort. Seine Copaufgabe besteht darin, illegale Träume aufzuspüren und zu zerstören; die Bootleg-Vurts zu finden. Man muß nur einmal das prismatische Rauschen seiner Flügel anhören, die Farben in den Rauch des Verstands zauberten. Kühnheit. Tom Dove: ein sauberer, menschlicher Weg zur Phantasie, so gut, daß er nicht einmal Federn einschmeißen muß. Er ist natürlich größtenteils menschlich, mit Ausnahme der starken Dosis Vurt in seinem Fleisch.

Rio de Bobdeniro. Eine wahrlich faszinierendes Stück Gedankenwelt. Eine beliebte Feder der Traurigen und Einsamen. Sie erlaubte dem Vurtreisenden, die gesammelten Träume von Mr. Bobdeniro zu genießen. Gott weiß, wer das war; irgendein psychisch aufgemotzter Realo-Verbrecher, der über fünfzehn Menschen auf dem Gewissen hatte. Andere behaupteten, er wäre ein Kinostar. (Kino war das, was die Leute machten, bevor Vurt entdeckt wurde.) Wieder andere waren davon überzeugt, er wäre ein Muttersöhnchen, der sich nicht einmal aus dem elterlichen Haus traute, es sei denn durch die Tür der Träume. Wie auch immer, Bobdeniros Träume waren gewalttätig und läuternd. Die Leute liebten es, sich in seine Visionen einzuklinken, für kurze Zeit in seinem Verstand zu leben. Haß wurde befriedigt. Liebe wurde verweigert. Tom Dove, der Vurtcop, flog gerade in eine Unterfeder namens *Die durch die Hölle gehen*, verfolgte dort eine Spur. Auf der Straße wurden Bootleg-Bobdeniros zu Schleuderpreisen verkauft, aufgepeppt mit zusätzlicher Gewalt, und der Staat weinte dem Profit nach, der ihm durch die Nase ging.

Doves zweite Copaufgabe bestand darin, ausgetauschte Unschuldige aufzuspüren und zurückzuholen. Wann immer ein Vurtgeschöpf sich illegal Zutritt zur Realität verschaffte, mußte etwas anderes, etwas Zufälliges und daher Unschuldiges, seinen Platz im Traum einnehmen. Dieses Phänomen war als Hobarts Wechselkurs bekannt, da die beiden am Austausch beteiligten Menschen oder Gegenstände denselben Wert haben mußten. Ein gewisser Spielraum war erlaubt, solange er sich innerhalb der Hobart-Konstante hielt. Hobart war die Entdeckerin des Vurt, und sie hatte dem Mechanismus diese Regel hinzugefügt, um das Gleichgewicht zwischen Traum und Realität zu erhalten. Tom suchte derzeit nach fünf verschiedenen Unschuldigen, die »verschwunden« waren, aber der interessanteste Fall darunter war der neunjährige Brian Swallow. Das lag daran, daß Swallow den größten Hobartschen »Wert« besaß. Tom hatte im verlassenen Zimmer des Jungen eine starke Vurtpräsenz gespürt, 9,98 auf der Hobartskala. Tom selbst brachte es auf 9,99, also war offenkundig etwas sehr Mächtiges durch den Tausch in diese Welt gekommen. Dieser Tage waren die Türen zwischen den beiden Welten schlüpfrig, so als würden die Trennwände fließend werden. Früher, in den alten Zeiten, gab es vielleicht alle fünf Jahre mal einen schlechten Austausch. Gegenwärtig war es eher einer pro Monat. Es hatte den Anschein, als wäre Manchester eine besonders dünne Membran zwischen dem Vurt und der Realität. Vielleicht lag das ja daran, daß Miss Hobart hier die Vurtfedern erfunden hatte. Wie auch immer, Tom Dove hatte jedenfalls die unangenehme Ahnung, daß, wenn der Manchester-Damm brechen sollte, bald das ganze Land folgen würde. Dove war zwar erfahren in der Suche nach vermißten Personen, aber dieser Swallow-Junge war eindeutig der härteste Fall, der ihm bis jetzt untergekommen war. Bislang gab es keine richtige Spur, nur ein paar fedrige Hinweise hier und dort. Das war ein weiterer Grund, weshalb er Rio de Bobdeniro aufsuchte; gesichtete Störungen im Vurt deuteten zumeist auf eine schwache Tür hin.

Die Bobdeniro-Variante namens *Die durch die Hölle gehen* spielt im vietnamesischen Krieg, und Tom ist im Kopf eines Vietkong-

Offiziers gelandet, der Bobdeniro und seinen Co-Star zu einer aussichtslosen Runde russisches Roulette drängt. Bobdeniro hat die Schlitzaugen überredet, die Waffe mit drei Kugeln zu laden. Zwei leere Kammern haben bereits geklickt; jetzt ist es an der Zeit, zuzuschlagen, zu lachen und Grimassen zu schneiden, um dann die Waffe urplötzlich vom eigenen Kopf zu nehmen und gegen die Stirn des Offiziers zu drücken, in dem Tom Dove sich gerade befindet. Tom erwartete, jeden Moment weggeblasen zu werden; die Waffe bewegte sich mit Lichtgeschwindigkeit, ganz nach Drehbuch, zielte geradewegs auf sein Gehirn. Aber dann bemerkt er zu seiner Linken ein Flattern, ein *grünes* Flattern, ein *gelbes* Glitzern...

HAAAAAAAAAAAAAATSSSSSSSSSSSSCHIIIIIIIIII!

Bobdeniro niest. Der Schuß verfehlt sein Ziel. Tom Dove, ganz im Bann des Spiels, zückt seine eigene Pistole, schießt. Bobdeniros Kopf explodiert. Die anderen Schlitzaugen erledigen den Co-Star. Die Szene ist eine Zeitlupe aus Pulver und Blut. Die beiden berühmten Vurtspieler liegen von Kugeln durchsiebt auf dem Boden. Die Schlitzaugen wissen nicht, was sie tun sollen; dieser Ausgang ist unvorhergesehen, gewöhnlich sind sie zu diesem Zeitpunkt tot. Sie fühlen sich wie Schemen, ihr Sinn hat kein Leben. Tom Dove, im Kopf des Oberschlitzauges, kann gar nicht fassen, was er gerade getan hat; er hat Bobdeniro in der weltberühmten Russisches-Roulette-Szene getötet! Ein vurtuelles Sakrileg. Ein Schlag gegen das System. Toms Flügel werden bleischwer.

In einem Massengefühl der Nutzlosigkeit richten die Schlitzaugen ihre Knarren gegen sich selbst. Ihr Leben hat jeglichen Zweck verloren, der nun einmal darin bestand, durch die Hände der Stars zu sterben. Jetzt bleibt ihnen nichts weiter, als sich gegenseitig umzubringen, in dem Versuch, das gewünschte Ergebnis doch noch zu erzielen, auch wenn sie selbst beim Feuern nicht aufhören können zu niesen.

Tom Dove fühlt, wie die Kugel eines Kameraden in sein Herz eindringt, aber mittlerweile springt er bereits wieder raus, greift nach dem realen Leben. Nach der Sicherheit. Wo alle Regeln gelten. Seine Flügel sind schwer, schwer, so bleischwer; es braucht sein ganzes Vurtwissen, um sich auch nur vom Boden aufzuschwingen, aus dem erlöschenden Verstand des Schlitzauges heraus. Die Kugel tötet ihn. Ein letztes mächtiges Pressen, dann…

Der Durchbruch. Zurück in das Manchester-Coprevier, während er den Rio-de-Bobdeniro-Vurt aus seinem Verstand drängt, keuchend, röchelnd, mit Tränen in den Augen, zurück ins Fleisch.

Tom hat irgendwie das Gefühl, daß die Regeln gebrochen wurden, aber nicht von den Bootlegs. Diese Sache war weit gefährlicher. Er weiß, daß das Niesen ein eingedrungener Virus war, etwas, das nicht im ursprünglichen Spielprogramm vorgesehen war. Und es war von dem grünen und gelben Flattern gekommen, das er in den Vurtwänden des Spiels bemerkt hatte. Es gab dort ein Leck, und Tom würde dieses Loch untersuchen müssen. Überall um ihn herum wimmeln Cops, reale, lebendige Fleshcops, und auch sie niesen, genau wie im Spiel. Blumen sprießen aus winzigen Ritzen in den Wänden des Reviers. Die Cops besprühen die Blumen mit Bazillen. Tom Dove weiß alles über den Heuschnupfen; weiß, daß die Experten ein Rekordjahr vorhersagen. Er weiß, daß es von den Verkehrscops allerorten Beschwerden über Blumen hagelt, die plötzlich überall aus den Straßen der Stadt sprießen und Staus verursachen.

Gütiger Gott, jetzt haben sie auch schon Heuschnupfen in der Vurtwelt. Der Virus nistet dort. Welche Hoffnung bleibt uns noch?

Und dann niest Tom Dove abermals, ein reales Niesen.

HAAAAAAAAATSSSSSSSSSCHHHIIIIII!!!

Er muß zurück in den Rio. Er muß diese Öffnung finden.

Das Geheul der Hunde in hundertstimmiger Harmonie. Ein geniestes, gebelltes Gebet für einen guten Kerl, eine prima Hund/Mensch-Kreuzung. Ein Rudel Hunde steht aufgerichtet auf den Hinterbeinen in Trauerreihen den Südfriedhof entlang. Statuen von steinernen Hunden ragen hier und dort zwischen gewöhnlicheren Grabsteinen auf.

Die Beerdigung von Coyote. Ein idealer Tag dafür. Die Gräber waren sonnenbeschienen, umschlungen von Ranken, die die wundersamsten Blüten trieben. Das Rudel der Trauergäste war aus allen

Winkeln des Stadtplans hier zusammengekommen, weil der gesetzlose Taxihund nun mal eine Berühmtheit auf den Straßen gewesen war, auf Hunde- und Taxiebene gleichermaßen.

Man schreibt den dritten Tag des *Blumen des Bösen*-Falls. Zwei aktenkundige Leichen; die eine ein Halbhund, die andere ein Zombie. Für die Copbonzen war der Fall damit abgeschlossen. Aber ich war Sibyl Jones, der Shadowcop; ich mußte weitersuchen. Und hinzu kam noch ein in die Höhe schießender Pollenstand, über 500 Körner pro Kubikmeter laut der morgendlichen Messung. Die ganze Stadt nieste, und die Zeitungen forderten lautstark ein Heilmittel.

Gumbo YaYa rief die Leute zum Kampf gegen die Blumen und die Cops auf. Er hatte seinen Geheimsender in eine cop-verhöhnende Mörderjagd verwandelt, ein offener Schlag in das Gesicht von Krakkers billiger Finte, daß die Cops den Zombie erlegt hätten. Dieser Pirat verfügte über besseren Datenzugriff als ich, was mich wahnsinnig machte. Trotz alledem war das Interesse an dem Fall verebbt. Kracker hatte Zero einen neuen Fall übertragen. Ich hatte beantragt, daß Columbus uns ein Foto von Boda überspielte; es wurde mir verweigert. Aber dieser Blumen-Fall nagte an meinem Shadow. Immer wieder hatte ich flüchtige Visionen von den grünen Explosionen, auf die ich in den Köpfen von Coyote und dem Zombie gestoßen war. Und die Blumen, die überall in der Stadt aus dem Boden schossen? Da mußte doch irgendein Zusammenhang bestehen, oder? Aber welcher? Und diese Boda-Spur, der die Cops einfach nicht nachgingen. Bodas Name, eingefangen im Verstand eines sterbenden Taxihundes, der von Blumen getötet worden war. Blumen, Blumen, Blumen. Mein Shadow erblühte von ihnen. Stimmte etwas mit diesen Blumen nicht? Was hatte das nur zu bedeuten? Wie kann denn etwas mit Blumen nicht stimmen? Ich arbeitete jetzt allein, eine freiwillige Verbündete des Gumbo: Aber wenn die Cops schlafen, müssen die Leute das Gesetz eben in die eigenen Hände nehmen. Ich war inoffiziell zu Coyotes Beerdigung gekommen.

Und ich hatte Angst. Angst vor all diesen häßlichen Kläffern. Hunderte von ihnen bejaulten in würdevoller Trauer das Dahinscheiden des jungen gefleckten Taxihundes. Mein Shadow glühte fiebrig, Rauchfähnchen stiegen von meiner Haut auf, die Hunde witterten mit wütenden Schnauzen die Cop- und Shadowgerüche. Alle möglichen Kombinationen waren vertreten. Nicht viele reine Hunde oder reine Menschen, dafür Hunderte von wirr zusammengewürfelten Mutanten. Die meisten waren bösartig aussehende Kreaturen; hündische Auswüchse an menschlichen Gestalten, letzte Reste von Menschlichkeit in einem fellbehaarten Gesicht. Selbst jetzt, aus einem Abstand von einhundertsechzig Jahren, spüre ich noch immer den Abglanz meiner Abscheu, meiner tiefen *Furcht* vor Hunden. Besonders, wenn sie in solcher Masse auftreten. Gegen Zero war ich mittlerweile immun, aber am Tag der Beerdigung erstickte ich an Fell. Ich war ein wirbelnder Rauch aus Panik. Ich hatte Angst und wünschte, Z. Clegg wäre an meiner Seite, aber der Hundecop hatte mir erklärt, die Beerdigung wäre eine tote Spur, hatte noch einmal das ewige Mantra wiederholt: Fall abgeschlossen.

Sicher, der Fall *war* abgeschlossen, aber ich hatte so eine vage Ahnung in meinem Shadow, daß sich möglicherweise Boda bei der Beerdigung des Opfers einfinden würde. Den Plan einer Suche im Limbus hatte ich mittlerweile aufgegeben – Zero hatte da ganz recht gehabt –, aber diese Boda schien den Hundejungen wirklich geliebt zu haben, vielleicht würde sie also auch bei seinem letzten Abschied auftauchen. Es war inzwischen stadtbekannt, daß Bodas Kopf mit einem Plan von Manchester-Zentrum verziert war. Gumbos Belohnung von fünf goldenen Federn war immer noch zu haben, und es würde jede Menge Jäger geben. Ich war einer von ihnen. Das Problem: Wenn Boda tatsächlich für die Beerdigung zurückkehrte, mußte sie sich verkleiden und würde vermutlich auch ein anderes Fahrzeug benutzen. Oder vielleicht war sie ja auch schon längst tot, ein Opfer des hungrigen Lebens dort draußen im Limbus. Fünf Xcabs parkten vor den Toren des Friedhofs, also folgten auch sie der Theorie, daß Boda noch unter uns weilte.

Die heiße Sonne brannte sich in meinen Shadow. Die Blumen auf dem Friedhof waren überreif und überladen. Es schienen viel zu viele zu sein, und viel zu früh; zu früh im Jahr für ein solches Übermaß. Große, pralle Blumen hingen von Ranken, die sich fest um die steinernen Grabmale wanden. Mir war übel von dem Duft, diesem Geruch, der mich durchdrang, in dem ich mich verlor. Grabsteine flirrten in den Hitzewellen. Auf dem, der mir am nächsten stand, war zu lesen: *Brian Albion… geliebter Sohn… es gibt keinen Tod… nur Verwandlung.* Das Wort *geliebter* war halb verdeckt von klebriger, fliegendurchsetzter Hundescheiße. Überall um mich herum niesten Mischlinge zähen Schnodder aus ihren Schnauzen, ein Rotzregen an diesem sonnigen Tag. Meine schwarze Ausgehuniform war schon völlig ruiniert.

Die Sargträger bahnten sich jetzt einen Weg durch die Hundemenge. Coyotes Sarg war mit Orchideen übersät, und die Träger mußten immerfort niesen. Man muß es ihnen hoch anrechnen, daß der Sarg nicht ein einziges Mal ins Wanken geriet. Die Hunde teilten sich, so als wäre Moses ihr Trainer; kein Kläffen oder Jaulen, nur ein einstimmiges Hecheln. Ich sah den Trauerzug, der Coyotes Sarg folgte: eine junge Frau und ein Welpenmädchen.

Laut meinen Ermittlungen handelte es sich bei der Frau um Coyotes Ex-Gattin. Ihr Name war Twinkle. Sie war rein menschlich und gerademal zweiundzwanzig Jahre alt. Mit sechzehn hatte sie Coyote kennengelernt, der damals noch nicht einmal ein Taxi besaß. Er war nur ein glückloser Wanderer der Straßen, immer auf der Suche. Twinkle hatte eine Schwäche für Hundejungs. Als sie klein war, hatte sie einen treuen Robohund namens Karli gekannt, und vielleicht war das der Beginn ihrer Obsession. Sie konnte jedenfalls gar nicht genug von ihnen kriegen, und Coyote war der beste, der ihr je begegnet war. Sie hatten sich geliebt und gelacht und im Juni geheiratet. Hatten alle erstrebenswerten Dinge, hatten einen Mischling gezeugt, hatten sich in Bottletown ein Heim eingerichtet. Und dann hatte Coyote sein schwarzes Taxi gefunden, und die Zukunft sah rosig aus, bis er in dunkle Gefilde abtauchte, gefährliche Fuhren übernahm und verwundet zu Twinkle heimkehrte. Twinkle hatte in ihrer Kindheit genügend Wunden gesehen, jetzt wollte sie ein unblutiges Leben. Meinungsverschiedenheiten hatten zu Unstimmigkeiten geführt, Unstimmigkeiten zu Streitereien, Streitereien zur Scheidung. Läuft es nicht immer so ab?

Der Name des Welpenmädchens war Karletta. Vier Jahre alt. Sie war die Tochter von Twinkle und Coyote. Und war sie nicht eine Schönheit? Pfirsichgleiche Menschenhaut, gesprenkelt mit dunklen Flecken. Karletta klammerte sich an die Hände ihrer Mutter, die ihr während der gemessenen letzten Reise des Sargs Halt gaben. Sie besaß die tiefe Liebe eines Hundes für seinen Herrn, auch wenn nur die niedlichen Barthaare, die aus ihren Wangen sprossen, wirklich ihre Abstammung verrieten. In diesem Moment nieste sie, und ich wäre am liebsten zu ihr gelaufen und hätte sie mit meinen Händen aus Rauch umfaßt, hätte sie an mich gedrückt und ihr die feuchte Nase abgewischt. Twinkle nahm mir das Abwischen ab, und ich war eifersüchtig. Habe ich solche Gefühle wirklich empfunden?

Der Sarg hatte mittlerweile die Grabstelle erreicht, und die Hunde hechelten und niesten und jaulten. Nicht das Gejaul des Hungers, sondern das Gejaul des Beileids. Ich verdrängte das Unbehagen, das die Laute der Hunde in mir wachrief, und suchte statt dessen in der Menge nach Boda. Drüben an der Friedhofskapelle standen Cops, waffengerüstet gegen möglichen Hunde-Unmut. Keine Spur von dem Mädchen mit dem Stadtplan-Kopf.

Der Sarg wurde in die Erde hinabgelassen, der Predigerhund sang seine Litanei…

Barthaar zu Barthaar, Knochen zu Knochen…

Eine Bewegung von den Cops. Hundegeheul von den Bäumen neben der Kapelle. Ging da etwas vor? Ich schaute zu den Trauergästen. Auf dieser Seite war alles friedlich, aber ich bemerkte jetzt, wie sich einer der Cops, in Zivil, von der Truppe löste. Er marschierte auf den Unruheherd zu, dieser selbstsichere Gang…

Kralle zu Kralle…

Ich sah, wie Twinkle Karletta an die Brust drückte. Ein anrührender Moment. Hinter ihnen bewegte sich der bullige Cop durch die flirrende Hitze, die Ränder seines Umrisses verwischt, so daß sie wie Fell aussahen…

Zero?

Staub zu Staub…

Was machte Zero Clegg denn hier? Er hatte doch den ganzen Morgen damit zugebracht, mir zu erklären, wie sinnlos dieser Friedhofsbesuch wäre. Ich blickte hinunter in das Grab…

Twinkle warf ein einzelnes Hundsveilchen auf den Sarg. Eine blaue Blume mit gelben Sprenkeln. Ich schaute wieder hoch…

Zero verschwand im Dunstschleier.

Die Trauerfeier ist beendet, und Roberman Pinscher geht hinüber zum Friedhofstor, wo er sein Xcab geparkt hat. Er hatte es im System so eingerichtet, daß er für Coyotes Beerdigung schichtfrei hatte. Es ging da um hündische Verbundenheit. Genau in diesem Moment, nur wenige Schritte vom Nell-Lane-Eingang des Friedhofs entfernt, meldet sich ein unvermittelter Gedanke im Kopf des Robohundes. Sein Name steigt hoch, wie ein Rauchpilz.

Roberman…

Roberman stößt drei kehlige Knurrlaute aus, die sich nur als etwas wie »Heiliger Robohund!« übersetzen lassen.

Hab keine Angst, Xcabber.

Roberman schaut sich hektisch um, auf der Suche nach dem Sprecher, knurrt dabei: »Wie Kennzeichen?« Was übersetzt heißt: »Wer ist da?« Aber er sieht nur Grabsteine um sich herum, jeder mit einer Todesbotschaft.

Ich bin's, Boda.

Ein ängstliches Knurren: »Was Kennung?«

Ich höre dich. Ich bin in deinem Shadow, Roberman.

Leises Knurren: »Wer ist?«

In deinem Shadow, Hundefahrer, ich spreche über deinen Shadow mit dir. Komm her zu mir, Fahrer. Die große Ulme links von dir. Ja, genau. Such weiter. Ja, so ist's gut. Direkt hinter dem Grabstein da, ganz genau.

Roberman geht an dem Grabstein vorbei und tritt dann hinter die Ulme, wo eine Frau auf ihn wartet. Langes, blondes Haar, Cowgirlstiefel, weiter Rüschenrock, Bolerojacke. Und Roberman gibt Fersengeld, läuft vor diesem Anblick davon, während die Tentakel eines fremden Shadows in seinen Verstand eindringen…

Nach der Beerdigung kehrte ich aufs Revier zurück, wo ich eine Nachricht von Kracker auf meinem Schreibtisch fand. Ich sollte mich umgehend in seinem Büro melden. Als ich dort eintrat, war Zero bereits aufmarschiert. Er hatte eine Pollenmaske vor dem Gesicht.

»Du Drecksskerl.« Ich ging sofort auf ihn los, ohne mich um Krackers Anwesenheit zu scheren.

»Was ist los?«

»Was hattest du bei Coyotes Beerdigung zu suchen, Clegg?«

»Sibyl…« Seine bebende Stimme wurde von der Maske gedämpft. »Ich war nicht…«

»Ich habe dich dort gesehen. Du hast mir gesagt, es wäre eine Sackgasse.«

»Ich wollte nur…«, setzte Zero an, doch dann brach sich trotz der Maske ein gigantischer Nieser Bahn. Gedämpft.

Kracker sprang für den Hundecop in die Bresche. »Officer Clegg wollte nur für die Wahrung der Ruhe sorgen, Jones. Das geschah auf meine Veranlassung hin. Ich befürchtete einen Hundeaufstand, und niemand wird mit den Hunden besser fertig als Clegg. Er war dort zur Bewachung.«

»Sie verheimlichen mir doch etwas«, fauchte ich. »Der Teufel soll Sie beide holen. Ich will jetzt die ganze Geschichte hören.«

Kracker hob die Finger an eine frische Beule auf seiner Stirn. Er streichelte die Verletzung. »Meine Frau hat mich geschlagen.« Entschuldigend. Sein verkniffener Mund verzog sich um die Spitze eines Thermometers. Sein hagerer, zitternder Körper hockte auf der Kante eines Ledersessels. Er wies mich an, Platz zu nehmen. Ich lehnte ab.

»Sie suchen immer noch nach Coyotes Mörder, Jones, obwohl wir den Zombie gefunden haben, der es getan hat.«

»Sie wissen, daß der Mord nicht auf das Konto eines Zombies geht, Sir. Die Xcabberin Boda ist irgendwie darin verwickelt. Haben Sie gehört, was Gumbo über ihre Fahrtroute an jenem Morgen gesagt hat?«

»Es spielt keine Rolle, was Gumbo YaYa denkt. Es spielt keine Rolle, was Sie denken, Jones. Es spielt nicht einmal eine Rolle, was ich denke. An oberster Stelle steht, den Frieden in der Stadt zu bewahren. Ich habe diesen Fall für abgeschlossen erklärt. Clegg ist nunmehr ganz mit der Aufspürung von Gumbo betraut. Ich kann nicht länger zulassen, daß dieser Pirat die Copsysteme mißbraucht. Soweit es Sie betrifft ...«

Kracker wandte sich zu dem armen Hundecop um. Zero nieste schon wieder, recht lautstark, und Kracker raunzte ihn recht schroff an: »Mit Ihnen bin ich fertig, Clegg. Sie können jetzt gehen.«

Zero erhob sich aus seinem Sessel, trollte sich niesend und weinend zur Tür, während er seinen Herrn um Vergebung bat. Die Tür schloß sich hinter ihm. Kracker wandte seinen trockenen Blick wieder mir zu. »Setzen Sie sich, Sibyl. Kommen Sie, lassen Sie uns das Ganze in aller Ruhe besprechen.«

Ich setzte mich in den Sessel, den Zero gerade geräumt hatte. Die Polster waren noch warm von seinem Körper.

»Also«, begann Kracker, »Columbus hat mir bereits berichtet, daß Sie heute morgen bei Coyotes Beerdigung waren. Ihr Comet war an jenem Ort zu jener Zeit auf dem Stadtplan registriert. Deshalb habe ich Sie zur mir bestellt.«

»Stehen Sie sich dieser Tage so gut mit Columbus, Sir?«

»Sie wissen ja, wie es ist, Jones ... die Cops und die Taxis arbeiten Hand in Hand zum Wohle der Allgemeinheit.«

»Das ist ein sehr netter Slogan, Sir, aber dürfte ich wohl fragen, was ...«

»Dürfte *ich* wohl fragen, was Sie bei der Beerdigung dieses Hundes gemacht haben? Das war eine unerlaubte Reise.«

»Clegg war auch da.«

»In meinem Auftrag.«

»Ich war auf der Suche nach Fahrerin Boadicea, Sir.«

»Und Sie fanden ...?«

»Nichts, Sir.«

»Gut. Sehr gut.« Kracker war geistesabwesend. Ich konnte das an den Rauchfahnen erkennen, die durch seinen Shadow waberten. Er verbarg Geheimnisse vor mir, und der Druck, das dichte schwarze Netz an seinem Platz zu halten, bereitete ihm Kopfschmerzen.

In der fließenden Welt war das schwarze Netz ein festes Stoppschild, eine gesperrte Straße auf dem Plan, eine Tür, die für den Rauch verschlossen war; eine Art von Anti-Vaz, das der Denkende als Barrikade gegen den Blick eines Eindringlings errichten konnte. Krackers Hände spielten mit dem Thermometer, trommelten damit auf dem Schreibtisch, wo eine geschlossene Aktenmappe lag, dann steckten sie das Thermometer wieder in Krackers Mund. Er zog es erneut heraus und studierte abermals die Skala. Sein hageres Gesicht legte sich in bedrückte Falten. »Ich mache mir Sorgen, Sibyl. Große Sorgen.«

»Hat der Heuschnupfen jetzt auch Sie erwischt, Sir?« fragte ich.

»Noch nicht, Gott sei Dank, aber es haben sich bereits zwölf Officers deswegen krankgemeldet. Haben sich bei Ihnen denn schon Beschwerden eingestellt?«

»Nicht die geringsten, toi, toi, toi.« Ich klopfte auf seinen Schreibtisch.

»Gut. Ausgezeichnet. Clegg hat's schlimm erwischt. Haben Sie die Tränen gesehen? Dieses ständige Schniefen. Höchst unpassend für einen Gesetzeshüter, finden Sie nicht auch?«

»Ich bin sicher, daß er seine Arbeit korrekt erledigt, Sir. Er ist ein guter Cop.«

»Durchaus, durchaus.« Dann machte Kracker eine kurze Pause, so als würde er sich sammeln. »Kann ich offen zu Ihnen sein, Sibyl?«

»Das wäre mir sehr lieb.«

»Haben Sie irgendeine Vorstellung davon, was dieser Posten von seinem Inhaber verlangt? Polizeichef? Können Sie sich auch nur annähernd vorstellen, unter welchem Druck ich stehe? Mir sitzen viele Menschen im Nacken. Viele, viele Menschen. Ich meine nicht nur die kriminellen Elemente, ich meine damit auch die Behörden und die Ordnungshüter und die tollwütigen Hundemeuten und die Robos und die Vurtleute und die Shadows. Und nicht zu vergessen die verschiedensten selbsternannten Wächter, wie dieser vermaledeite Hippie Gumbo. Und dann natürlich die Xcabs. Manchmal habe ich das Gefühl, als würde ich die Last der ganzen Stadt auf meinen Schultern tragen. Es wird Ihnen sicher aufgefallen sein, Sibyl, daß meine Schultern sehr schwach sind.«

Ich sagte nichts. Durch das Bürofenster konnte ich die Stadt im Hitzedunstschleier flirren sehen. Der Asphalt schmolz, die Gebäude waren unscharf von gelben Wucherungen.

»Ich bin natürlich rein«, fuhr Kracker fort. »Das wissen Sie ja. Kein Robo, kein Hund, keine Shadowkräfte, kein Direktzugang zum Vurt. Das liegt natürlich daran, daß ich zuviel Fruchtbarkeit 10 in meinen Adern habe, aber davon einmal abgesehen… manchmal habe ich das Gefühl, ich wäre der letzte reale Mensch in dieser Stadt. Rein menschlich. Sibyl… all diese Hybriden wenden sich mit ihren Problemen an die Cops. Deshalb habe ich Leute wie Sie eingestellt: Shadowcops und Robocops und Hundecops wie Clegg und Vurtcops wie Tom Dove. Aber die Welt wird dieser Tage fließend. Sehr fließend. Und das birgt Gefahr. Es öffnen sich Türen zwischen den Spezies. Die Schuld daran trägt natürlich teilweise Fruchtbarkeit 10, wie ich zu meinem eigenen Leidwesen erfahren mußte. Ich habe zwanzig Kinder, und die wollen nun mal alle versorgt sein.«

»Einundzwanzig.«

»Was?«

»Einundzwanzig Kinder, Sir.«

»Egal, wie auch immer. Ich will mich hier nicht in Selbstmitleid ergehen. Der Druck gehört zum Leben und stählt den Charakter, heißt es doch so schön, oder? Aber wissen Sie, was meine größte Sorge ist? Nein, nein… nicht die steigende Verbrechensrate, und auch nicht der Heuschnupfen. Selbst mit dem bevorstehenden Hundeaufstand kann ich leben, schließlich verfüge ich über genügend Erfahrung, wenn es darum geht, hochwallende Emotionen zu unterdrücken. Nein. Der stärkste Druck, unter dem ich stehe, kommt von den Xcabs. Ja. Sie sehen mich schockiert an. Gut so. Die Xcabs sitzen mir die ganze Zeit über im Nacken. Ich meine damit natürlich Columbus. Aber was soll ich machen? Ohne den Xcab-Plan kann ich nicht für Gesetz und Ordnung in der Stadt sorgen. Die Xcabs sind das Kreuz, das ich tragen muß. Ich will Ihnen mal sagen, wie die Sache aussieht, Sibyl… die haben mich in der Hand. Die haben uns alle in der Hand, uns Cops. Verstehen Sie mich?«

»Ich versuche es, Sir.«

»Gut. Das ist es, was ich sehen will. Kampfgeist, Initiative. Sie sind ein verdammt guter Cop, Jones.«

»Was genau wollen Sie von mir, Sir?«

»Shadowcop Sibyl Jones… Ich will, daß Sie unbedingt diese Boadicea finden.«

»Aber…«

»Bitte, hören Sie mir erst einmal zu.«

»Aber Sie wollten doch, daß der Coyote-Fall abgeschlossen wird?«

»Er ist abgeschlossen. Der Zombie hat Coyote getötet. Ich werde die Öffentlichkeit schon dazu bringen, daß sie das glaubt. Keine Sorge. Gumbo YaYa ist doch nichts weiter als heiße Luft. Gefährliche Luft, zugegeben, aber damit werde ich schon fertig. Es gibt andere Dinge… nun, lassen Sie es mich offen sagen. Columbus verlangt die Rückgabe von Boda und, im besonderen, ihres Taxis.«

»Columbus? Allmächtiger…«

»Sibyl, bitte, nicht lästern. Die Xcabs sind wichtig für uns. Aber egal. Ich kann Ihren Unmut verstehen. Was ich sagen will, ist ganz einfach. Ich habe Sie tatsächlich belogen, Jones, und das schmerzt mich. Aber besser mein Schaden, als der Ihre.«

»Was soll das denn heißen?«

»Gumbo hat recht, was Bodas Fahrtroute am Montagmorgen betrifft. Sie war am Park. Aber ich glaube, daß Gumbo sich irrt, wenn er sie für die Mörderin hält. Was ich glaube, ist, daß sie vielmehr etwas darüber weiß, wie Coyote wirklich gestorben ist.«

»Also haben Sie Clegg auf sie angesetzt? Ohne es mir zu sagen?«

»Mir blieb nichts anderes übrig. Sehr zu meinem Leidwesen. Aber dieser Hund ist momentan zu krank, um die Ermittlungen in einem so heiklen Fall zu führen. Er hat einfach keine Spuren aufgetan.«

»Warum haben Sie nicht mich darauf angesetzt?«

»Den Xcab ist es peinlich, wie Boda aus dem Stall ausgebrochen ist und welchen Schaden sie damit dem Stadtplan zugefügt hat. Columbus befürchtet, das Ansehen seines Unternehmens bei der Öffentlichkeit könnte darunter leiden. Er kann sich Störungen wie das Stadtplanchaos am Montag nicht leisten. Die Leute werden sich andere Transportmöglichkeiten suchen. Und wenn Columbus es sich nicht leisten kann, dann können auch wir es uns nicht leisten.«

»Was ist bloß mit diesem Fall los?«

»Sibyl, ich kann in dieser Stadt ohne den Stadtplan der Xcabs nicht Gesetz und Ordnung schützen. Deshalb habe ich zugestimmt, Columbus dabei zu helfen, Bodas Taxi wieder zurückzuholen. Er kann den Stadtplan nicht ohne ein vollständiges System führen. Jetzt hören Sie mir mal ganz genau zu, Sibyl Jones. Ich will, daß Sie Bodas Taxi für Columbus finden.«

»Warum gerade ich? Warum jetzt auf einmal?«

»Ich denke, daß Sie die besten Voraussetzungen für diese Aufgabe mitbringen. Bodas Verbrechen… Diebstahl eines Fahrzeugs und Beschädigung des Stadtplans. Muß ich Sie wirklich erst daran erinnern, Jones, daß das ernste Vergehen sind? Außerdem mögliches Wissen bezüglich Coyotes Mörder. Das wird unser Lohn bei dieser Absprache sein. Columbus bekommt das Taxi. Wir bekommen Boda. Und Sie allein werden für den Fall verantwortlich sein. Niemand wird sich Ihnen in den Weg stellen.«

»Warum nicht früher?«

»Müssen Sie das wirklich noch fragen?«

»Sir?«

»Ihr Shadow ist nicht stark genug für mich, Jones.« Er schob den geschlossenen Aktenordner zu mir herüber. »Sehen Sie sich das an«, sagte er. »Das haben wir uns von Columbus überspielt.«

Im Ordner lag ein 10 x 15-Foto mit dem Aufdruck »Xcab-Fahrerin: Boadicea« am unteren Rand, gefolgt von einem Taxikennzeichen. Das Bild war vor der Kopftätowierung aufgenommen worden; ein hübsches, unschuldiges Gesicht, trotz des kahlen Xcab-Schädels.

Es brauchte nur einen Blick, und Jahre schälten sich von dem Teenagergesicht.

Und dann lüftete Kracker das schwarze Netz in seinem Kopf, und ich sah dort die Gedanken, die er vor mir verborgen hatte.

»Sie ist meine Tochter?« fragte ich.

»Weil Boadicea Ihre Tochter ist, Jones. Ganz genau. Ihr richtiger Name ist Belinda, nicht wahr? Deshalb wollte ich Sie nicht bei diesem Fall dabeihaben. Die Sache ist einfach zu persönlich. Das habe ich auch Clegg gesagt. Sie hatten es doch wohl sicher schon irgendwie geahnt, oder?«

»Heilige Scheiße!«

»Ganz recht.«

Die Welt entglitt mir.

»Warum sollte ich meine eigene Tochter festnehmen wollen, Sir?«

»Weil Sie das Gesetz gebrochen hat, Officer Jones. Reicht Ihnen das denn nicht? Sie werden jeden Befehl befolgen, so, wie es Ihre Pflicht gegenüber der Öffentlichkeit ist. Aber das ist noch nicht alles. Was ich Ihnen jetzt sage, ist geheimes Wissen, Jones. Boda trug den Shadow in sich, bevor die Xcabs sie bei sich aufnahmen. Aber das wissen Sie natürlich längst, schließlich hat sie ihn ja von Ihnen bekommen. Wissen Sie, was das bedeutet? Wir können es uns nicht leisten, daß ein Shadowwesen in den Mord an einem Hund verwickelt ist. Wenn die Hunde hinter die wahre Natur Ihrer Tochter kommen sollten, nun… Sie können sich ja sicher vorstellen, welche Konsequenzen das hätte, Officer Jones. Man würde sie lynchen. Ich will, daß wir diese flüchtige Fahrerin schnappen. Vielleicht können wir sie dann von unseren Ermittlungen ausschließen. Das hier ist ein ganz normaler Fall, Jones. Wir werden uns strikt an die Gesetze halten, aber bei deren Anwendung müssen wir eine gewisse Diskretion walten lassen. Ich werde Ihnen alle Rückendeckung geben, die Sie brauchen, ich werde Ihnen sogar Clegg zur Unterstützung geben, obwohl er krank ist. Aber nur Sie allein können diesen Fall abschließen, Jones. Der vielgerühmte Mutterinstinkt. Wer sonst könnte diese Missetäterin finden?«

Ich stand auf, nahm den Auftrag an. Trat einen entschlossenen, offiziell abgesegneten Schritt näher an den Abgrund.

Es ist der Abend jenes Tages, und Roberman hat die sechs-bis-zwei-Nachtschicht am Taxistand. Um 21 Uhr 7 wird er zum Manchester Ship Canal, Old-Trafford-Dock, geschickt. Der Mond hängt tief über dem Wasser, tanzt auf den sanften Wellen und den dümpeln-den Abfällen. Roberman steigt aus dem Xcab aus, trennt die Verbindung zu seinem System. Er steht jetzt auf dem Kai und wartet dar-auf, daß die Schatten länger werden. Kein Fahrgast in Sicht, nur der Wind und der Abfall, bis in der Ferne eine Gestalt hinter einem Müllcontainer hervortritt und einer der flüchtigen Schatten sich aus dem Dunkelheits-Puzzle löst. Diesmal sträubt sich Roberman nicht so heftig gegen den Shadow, da er weiß, daß es kein Entkom-men gibt. Er knurrt in seinen Gedanken, als er das weit entfernte Mädchen entdeckt, erregt, verwirrt und wütend. »Bist du's, Boda?« denkt er und läßt die Gedanken über die Shadowpfade reisen, un-erreichbar für Columbus' immer neugieriges Xcab-Gehirn. »Wirk-lich? Du zurück, Boda? Was willst du mir?«

Komm näher.

Roberman geht zu dem Mädchen hinüber, die neben einem um-gekippten Müllcontainer steht.

Boda erwartet ihn dort. Sie hat sich Country Joes blonde Perücke tief ins Gesicht gezogen, und in ihren Augen lodert ein verzweifel-ter Ausdruck. Robohund und die flüchtige Fahrerin unterhalten sich in perfektem und menschlichem Englisch; Boda formt Rober-mans Knurrlaute über den Shadow in klare Bilder.

»Hast du den Shadow?« fragt der Roberman in seiner nunmehr bereinigten Stimme.

»Ich bin prätaxi, Rober. Ich kann dich denken hören.«

»Dich so vom Stall abzusetzen. Das war gemein von dir.«

»Ich wurde dazu gezwungen, mich abzusetzen.«

»Denkst du, das interessiert mich? Nun, leck mich, Verräterin.«

»Columbus ist der Verräter. Er hat versucht, mich umbringen zu lassen.«

»So etwas würde Columbus niemals tun.«

»Ich brauche deine Hilfe, Roberman.«

»Friß Shadowscheiße.«

»Es tut mir leid, daß ich dich im Stich gelassen habe.«

»Ach wirklich? Dir fehlt wohl der Plan, stimmt's, Boda?«

»Etwas.«

»Welches Transportmittel hast du jetzt?«

»Die Trambahn.«

»Heiliger Hund! Fahren diese Ruckeldinger überhaupt noch? Haben sie die Gleise nicht schon vor Jahren rausgerissen?«

»Ich verwandle mich, Roberman. Ich mochte den Stadtplan zwar, aber die grenzenlose Freiheit der Straßen gefällt mir besser. Ich bin jetzt stärker. Ich kann nicht wieder zu den Xcabs zurückkehren. Columbus ist ein Verbrecher.«

»Du wirst dir nur Ärger einhandeln, Calamity Jane.«

»Stimmt genau. Ich bin eine ungezähmte Revolverbraut aus den wilden Weiten des Westens, die keine Gefahr zu schrecken vermag.« Boda zückt den Revolver, den sie Country Joe geklaut hat. »Ich muß mit dem Taxiboß reden, pronto.«

»Heiliges Taxi! Steck das Ding weg!«

»Das ist ein 45er Colt, Rober. Gefällt er dir?«

»Steck ihn weg! Hör auf… Hör auf, mit dem Ding auf mich zu zielen!«

»Sag mir erst, wie ich Columbus treffen kann.«

»Niemand trifft Columbus. Er ist nicht *real* genug.«

»Du warst mein Taxilehrer, Rober. Ich muß mit Columbus über den Tod von Coyote sprechen. Ich bin überzeugt, daß der alte Boß irgendwie darin verwickelt ist. Coyote hat mir erzählt, daß man Columbus besuchen könnte. Man müsse nur wissen, wie man es anzustellen habe.« Sie leert die Trommel des Revolvers bis auf eine einzige Kugel. »Vielleicht kennst du ja einen Weg?« Sie dreht die Trommel.

»Was machst du da?«

»Ich übe nur.« Boda hält den Revolver gegen ihre Schläfe und…

»Boda!« schreit Roberman.

… drückt ab.

Klick.

»Heiliges Taxi auf der Fahrt in die Hölle!« entfährt es Roberman flüsternd.

»Was meinst du, Rober?« sagt Boda und hält dem Taxihund die Knarre vor die Schnauze. »Eine Kugel, sechs Kammern.« Wieder dreht sie die Trommel. »Willst du es riskieren?«

Der Wind weht die Spiegelung des Mondes über das Wasser des Kanals, bis sie Roberman in ein silbernes Licht taucht. Blumen schmiegen sich wispernd an seine Hinterbeine. »Du bist ja total verrückt, Frau!« sagt er.

»Jetzt wo Coyote tot ist«, erwidert Boda, »habe ich nichts mehr, wofür es sich zu leben lohnt, und das einzige, was mich noch am Leben hält, ist der Entschluß, herauszufinden, wer ihn umgebracht hat. Du mußt mir sagen, wo Columbus sich versteckt hält. Und wenn die Knarre deine Zunge nicht lockert, dann vielleicht das hier…«

»Verschwinde aus meinem Kopf!« kreischt Roberman, als ein stechender Schmerz seinen Schädel durchbohrt.

»Weißt du, langsam finde ich an dieser Shadowmacht Gefallen.«

»Bitte, Boda… du tust mir weh…«

»Wie wär's dann hiermit? Na, gefällt dir das?« Die Augen des Taxihundes verdrehen sich roboglückselig. »Es gefällt dir, wenn dein Shadow gestreichelt wird, stimmt's, Hundefahrer? Macht dich total scharf, wette ich. Fühl nur, wie ich dich streichle. Oh ja. Wunderbar. Ich frage mich… wenn ich dich tief genug streicheln würde, vielleicht könnte ich dann ein paar Geheimnisse finden. Dein *prätaxi*-Leben zum Beispiel, Rober? Das würde dich doch brennend interessieren, oder?«

»Nein. Bitte, nein. Boda!!! Verschwinde aus mir! Ich will das nicht wissen.«

»Ich habe Coyote geliebt«, erklärt Boda vollkommen ruhig, während sie Robermans Gedankenwellen nach Wissen absurft, aber nichts findet. »Ich muß herausfinden, wer ihn umgebracht hat. Columbus behauptet, ich wäre am Tatort gewesen. Er behauptet, ich hätte den geliebten Hund umgebracht. Begreifst du denn nicht, daß der Boß nur von sich ablenken will? Columbus ist in diesen Mord verwickelt. Kannst du mir denn nicht helfen, sein Versteck zu finden?«

»Ich kann es nicht, Boda. Ich bin nur ein Fahrer. Ich bezweifle, daß selbst ein Gumbo YaYa weiß, wo sich Columbus aufhält. Er ist einfach zu gut versteckt.«

»Warum hast du den Cops nicht gesagt, wo ich wirklich am Mordtag war?«

»Wie hätte ich mich gegen den Stadtplan stellen können, Boda?«

»Ich dachte, wir wären Freunde?«

»Freunde? Wie kann ich mit jemandem befreundet sein, der den Plan verlassen hat?«

»Ist Columbus stärker als Freundschaft?« Und während sie diese Frage stellt, hält sich Boda abermals den Revolver an die Schläfe.

Robermans Plastikaugen schließen sich. Er braucht Zeit, um darüber nachzudenken; das hier ist die große Frage aller Fragen. Er atmet ein, inhaliert Pollen. Und dann niest er, hunderobostark. Schleimbrocken und Schnodder spritzen auf seine Xcabber-Uniform. Augenblicke des Zweifels, Boda gegen Zentrale Columbus. Zentrale ist stärker. »Coyote war verheiratet«, sagt er zu Boda. »Da hast du es. Das Wissen kann ich dir geben.«

»Was?«

»O ja. Und da gibt es auch noch ein Kind. Die beiden hatten ein Kind. Ein Welpenmädchen. Sie heißt Karletta. Kann man alles über den Taxiäther erfahren. Columbus hat es für uns aufgerufen.«

»Er hat nie…«

»Sie wohnen in Bottletown. Columbus hat uns dort nach dir suchen lassen. Sie waren bei der Beerdigung. Hast du sie denn nicht gesehen?«

»Ich konnte nicht sehr nah heran. Coyote hat nie erzählt…«

»Natürlich hat er das nicht. Wirst du mich jetzt gehen lassen?«

Boda drückt den Abzug…

»Bitte, Boda!«

… Klick.

»Wer hat dir von der Limbusfuhre erzählt, die Coyote übernommen hat?« fragt Boda.

»Columbus… Columbus hat sie mir gegeben…«

»Begreifst du denn nicht, was hier abgeht, Roberman? Warum

sollte Columbus das tun? Eine Fuhre aus dem Limbus? Das ergibt doch keinen Sinn.«

»Ich weiß nicht… ich weiß auch nicht warum.«

»Warum sollte ich dir trauen?«

»Bleibt dir denn eine andere Wahl, Boda?«

Boda verzichtet auf den Shadow, vertraut mehr auf die Freundschaft. Zärtlichkeit tritt an die Stelle von drängendem Rauch. Das sanfte Reich jenseits der Xcabs.

»Irgend etwas stimmt nicht, Boda«, sagt Roberman. »Irgend etwas ist mit Columbus los.«

»Erzähl mir davon.«

»Das neue Betriebssystem. Der Stadtplan wird fließend. Irgend etwas … der Stadtplan… er ändert sich.«

»Wie meinst du das?«

»Ich habe Angst, Boda. Ich höre so einiges. Getuschel am Taxistand. Niemand weiß was Genaues. Columbus wird machthungrig.«

»Will er den Stadtplan verändern? Warum sollte uns das Angst machen?«

»Ich weiß auch nicht, ehrlich«, erwidert Roberman. »Aber Columbus wird dich nicht in Ruhe lassen. Was immer er vorhat, er braucht dafür alle Taxis.«

»Sag Columbus, daß ich ihn mir schnappen werde«, erklärt Boda.

»Das werde ich tun«, antwortet Roberman. »Paß auf dich auf…« Und Boda verschwindet in der Wölbung eines Schattens, der von der Seite des Müllcontainers geworfen wird, an dem sich der silbrige Schein des Mondes bricht, der hoch und leuchtend über dem Wasser steht, das gegen die Kaimauern des Kanals schwappt, der nach Manchester hinein fließt.

Ich weiß nicht mehr, wie ich dich nennen soll, Tochter. Belinda oder Boda? Ich war wieder daheim in der Victoria-Park-Wohnung, nachdem ich von Kracker meinen Auftrag erhalten hatte. Alle gesammelten Notizen über den Blumen-Fall waren auf meinem Schreibtisch ausgebreitet. Das Kind Juwel rief aus seinem Zimmer, aber ich versuchte, mich auf die Geschichte hinter den Notizen zu konzentrieren, in der Hoffnung, dem Fall Gestalt zu geben. Wieder und wieder kehrte mein Blick zu dem Abbild von Fahrerin Boda zurück, das uns aus den Xcab-Datenbänken überspielt worden war. War das wirklich meine Tochter? Ich gab mir alle Mühe, den Schaden von neun Jahren auf dem Bild auszulöschen. Ich versuchte, dem kahlgeschorenen Schädel etwas Haar zu geben. Ich wußte, daß Boda jetzt achtzehn war und daß sie mit neun den Xcabs beigetreten war. Wie hätte ich vergessen können, daß meine Tochter Belinda mich im Alter von neun Jahren verlassen hatte? Und daß sie danach aus allen Datenbanken verschwunden war?

Warum, o warum nur? Was hat dich dazu getrieben, meine Tochter? War dein Haß auf mich so groß, weil ich den Fluch der Unwissentlichkeit an dich weitergegeben habe? Oder war es der beständige Kampf um zerstörerische Liebe, wie du ihn in den Streitereien zwischen deiner Mutter und deinem Vater mit angesehen hast? Und nachdem dein Vater fortgegangen war, fühltest du dich da verlassen und ungeliebt? Ich hätte dich lieben können, mein Kind. Ich hätte es irgendwie geschafft, allem Staub und allen Zweifeln zum Trotz.

Meine Tochter wäre jetzt achtzehn. Welchen besseren Weg gab es zu verschwinden, als sich in den geheimen Xcab-Stadtplan der Straßen zu hüllen? Ich mußte meine Gefühle in diesem Fall ergründen, denn ich konnte einfach nicht aufhören, das Bild anzusehen; die Augen der Taxifahrerin machten mich schwindelig vor halb erinnerten Momenten. Ich hatte jahrelang nach einer Spur von dir gesucht, Tochter. Hatte meine Suche nach einer Mordfall-Spur namens *Boadicea* mich auf deine Fährte geführt?

Juwel weinte immer noch in seinem Zimmer, also stand ich auf und ging zu ihm. Ich wiegte meinen Sohn in meinen Armen. Mein erstes Kind. Juwel Jones.

Ich habe dir nie erzählt, daß du einen Bruder hast, Belinda. Ihr wart beide Kinder von Fruchtbarkeit 10, ebenso wie eure Mutter. Fruchtbarkeit 10 war die Antwort der Behörden auf die schwarze Luft von Thanatos, einer Seuche der Sterilität, die England Jahre und Aberjahre vor meiner Geburt heimgesucht hatte. Unter dem Einfluß von Fruchtbarkeit 10 wurden Zehntausende von Babys gezeugt. Die Lust war übermächtig. Die Reinen wollten mehr als Reinheit, sie wollten Hunde, sie wollten Robos, sie wollten Vurtgeschöpfe. Und daraus entstanden Babys. Fruchtbarkeit 10 hatte die zellularen Barrieren zwischen den Spezien niedergerissen. Die Behörden untersagten die Einnahme von Fruchtbarkeit 10. Aber natürlich hörte niemand darauf. Fruchtbarkeit 10 wurde eine Bootleg-Droge, flüssig oder als Feder, und sie war bereits fester Bestandteil der Erbanlagen. Der Casanova der Drogen, es gab keine Grenzen mehr, was man lieben konnte. Selbst die Toten waren begehrenswert.

Unsere Geschichte, Belinda…

Selbst die Toten waren begehrenswert, aber die frisch Verstorbenen ganz besonders. Sie waren schillernde Wellen der Verwesung. Reine und Hunde, Robos und Vurts; sie alle verfielen der Lust der Nekrophilie. Die chemischen Hände von Casanova reichten weit, tief hinab zu den dunkelsten Genen. Diesen abscheulichen Paarungen entsprangen Babys: Halbwesen, ausgestoßen von toten Gebärmuttern. Und sie wurden in zwei Versionen geboren, Junge oder Mädchen, häßlich oder schön. Die Behörden nannten die männlichen Kinder *Unzulässige Lebensformen*. Zombies, Gespenster, Halblebendige, das waren die Namen, die man ihnen gab. Das war mein Juwel. Ihre Häßlichkeit war den Behörden ein Greuel; UL wurden aus den Städten verbannt. Sie mußten ihr erbärmliches Halbleben an trostlosen Orten fristen, im Moor, das sie – ihrer Misere entsprechend – Limbus nannten. Aber wenn das Kind des Grabes ein Mädchen war… nun, dann haftete ihm nur der Schatten des Todes an. Solche Kinder waren sehr schön, gerade wegen dieser dunklen Präsenz, diesem Körper aus Rauch, den sie mit ihrem eigenen Leib umschlossen. Und weil alles Lebende den Schatten des Todes in sich trägt, wenn auch ahnungslos, war es Shadowmädchen möglich, ihren Shadow mit dem der Lebenden zu verbinden. Sie konnten die dunklen Sehnsüchte des Geistes lesen. Die Behörden fürchteten sich zwar vor dem Shadow, aber wie wollten sie etwas so Nebulöses verbieten? Diese Schönheiten hatten Adern aus Rauch. Ein Hauch des Todes, der dem Leben anhaftet. Denk immer daran, mein Liebling.

Belinda, deine Großmutter war eine Leiche, als sie mich gebar.

Ich habe dir diese Geschichte nie zuvor erzählt, nicht vollständig jedenfalls. Die Einzelheiten waren einfach zu grausig, als daß deine Schönheit sie hätte ertragen können. Und du hast mir ja auch nie die Gelegenheit dazu gegeben, da du mich so früh verlassen hast. Dies hier ist meine Antwort.

Deine Großmutter war eine frisch verstorbene Leiche, dein Großvater war ein mit Casanova vollgepumpter Liebhaber der Toten. Ihr Hochzeitsbett war die aufgegrabene Erde des Südfriedhofs. Zwei Monate später wurde ich geboren. Mit Fruchtbarkeit 10 dauert es nicht lange. Geboren auf einem Bett aus Erde und Blumen, mit der Gabe des Shadows. Mein Leben der Einsamkeit, das schließlich zu dem Erkenntnismoment führte, kein Vurt nehmen zu können. Dodogefühle. Der Fluch. Mein einsames Leben der Schatten und des Rauchs. Der Schlaf war kalt. Ich konnte nicht träumen. Ich habe diesen Makel an dich weitergegeben, Belinda, und für diesen Fluch hast du mich gehaßt.

Die Tricks, die ich zum Ausgleich lernte – den Lehrern zu antworten, bevor sie noch ihre Fragen ausgesprochen hatten, eine tote Katze im Rinnstein zu neuerwachtem Leben aufspringen zu lassen, indem ich meinen Shadow in sie strömen ließ, Fremde dazu zu zwingen, gegen ihren Willen Dinge zu sagen. Einsam, einsam. Nach der Episode von Juwels Zeugung muß ich mich deinem Vater wohl förmlich an den Hals *geworfen* haben. Er war ein sehr reiner Mann, und ich dachte, daß er den Fluch vielleicht ein wenig verwässern könnte; den Fluch der Traumlosigkeit und des Todes. Ich hatte so viele Dinge auszulöschen. Dieser Traum erfüllte sich jedoch nicht. Die Eigenschaften des Todes werden von Mutter an Kind, von Kind an Kind weitergegeben. Und ich wußte, du hast mich dafür gehaßt, daß ich die Unfähigkeit zu träumen an dich weitergegeben hatte. Dabei hätte es, ganz ehrlich, noch schlimmer kommen können; du hättest schließlich auch ein Junge sein können. Außerdem warst du mit dem Shadow gesegnet. Reichte dir das denn nicht? Natürlich nicht, aber denke bitte immer daran, wie sehr dein Vater unter seinem Versagen litt, daß er dir keine Träume hatte geben können. Er hielt es für den Beweis seiner mangelnden Männlichkeit. Du warst sehr grausam ob seiner Fehlbarkeit, wenn ich mich recht erinnere, was blieb ihm also anders übrig, als zu gehen? War das der Grund? War er das?

Ich kehrte aus den Erinnerungen zurück nach Victoria Park und drückte meinen halblebendigen Sohn fester an mich. Juwel Jones, Juwel Jones, Juwel Jones.

Meine beiden Kinder. Das eine verloren und bereits gefunden. Das andere noch immer verloren.

Belinda, ich werde dich finden.

Vor vielen Jahren, nach vielen Versuchen der Wiederbelebung, wurde entschieden, daß der Zoologische Garten von Belle Vue sich nicht länger rentierte. Die Schließung war nur eine Frage der Zeit gewesen, da die Leute immer mehr Gefallen an den elektronischen Freuden und später dann den fedrigen Vurtvergnügungen fanden. Das war der Todesstoß. Am Ende gab das Geld den Ausschlag. Die Besitzer verkauften die bemitleidenswerten Tiere, und was sie nicht loswerden konnten, wurde kurzerhand eingeschläfert. Sie schlossen erst den Jahrmarkt, dann die Go-Kart-Bahn, die Konzerthalle, den Ballsaal, die Hunderennbahn, das Restaurant, die Catcher-Arena. Schließlich blieb nur noch Einsamkeit; der Wind, der durch dürres Gras wehte, durch die Gitterstäbe der verlassenen Tierkäfige pfiff. Viele Jahre lang war Belle Vue eine Wüste inmitten des heruntergekommenen Ödlands von Ost-Manchester, wo der einzige Wandel darin bestand, daß Metall zu Rost oxidierte und Hoffnung sich in Armut verlor. Nur die Prostituierten hatten Verwendung für das brachliegende Gelände. Belle Vue wurde zum Allgemeinplatz.

Aber dann trat die erfolgreiche Verschmelzung von Hund und Plastik auf den Plan. Es wurde eine Eingabe gemacht, der die Behörden im Eilverfahren stattgaben, und die Hunderennbahn wurde wieder geöffnet. Freitags und samstags war die Nachtluft von den Geräuschen und Gerüchen der Robohunde erfüllt, die mit ihren vaz-geschmierten Krallen über die Bahn fegten, während sie irgendein armes Zombiekaninchen zu Tode hetzten. Mit der Erfindung von

Fruchtbarkeit 10 wurden noch seltsamere, unfaßbarere Geschöpfe geboren. Einige von ihnen zu unfaßbar, zu erfüllt von merkwürdigen Genen, um sie zu ignorieren. Also öffneten sie auch den Zoo wieder und füllten ihn mit Casanovas Kindern. Den Unzulässigen. Voyeure träumten davon, Unternehmer finanzierten es. Oh, der prickelnde Reiz, einen abscheulichen Zombie von nahem zu sehen, geschützt durch die Gitterstäbe. Der Neue Belle-Vue-Zoo wurde ein durchschlagender Erfolg.

Mittwoch, 3. Mai. Nachts. Wir haben den Zeitpunkt auf 22 Uhr 12 festgelegt. Die Hunde tobten im flutlichtbeschienenen Stadion, und der Zoo hatte für die Nacht seine Tore geschlossen. Aus den Käfigen drang kehliges Schnarchen. Halblebendige Kreaturen im Schlaf. Widerwärtige Kreuzungen zwischen toten Frauen und Hunden und Katzen und Robos und Vurts. Und den Reinen. Man nannte sie Ungeheuer, diese Kreaturen, aber ich wußte, daß dieser Name falsch war. Ich hatte dasselbe Fleisch in mir, nur mein Geschlecht hatte mich gerettet. Vielleicht war einer dieser armen Unglücklichen in jener Nacht aus dem Schlaf gerissen worden. Vielleicht hatten auch nur die Geräusche, die vom nahen Blumengarten herübertrieben, seine Neugier geweckt. Seine Augen gewöhnen sich an die Dunkelheit, erkennen Schemen in den Blumen. Den Umriß von zwei Menschen, der zu einem verschmilzt, während die Blütenblätter auf die beiden herabfallen. Das Flutlicht von der Hunderennbahn taucht die Szene in ein fahles, gelbes Schummerlicht. Der Lärm der aufgepeitschten Robohunde, die über die Bahn hetzen, schallt herüber. Darunter sind auch noch andere Geräusche zu hören: leises Flüstern, vermischt mit barschen Befehlen. Vielleicht hatte die Kreatur genug Mensch in sich, um die Geräusche zu erkennen. Vielleicht hatte sie diesen Anblick über die Jahre oft genug von ihrem Käfig aus gesehen: eine Prostituierte mit ihrem Freier. Vielleicht verstand die Kreatur genug, um zu wissen, daß die drängenden Schreie Laute der Liebe waren, einer Art von Liebe gewissermaßen, einer gekauften Liebe. Oder es war nur ein verblödetes Ding, gehirntot geboren, das allein von Schatten und Fleisch lebte und nichts von dem verstand, was es da sah. Vielleicht nieste es in diesem Moment, als sich die Blumen um das junge Pärchen bewegten und die Blütenblätter wie träge Klingen in der Nacht herabfielen...

Jene andere Gestalt, die durch die Lüfte schwebte, muß es dagegen gesehen haben. Die Schreie müssen gehört worden sein.

Die Zeugin kam um 22 Uhr 46 zu uns, fiel in das Gorton-Coprevier, als wäre sie selbst ein Blatt, ihr Shadow flatternd und zitternd vor Angst. Der diensthabende Sergeant rief mich an, da er wußte, daß ich an dem Blumen-Fall arbeitete. Ich war noch wach, außerstande, Schlaf zu finden. Statt dessen hatte ich getrunken und geraucht und nachgedacht; hatte Ermittlungsnotizen, Vurtballkarten, Kalendereintragungen durchgeblättert, Fotos angeguckt, Erinnerungen an Belindas Kindheit heraufbeschworen. Hatte nach Juwel gesehen. Sein Niesen und seine Tränen waren sehr schlimm, und sein Zustand machte mir angst. Ich wollte ihn nicht allein lassen, aber ich hatte nun einmal nicht den besten Beruf für eine Mutter. Es war 23 Uhr 5, als ich schließlich das Gorton-Revier erreichte und den Fiery Comet durch eine dicht gedrängt stehende Meute von geifernden Hundemännern manövrierte. Zero wartete schon auf mich. Ich kehrte ihm den Rücken zu.

»Es ist eine von deinesgleichen, Smokey«, berichtete er. Und dann rückte er seine neue, dichte Pollenmaske zurecht, während er mir in das Verhörzimmer folgte. »Bist du sicher, daß du keine Maske aufsetzen willst, Sibyl?« Er schaute immer wieder auf sein Handgelenk, während er sprach. »Heiliger Hund! Hier blüht ja förmlich der Rotz.« Er hatte eins der neuen Pollenmeßgeräte gekauft, das Armbanduhr-Modell. »Allmächtiger! 785! Sibyl, die Messung hierdrin zeigt 785 Körner. 789... 791... es werden immer mehr.«

Nach meinem Gespräch mit Kracker hatte ich eine Menge Fragen an Zero, aber im Moment war ich zu beschäftigt. Zu beschäftigt damit, die junge Frau im Verhörzimmer näher in Augenschein zu nehmen. Sie war eine Shadownutte, aber im Moment war sie nichts weiter als eine verängstigte Teenagerin, ein zitterndes Häufchen heulendes Elend, das immer wieder von heftigen Niesanfällen geschüttelt wurde. Zwischen den Niesern murmelte sie wirres Zeug.

Ein starker Duft waberte durch den Raum. »Wir haben alles versucht«, erklärte Zero. »Wir können einfach nichts aus ihr herausbekommen, außer daß sie Miasma heißt und daß irgend jemand getötet wurde. Sie brabbelt die ganze Zeit nur von Blumen. Das Mädchen steht unter Schock.« Sie hatte einen schwachen Shadow; genug um zu wissen, was ein Mann sich wünschte, aber kaum ausreichend, um ihn auch einzusetzen. Andere Cops spähten zur Tür herein, alle maskiert bis an die Kiemen, also schlug ich ihrem Niesen die Tür vor der Nase zu und entsandte dann meinen Rauch zu der jungen Leidenden aus, berührte ihren Verstand mit meinem. Unsere Shadows verbanden sich, und sie war so dankbar für meine Berührung, daß ich beinahe mit ihr geheult hätte. Ich mußte nicht lange drängen; ihr Shadow öffnete sich wie eine Knospe, und sie erzählte mir ihre Geschichte in wabernden Worten aus Rauch...

... *Ich brauchte dringend Geld... Liebe und Geld... Geld... Liebe... was ist da schon der Unterschied?... er war ein armer, süßer Robojunge... bettelte um Liebe... labe mich, sagte er... labe mich mit Shadows... und als Gegenleistung für Liebe gab er mir Geld... der Garten... gab ihm, was er verlangte... überall um uns herum Blumen... ihr Duft ist so süß... ein guter, aber armer Junge... die Blumen ließen uns zusammenkommen... ich hätte es auch umsonst gemacht... der kleine D-Frag... wären da nicht die Blumen gewesen...*

»Wie hieß er? D-Frag? Ist das sein Straßenname?«

... *Ja... Robojunge... er arbeitete so hart daran, hart zu sein, ein richtiger Vurtdealer... aber D-Frag war zu weich für das Ganze... ich mochte ihn... und der Duft der Blumen... er konnte nicht aufhören zu niesen... mir ging's genauso... und dann lachten wir, alle beide... es war eine irre Nasennummer... so hat er es genannt, eine Nasennummer... ich habe gelacht, bis er plötzlich die Augen ganz weit aufriß, und ich dachte, es läge an mir, meine Lust würde seine Augen erblühen lassen... aber ich fühlte die Blütenblätter an meinem Rücken... wie die Hände eines erfahrenen Liebhabers... ich drehte mich um, folgte seinem Blick, sah die Luft flirren, und die Zombies heulten in ihren Käfigen... ein kleines Mädchen... ein wunderschönes kleines Mädchen... es schwebte auf Blütenblättern durch die Luft... ein Blumenmädchen... es hatte Blütenblätter...*

»Erzähl mir von dem Mädchen, Miasma. Wie sah die Kleine aus?«

Sie schwebte … ein Kind … neun oder zehn … sie war noch ein Kind … küßte uns beide mit Blütenblättern … sie hatte Augen aus grünen Blütenblättern … der Duft drang in mich ein … mein Shadow welkte und erblühte dann von neuem … das kleine Mädchen küßte den Robojungen … ließ ihn lächeln, bis er … bis er schrie … ich bin weggelaufen … bin einfach nur gerannt …

»Erzähl mir mehr von dem Mädchen. Beschreib es.«

… Sie nannte sich Persephone … ihr Name schwebte … wie Blütenblätter, versteht ihr? Genau wie Blütenblätter … das Mädchen küßte ihn zu Tode!

Miasma schrie, über den Shadow, und gleichzeitig nieste sie, schneuzte ihren Rotz in meinen Rauch. Goldene Explosionen, als die Partikel aufschlugen. Ich sah ihr leuchtendes Feuer erlöschen, während mir im selben Moment der Raussprung gelang.

Im Streifenwagen rüber zum Zoo …

Die Hunderennbahn hatte für die Nacht ihre Pforten geschlossen. Alles war Dunkelheit und Atem. Die Shadownutte führte uns zu dem Lager aus Blumen. »Ich hätte es auch umsonst gemacht«, sagte sie immer wieder, obwohl sie die Worte förmlich über die Lippen zwingen mußte, während sie Rotz und Wasser heulte. Dabei hatten wir ihr doch eine Pollenmaske gegeben. »Umsonst. Alles umsonst …«

»Klar doch, Kleine«, schniefte Zero. »Zeig uns einfach nur das Liebesnest.« Er hatte für Nutten nicht viel übrig, für Shadows noch weniger. Die Kombination von beidem aber war das allerletzte für ihn. Miasma starrte einfach nur auf ein überwuchertes Beet der Belle-Vue-Gärten. »Du solltest jetzt besser mit der Wahrheit rausrücken, Shadownutte«, donnerte Zero los. Ich fand seine Laune unerträglich.

»Zero! Sie hat Angst.«

»Sie hat Angst! Scheiße, wir haben alle Angst. Scheint so, als würde die gesamte Gesellschaft vor Schiß aus den Fugen geraten. Es wird alles zu fließend, Smokey.« Er schaute sich um, schwer atmend hinter seiner Maske, die pelzige Stirn schweißnaß. Immer wieder wanderte sein Blick hinüber zu den Zookäfigen. »Scheiße! Wer zum Henker zahlt Geld dafür, sich solche Leichen anzugucken. Das ist widernatürlich.«

Am liebsten hätte ich ihn gebeten, sich mal sein eigenes pelziges Gesicht anzusehen, bevor er über natürlich und widernatürlich sprach, aber welches Recht hatte ich dazu? Die Nutte weinte, die Blumen schienen durch die Dunkelheit auf uns zuzukriechen, und von den Käfigen hörte ich nur ein leises gleitendes Rascheln, wie trockene Blätter, die gegeneinanderrieben.

Zero schrie mittlerweile. Er schrie Miasma an, die Zombiekäfige, die Fleshcops, mich, die ganze Welt, die ihn soweit gebracht hatte. Den Hundecop hatte es wirklich schlimm erwischt. Er las die Zahlen von seinem Pollenmesser ab… 799… 801… 802. Miasma hörte gar nicht mehr auf zu niesen, trotz der aufgesetzten Maske, und zeigte immer nur auf die Blumen. Ihr Shadow rief mich, drängte mich hinzusehen, die Blumen anzusehen. *Sehen Sie doch nur, wie die Blumen sich bewegen. Sehen Sie doch nur die Muster…*

Zero hob protestierend seine Pfote. »Das Ganze hier ist eine Null-nummer, Sibyl. Laß uns die Nutte dafür einsperren, daß Sie uns die Zeit gestohlen hat.«

Aber ich drehte mich zu den Blumen um, spähte zwischen den Blütenblättern hindurch. Sah dort Umrisse, *sah* die Leiche. Miasma hatte recht gehabt; er war tatsächlich ein junger, hübscher Robo-bursche. Anmutiges Gesicht, kräftige Plastikknochen, zärtliche Ge-fühle. Ein Musterbeispiel von Fleisch und Inpho, eingekleidet in Schönheit. Doch keins dieser Elemente war uns erhalten geblieben. Diese Leiche war nichts weiter als ein bloßes Abbild aus Blüten-blättern, die im Luftzug schwebten und sich den Vorgaben entspre-chend zu Mustern aus Farben zusammenfügten. Es gab keinen physischen Leib, keinen Leichnam zu untersuchen, nur die Rän-der zwischen den Erscheinungsformen. Es war der Augenblick des Todes, eingefangen in einem Blumenarrangement. Ein Kranz aus Er-innerungen.

»Die Leiche ist hier, Zero«, sagte ich.

»Ich seh' nichts, Smokey.«

»Du schaust eben nicht richtig hin, Zero.« Dann verstummte er schlagartig, als seine Augen den flüchtigen Umriß eines Körpers in einer bestimmten Kombination von Blütenblättern ausmachten. »Willst du eine Shadowvisitation machen?« fragte er mit zitternder Stimme.

»Da gibt es nicht viel zu visitieren.«

Aber ich versuchte es trotzdem. Steckte meine Hände in die Blumen. Sie schienen zuzupacken, wie drängendes Verlangen. Und als mein Verstand in den Shadow aus Blüten hinabtauchte, stieß ich nur abermals auf die alte, grüne Geschichte; alt in dem Sinne, daß ich mittlerweile das Gefühl hatte, daß ich an irgendeinem Mythos teilhatte. Die Blumenexplosionen, die ich in Coyotes letzten Gedanken gesehen hatte. In denen des Zombies. Jetzt in denen des Robojungen. Ich mußte sofort rausspringen.

»Smokey?« Zeros Stimme drang an meine Ohren, während ich vor all dem Grün zurückschreckte. »Was geht hier vor, Smokey?«

Aber ich hatte jetzt wirklich keine Zeit für ihn, trotz der Tatsache, daß Kracker *mich* nominell zum Boß des Hundecops gemacht hatte. Vielleicht war diese Umkehr der Machtverhältnisse auch die Quelle seines offenkundigen Unbehagens? Oder die Tatsache, daß Zero vorher bei der Boda-Geschichte schamlos gelogen hatte. Wie konnte ich ihm jetzt noch trauen? Wie konnte ich Kracker trauen? Wie konnte ich überhaupt irgend jemandem trauen?

Dieses niesende Mädchen braucht Hilfe, Zero. Ich schickte diese Botschaft über den Shadow geradewegs in seinen Kopf, da ich die Stimmung des Augenblicks nicht durch Sprache stören wollte. *Und dürfte ich vielleicht vorschlagen, daß ihr endlich damit anfangt, dieses Beet umzugraben?*

»Du weißt, wie sehr ich es hasse, wenn du diese Rauchscheiße abziehst, Sibyl«, bellte Zero mich an. »Sprich gefälligst in Worten mit mir.« Die Botschaft kam wohl trotzdem an, denn im nächsten Moment hörte ich ihn die Gorton-Cops anbrüllen, sie sollten ein paar Scheinwerfer herschaffen, die Shadownutte in ein Krankenhaus bringen und mit dem Graben anfangen. »Was, zum Henker, ist denn los mit euch? Gebt mir mal den Spaten! Scheiße!« Er ließ seine Frustration an seinen Untergebenen, den menschlichen Kollegen, aus. Dann nieste er wieder und wieder durch seine Maske, und da wußte ich, daß der Heuschnupfen wirklich schlimm war und noch viel, viel schlimmer werden würde. »Heiliger Hund!« Zeros Stimme klang schrill. »Der Pollenstand hat inzwischen 820 erreicht, Sibyl.«

Die Gorton-Cops fanden nur die Plastikteile von D-Frag, tief vergraben in der Erde unter seinem schwebenden Abbild. Sie waren fest umschlungen von Pflanzentrieben, diese Plastikteile. Fleisch war zu Blume geworden. Ich erfuhr in jener Nacht, daß dort draußen in der Stadt ein Mädchen aus Luft und Gras umging, ein Mädchen namens Persephone. Daß unser wahrer Mörder ein junges Mädchen war, ein Kind; etwas gänzlich neues. Eine neue Spezies. Ich würde noch in der Nacht einen stadtweiten Alarm auslösen müssen.

Meine Augen fanden dunkle Umrisse im Innern der Käfige. Die Halblebendigen waren verwandelt von den Blumen. Das junge Mädchen… es mußte sie berührt, mußte ihre Kräfte zu ihnen ausgestreckt haben. Die Zombies tanzten und blühten inmitten der Scheiße und des Staubs, Blumen sprossen aus ihren ledrigen Häuten, Blütenblätter fielen aus ihren Mündern. Es war ein atemberaubendes Spektakel von Flora und Fauna, die eins geworden waren.

Neue Spezies.

Ich spürte, wie sich Zeros angstgeplagter Shadow an mich anschlich. Das war schon eine merkwürdige Mischung von Hunderauch: Angst vor den Zombies, natürlich, aber noch mehr als das, Angst vor *mir*. Angst vor dem Fall. Pechschwarze Strudel wirbelten im tiefsten Winkel seines Shadows, dort wo all seine Geheimnisse in Käfigen eingesperrt waren. »Was machst du da, Jones?« fragte er.

»Ich beobachte die Zombies.«

»Ist ja ein tolles Hobby.« Er gab sich alle Mühe, ganz wie der alte Z. Clegg zu klingen, zurück in die Rolle des unerbittlichen Cops zu schlüpfen, aber es kostete seinen bibbernden Shadow alle Kraft. »Hast du schon was Neues in dem Boda-Fall?«

»Vielleicht.«

»Hast du vor, mich einzuweihen?«

»Interessierst du dich für Vurtball, Clegg?«

»Ich hasse Vurtball.«

»Wie schade. Ich werde nämlich mit dir zu dem großen Spiel morgen abend gehen.«

»Hat das was mit der Suche nach Boda zu tun? Scheiße...« Wieder ein Niesen, so laut und heftig, daß die Zombies an die Gitterstäbe stürzten und mit blütenblätter-bedeckten Gliedern nach uns langten.

»Gesundheit, Clegg.«

»Danke. Es tut mir leid, daß ich dich angelogen habe.«

»Du hast dieser Tage einen echt starken Shadow, Hundecop.«

»Es geht mir beschissen, Sibyl. Ganz im Ernst. Aus so vielen Gründen, daß ich es dir nicht einmal ansatzweise erklären kann.«

»Ich weiß. Du bist sauer, weil Kracker mir den Boda-Auftrag gegeben hat.«

»Nun ja, das tut weh. Ich habe nur Befehle befolgt, Sib. Es hat mir fast das Herz zerrissen, als ich erfuhr, daß sie deine Tochter ist. Ich wußte nicht, was ich tun sollte.«

Ich streckte meine Hand aus und kraulte das Fell an seinem Armen. Kraulte? Wie man es bei einem Hund macht? Nun ja, ich denke schon. Aber Zero schien es, zumindest für den Moment, zu gefallen. Und dann löste er sich von mir. Sein Shadow verlor sich, während er langsam durch den Blumendschungel davonging.

Miasma starb in jener Nacht. Sie war das erste Opfer des Schnupfens. Das erste Opfer, das nicht vom Mörder umgebracht worden war, sondern von den Dingen, die der Mörder zurückgelassen hatte: den Pollenkörnern. Da wußte ich, daß der Heuschnupfen und der Mörder Geschwister waren. Blumen und Tod. Das brachte die Wende in diesem Fall...

Wohin ich auch sah, schossen neue Spezien aus dem Boden. Vielleicht hatten die Experten doch recht; die Welt wurde tatsächlich fließender.

Später in jener Nacht hielt ich Juwel eng umschlungen in meinen Armen. Unzulässige Lebensform Nr. 57261. Wie sehr ich ihn liebte. Seinen niesenden Tod, seine tränenden Augen. Die Art, wie er mich ansah, so voller Sehnsucht. Juwel wollte nur leben. Es war das einzige, was niemand ihm geben konnte. Nicht einmal ich, seine Mutter, konnte ihm diesen Wunsch erfüllen. Er würde auf ewig ein Grenzfall bleiben. Total illegal. Wenn Kracker je herausfand, daß ich ihm Unterschlupf gewährte, wäre meine Karriere Knall auf Fall zu Ende. Zombies war der Aufenthalt innerhalb der Stadtgrenzen verboten. Juwel war mein dunkles Geheimnis.

Aber er war mein Sohn, und ich behielt ihn. Hatte er sich nicht mühsam den Weg aus dem Limbus erkämpft, um zu mir zurückzukommen? Bedeutete das denn gar nichts? Starb er denn nicht am Schnupfen? Stand er denn nicht auf der Liste der zukünftigen Opfer?

Sie sollten es nur versuchen, mir Juwel wegzunehmen. Cops oder Blumen, ich würde ihnen mit meinen Rauchhänden die Hälse umdrehen.

Donnerstag
4. Mai

Die Sonne heizte das Stadion auf, während die Menge auf den An-pfiff wartete. Ein Vorabendspiel ohne Bedarf an Flutlicht. Die Blas-kapelle spielte eine Hommage an den König. *This is the land that I love, and here I'll stay… until my dying day.* Goldene Musik, die über dem gestutzten Rasen schimmerte, der so perfekt genetisch kontrol-liert war, ein sattes Grün saftiger reifer Äpfel, daß man das Spielfeld fast im Mund schmecken konnte. Trotzdem sprossen überall Blu-men, und das schrille Jaulen der Rasenmäher, ihre Klingen verstopft von dicken Stengeln, war das zweite Lied an diesem Tag.

Überall um mich herum standen Fans, schmierten ihre blau-weißen Federn mit Vaz ein, in der Hoffnung auf ein gutes Spiel. Die Federn waren mit Nummern versehen, die jeweils einem der Spie-ler entsprachen.

Interaktiver Vurtball.

Wo man das Spiel im Innern seines Lieblingsspielers erleben konnte. Der Linksaußen-Verteidiger war die billigste Feder; der Mit-telstürmer die teuerste. Aber ich war einfach nur Sibyl Jones, nur eine Zuschauerin. Nicht des Spiels, sondern der Menge. Nur eine Beobachterin. Und außerdem sorgte der grassierende Heuschnupfen bloß dafür, daß die Spielfedern ständig ausgeniest wurden und in der Luft umherflatterten.

Das Halbfinale des Vaz-International-Goldfeder-Cups. Donners-tag. Rückspiel. Lokalderby der Erzrivalen. Der Gegner war Manche-ster United, und die hatten das Hinspiel 2:1 gewonnen. Überall um das Manchester-City-Stadion herum rutschten Werbeplakate für Vaz, das Universalgleitmittel, von den Reklametafeln. Riesige, auf-blasbare rotweiße Federn schwebten über der gegenüberliegenden Tribüne. Von der Kennel-Lane-Kurve schallte das Geheul der Fan-Hunde herüber.

Ich hatte auf Spielfeldhöhe Posten bezogen, beobachtete die

Leute dabei, wie sie zu ihren Sitzplätzen gingen. Ich hatte ein Fernglas und ein Walkie-Talkie dabei. Zero Clegg hatte sich an dem Eingang postiert, den Belinda benutzen mußte, wenn sie tatsächlich zum Spiel kam. Auf jeder Eintrittskarte stand der entsprechende Eingang vermerkt. Clegg hatte sich gesträubt, mit einem Walkie-Talkie herumzulaufen. Er war an die Federn gewöhnt, und alles Veraltete war ihm peinlich. Jetzt rief ich ihn über den Sprechfunk, fragte, wie's lief. »Noch keine Spur von irgendwas, Smokey Jones. Ich weiß ja nicht einmal, wonach ich Ausschau halte.«

»Halt weiter Ausschau.« Ich unterbrach die Verbindung und richtete mein Fernglas auf die vier leeren Sitzplätze, die ich mittlerweile lokalisiert hatte. Ich hatte vorhin mit der Kartenverkaufsstelle des Stadions gesprochen, und die hatten mir gesagt, daß ein gewisser Coyote Hund vor etwa zehn Tagen vier zusammenliegende Plätze gekauft hätte. Also, eine Eintrittskarte war für ihn selbst – ich hatte sie in seinem Kalender gefunden –, eine war für Boda/Belinda. Aber für wen waren die anderen beiden Eintrittskarten? Nun, ich würde das schon bald herausfinden. In erster Linie jedoch interessierte mich natürlich Belindas Karte. Würde sie wohl kommen? Ich hatte versucht, mich in ihre Gefühle zu versetzen. Wenn sie den Coyote wirklich liebte, dann würde sie vielleicht hier erscheinen. Aber ich hatte mich bereits bei der Beerdigung geirrt. Wonach hielt ich überhaupt Ausschau? Man muß sich das nur mal vorstellen, meine eigene Tochter, und ich wußte nicht, wonach ich zu suchen hatte.

Eine junge Frau bahnt sich ihren Weg zu einem der Sitzplätze. Meine Finger stellen an der Schärfe, bis ich das Gesicht der Frau deutlich in meinem Fernglas sehe. Ist sie das? Dieses Gesicht unter einem Pony aus roten Haaren? Nein, die Frau geht an allen vier Sitzen vorbei und nimmt neben einem jungen Hundeburschen Platz.

Ich werde langsam nervös und lasse das Sichtfeld des Fernglases über die angrenzenden Sitze und Reihen schweifen. Jede junge Frau, die ich sehe, wird sofort angepeilt. Bei allen entdecke ich Ähnlichkeiten mit meiner Tochter. Eine Frau aber sticht mir ganz besonders ins Auge. Das richtige Alter und der richtige Knochenbau.

Ein scharlachrotes Käppi auf langem braunem Haar. Natürlich der falsche Sitzplatz, aber wer weiß schon, was Belinda vorhat? Ich drücke den Zoomknopf. Das Gesicht schwebt nun direkt vor meinen Augen, ein Ausdruck der Angst auf den feingeschnittenen Zügen. Nein. Der Shadow dieser Frau ist leer. Ich schwenke das Fernglas wieder zurück zu Coyotes Plätzen. Eine Frau sitzt auf dem letzten rechts.

Zoom…

Das ist sie. Das ist meine Tochter. Ihr Shadow. Sie trägt eine Perücke. Sie sieht wie ein Cowgirl aus, aber ist es, ganz eindeutig. Das Bild zittert in meinen bebenden Fingern, die sich um das kalte Gehäuse des Fernglases klammern.

Boda hockt angespannt auf dem Sitzplatz, den Coyote für sie gekauft hat, weiß eigentlich nicht einmal, warum sie hier ist. Ein Nieselregen aus Rotz fällt auf ihre blonde Country-Joe-Perücke. Ihr Schädelstadtplan schwitzt unter der künstlichen Bedeckung, aber Boda fühlt sich in der neuen Aufmachung ganz wohl. Frauenkleider. Was als Verkleidung begonnen hat, ist mittlerweile zur Uniform geworden. Das ist ihr erster Ausflug in die Weiblichkeit. Sie ist ein neues Wesen, eine neue Straße zurück in ihre Kindheit. Die Sonne ist mörderisch. Blumen kämpfen sich aus winzigen Rissen in den Betontribünen, streichen gegen ihre Schuhe. Blauweiße Federn schweben herab. Pollenwolken hängen in der Luft. Boda kann bei all dem kaum das Spielfeld sehen: durch die Federn und den goldenen Staub und die Rotzfanfare. Sie hat sich die Nacht über in einer billigen Pension in der Wilmslow Road, Fallowfield, versteckt. Warum ist sie überhaupt hergekommen?

Da ist jemand, den ich dir vorstellen möchte.

Coyotes verlorene Worte kommen ihr wieder in den Sinn. Die Menge drängt von allen Seiten auf sie ein, Lieder des Jubels im Angesicht der bevorstehenden Niederlage, aber der Platz neben ihr ist noch immer leer. Und der daneben auch. Und der daneben. Drei leere Sitzplätze. Ein Vakuum inmitten des Hechelns. Warum, in aller Welt, bin ich nur hergekommen? fragt sie sich. *Weil Coyote mir die Eintrittskarte geschenkt hat, natürlich.* Ich will alles über ihn herausfinden. Nur dann werde ich auch ergründen können, warum er ermordet wurde. Aber hasse ich ihn denn nicht dafür, daß er mir das mit seiner Frau und dem Welpenmädchen verschwiegen hat? *Das kann man wohl laut sagen!* Und außerdem… habe ich den Lügner nicht für immer verloren? Und mit ihm Roberman und meinen Job und den drückenden Stadtplan von Manchester? *Wahrscheinlich habe ich mir selbst auf immer den Weg zu Geborgenheit und Trost verbaut.*

Gut. Zum Teufel mit Trost und Geborgenheit.

Boda ist vollauf zufrieden mit ihrem neugefundenen Image von Cowgirlstärke. Dennoch ist Boda hier. Sie wartet. Wartet auf die Spieler. Da kommen sie auch schon. Die Pollenmasken stramm vor dem Gesicht. Ihre Hemden glitzernd von Vazwerbung. Die Sonne trieft förmlich auf das Spielfeld, auf den von Blumen durchsetzten Rasen. Eine Pfeife schrillt…

Anstoß.

Vurtball.

Die Fans grölen um ihre Federn herum, treiben ihre Spieler auf das Tor zu. Niestaktik.

Zwei Leute drängen sich durch die Menge auf Boda zu. Ein Menschen- und ein Hundemädchen.

Zwei Leute drängen sich durch die Menge auf Belinda zu. Ich stelle die Schärfe des Fernglases nach. Sie sehen aus wie ein junges Menschen- und ein noch jüngeres Hundemädchen. Dieses Welpenmädchen habe ich doch schon einmal gesehen. Wo? Natürlich. Auf Coyotes Beerdigung. Das war Coyotes Tochter. Karletta hieß sie. Das Kind von Twinkle und Coyote. Sie sieht für meine mütterlichen Augen noch genau so süß aus wie beim letzten Mal. Und wieder kommt mir dieser dumme Gedanke… Warum konnte ich nicht eine solche Tochter haben? Also schwenke ich das Sichtfeld wieder zurück zu Belinda. Sie sieht verängstigt aus. Warum nur?

Das Menschenmädchen hat Korkenzieherlocken, in die hier und dort leuchtende blaue, gelbe und scharlachrote Federn eingefloch ten sind. Jede dieser Federn erfüllt Boda mit Unbehagen; fedrige Schwingungen dringen in ihren Shadow ein. Sie würde am liebsten von ihrem Sitzplatz aufspringen und weglaufen, so schlimm ist ihre Angst. Aber nein, die Entscheidung ist bereits getroffen. Diese Sache muß durchgestanden werden. Die beiden Neuankömmlinge setzen sich neben Boda.

Da ist jemand, den ich dir vorstellen möchte.

Hatte Coyote damit diese beiden gemeint? Ist eines der beiden Mädchen Coyotes Tochter?

Mein Gott!

Das ist zuviel.

In der neunten Minute schießt United ein Tor. Ein kollektives Aufstöhnen von den Fans. Jetzt braucht City drei Treffer, um sich für das Endspiel zu qualifizieren. Eine schier unmögliche Aufgabe. Das Menschenmädchen und die kleine Hündin sind wie hypnotisiert von dem Spiel. Die Kleine ist nicht wirklich eine Hündin, ihr sprießen nur zarte Barthaare aus den Wangen, mehr nicht. Ich beobachte das alles von der Seitenlinie aus durch das Fernglas, während ich überlege, wann ich in Aktion treten und Zero herbeirufen soll. Jetzt inmitten der niesenden Menge eine Verhaftung vorzunehmen, würde nur einen Aufruhr heraufbeschwören. Sollen sie also noch eine Weile weiterspielen. Ich zwänge meinen Shadow in meine Tochter, belausche sie über die Entfernung.

Boda denkt zurück an das, was sie unten am Kanal aus Robermans Verstand herausgeholt hatte. War die kleine Welpin wirklich Coyotes Kind? Wer ist dann das Mädchen neben der Welpin? Hatte Coyote vielleicht noch ein anderes Kind? Der Himmel allein wußte, was er hatte oder nicht hatte; Boda kann ihm nicht trauen. Auch wenn er tot ist.

City landet ein Gegentor.

Die Menge dreht durch. Federn fliegen umher, getragen von jubelndem Atem.

Das Hundemädchen hat eine Feder zwischen ihren Lippen. Das reine Mädchen hat keine Feder, aber ihre Augen sind dennoch glasig, so als würde sie in jemand anderem leben, irgendeinem flinken Spieler auf dem Feld. Und dann erschaudert Bodas Seele ob der Nähe zu diesem Mädchen. Die Vorstellung allein reicht aus, daß sie sich am liebsten in eine Ecke verkrochen hätte. Und da begreift Boda; dieses scheinbar menschliche Mädchen ist in Wahrheit ein Vurtmädchen. Ein hochgeputschter Mensch mit Direktanschluß zur Vurtwelt. Dieses Mädchen braucht keine Federn; es kann sich einfach so in einen Traum einklinken, ohne Bezahlung. Und das ist dein Feind, Boda; das ist dein Fluch. Die Unwissentlichen können die Träumer nicht ertragen. Deine Gene kämpfen eine aussichtslose Schlacht, genau wie die blauweiße Mannschaft unten auf dem überwucherten Spielfeld. Deine Angst ist groß, Boda, aber nichts im Vergleich zu der deiner Mutter, schlicht und einfach, weil deine Mutter sich tiefer und unlösbarer im Klammergriff des Todes befindet.

Glaub es mir, meine Tochter.

Boda weicht vor der Fedrigkeit des Mädchens zurück.

United landet einen weiteren Treffer. 4:2. Keine Hoffnung mehr aufs Endspiel. Die blauesten Federn werden von Verzweiflung übermannt, und der Halbzeitpfiff ertönt. Die Blaskapelle schmettert los.

Was jetzt? Bodas Gedanken kreisen hilflos umher.

Soll sie vielleicht mit diesem Vurtmädchen sprechen?

»Kennst du Coyote?« fragt Boda. Sie braucht eine Halbzeit-Ewigkeit, um diese Frage herauszubringen.

Das Mädchen sieht sie nur an, die Augen noch immer gesprenkelt mit Pässen und Fouls aus der gerade beendeten ersten Halbzeit. »Ja, ich kannte ihn«, antwortete das Mädchen.

»Wie gut?«

Was versprichst du dir von dieser Unterhaltung, Boda? Trost?

»Ein verrückter Hund, dieser Coyote«, entgegnet das Mädchen.

»Das kann man wohl sagen«, pflichtet Boda ihr bei, in der Hoffnung auf eine Erwiderung. Es kommt aber keine, also fragt sie das Mädchen: »Bist du mit ihm verwandt?«

»Nein, ich bin nur eine Freundin«, lautet die Antwort. »Aber Karletta ist mit ihm verwandt.« Das Mädchen streichelt die kleine Hündin. »Karletta ist seine Tochter.«

»Ach wirklich?« Diese Nähe zur Vurtheit hat Bodas Shadow in eine verschrumpelte, leere Hülle verwandelt. War das alles, wofür sie die Reise in die Stadt auf sich genommen hatte? Ein Treffen mit zwei Kindern, eins aus Federn, das andere aus Hundefleisch? Sie hatte erwartet, daß welche von Coyotes Untergrund-Freunden hier sein würden, irgendwelche Rebellen, die sie zu Columbus führen könnten.

»Du bist ein Dodo, stimmt's?« sagt das Mädchen. »Ich kann den fehlenden Teil spüren, wo die Feder reingehört.«

»Wie heißt du?« fragt Boda, unterdrückt dabei mit aller Kraft ihr Unbehagen.

»Ich heiße Blush«, erwidert das Mädchen. »Ich bin zwölf. Und du?«

»Wie alt ich bin?«

»Wie du heißt, Dummerchen.«

»Belinda.« Boda sagt den ersten Namen, der ihr in den Sinn kommt, um ihre wahre Identität zu schützen.

»Belinda? Oh…«

»Was ist los?«

»Ich hatte Boda hier erwartet.«

Boda schaut kurz zu der Blaskapelle, die auf dem smaragdfarbenen Spielfeld trötet. »Wie kommst du denn darauf?«

»Ich werde einmal sehr berühmt werden«, sagt Blush. »Wußtest du das?«

»Wirklich?«

»Ich werde eine berühmte Vurtspielerin. Ich habe den Vurt in mir, mußt du wissen. Nächste Woche trete ich in *Comatose Road* auf. Vielleicht schaust du es dir an? Es ist eine ganz winzige Rolle, aber ich habe meine Federn auf größere Träume ausgerichtet. Verrückte Träume, verstehst du? Nun, vielleicht auch nicht. Vielleicht verstehst du das nicht. Und vielleicht wirst du mir nächste Woche auch nicht zuschauen.«

»Nun, ich könnte es mir im Fernsehen angucken.«

»Das ist tragisch. Irre! Wer guckt denn heute noch Fernsehen? Nur die Dodos, stimmt's? Coyote hat viel von Boda erzählt.«

»Hat er das?«

»Oh, klar doch. Coyote war total verrückt nach dieser Xcabberin. Er hat mir erzählt, daß er ihr eine Eintrittskarte für dieses Spiel gekauft hat. Er hat sie seine neue Wahl genannt.«

Seine neue Wahl. So hat Coyote dich genannt, Boda. Ist das nicht sonderbar? Sonderbar und schön?

»Warum hat er sie so genannt?« erkundigt sie sich.

»Mußt du das wirklich fragen?« erwidert das Mädchen. »Dummer Dodo.«

Ja nun. Dummer Dodo. Weil du das fragen mußtest. Weil du spüren kannst, wie dein mächtiger Shadow zu Dunkelheit zusammenschrumpft. Und weil du einen dummen Zweifel in deinem Kopf hegst.

»Wieso bist du hier, Blush?«

»Coyote hat mir auch eine Karte gekauft. Und auch eine für Karletta. Er sagte, ich müßte diese Boda kennenlernen. Er meinte, sie wäre wichtig. Ich vermute, das ist wohl sein Platz dort…«

Blush blickt auf den leeren Sitzplatz neben sich, und ihre Augen glitzern feucht.

»Ich hatte eigentlich auch nicht damit gerechnet, daß diese Boda hier auftaucht«, sagt Blush niesend. »Nicht nach Coyotes Tod. Und nicht, nachdem dieser Gumbo YaYa zur Jagd auf sie geblasen hat. Ich hatte recht, stimmt's?«

Schweigen, abgesehen vom Hecheln der Menge. Rotzsalven fliegen durch die Luft.

Schließlich… »Ich war früher Boda.«

»Oh. Und was bist du jetzt?«

»Ich weiß es nicht. Boda war mein Xcab-Name. Ich kenne meinen richtigen Namen nicht.«

»Du bist das? Irre!«

»Du sagtest, Coyote hätte von mir erzählt?«

»Klar. Coyote war davon überzeugt, daß Boda mir gefallen würde. Er sagte, daß ich ihr Dinge erzählen könnte. Er sagte, ich könnte alles erklären. Aber ich weiß nicht, wo ich anfangen soll.«

»Erzähl mir von dir.«

»Ich bin Blush und stamme von Desdemona und Scribble ab. Du hast doch sicher schon von Scribble gehört, oder?«

»Nein.«

»Irre. Nun, jedenfalls, Scribble war mein Vater. Ich habe ihn allerdings nie kennengelernt. Momentan ist er im Vurt verschollen. Aber, weißt du, ich glaube, er wird eines Tages berühmt werden, genau wie ich. Er wird zu uns zurückkommen. Und Desdemona ist meine Mum. Früher hat sie Scribble im Vurt besucht, aber in der letzten Zeit war er nicht mehr erreichbar. Vielleicht arbeitet er an irgendeiner großen Szene. Zum Beispiel, wie er zu uns zurückkommen kann oder sowas. Nun, jedenfalls, Des ist nur eine meiner Mütter.«

»Du hast mehr als eine?«

»Klar. Ich habe zwei Mums. Scribble hat mich in zwei Müttern gezeugt. Die andere heißt Cinders. Cinders O'Juniper. Hast du schon von ihr gehört?«

»Nein.«

»Irre. Sie ist eine weltberühmte Pornovurt-Schauspielerin. Von Cinders habe ich auch mein fedriges Blut. Jedenfalls, Des ist meine richtige Mum. Sie wohnt mit uns zusammen. Wir wohnen alle in Bottletown. Des und ich und Twinkle und Karletta. Es ist eine männerfreie Zone. Vielleicht kommst du uns ja mal besuchen? Warte, ich gebe dir unsere Nummer. Und kümmer dich nicht um Twinkles Reaktion. Sie ist in Ordnung. Oh, aber vielleicht bist du ja auch eifersüchtig? Bitte, das mußt du nicht sein. Das Leben ist zu kurz.«

Woher willst du das wissen, kleines Mädchen? denkt sich Boda, aber sagt es nicht. Sie sendet diese Botschaft nicht über den Shadow. Boda hält sich bedeckt.

»Jedenfalls, wir sind alle zusammen und warten, verstehst du?« fährt Blush fort. »Warten darauf, daß etwas passiert. Coyote kehrte zu unserer Liebe zurück.«

»Wer ist Twinkle?«

»Coyotes Frau. Karlettas Mutter.«

»Er war mit Twinkle verheiratet?«

»Nun ja, das war einmal. Dann haben sie sich scheiden lassen.

Aber er kam öfter vorbei, um Karletta zu besuchen und ihr Spielzeug und Federn zu schenken. Er kann nämlich mit ihr sprechen, in Hundesprache. Keiner von uns anderen kann das. Coyote war der einzige Mann, den wir im Haus geduldet haben. Naja, jedenfalls redete Coyote mit Karletta in einer Sprache und mit mir in einer anderen. Menschlich, wenn du verstehst, was ich meine? Und er erzählte mir von dir. Er erzählte mir lauter verrückte Sachen.«

»Zum Beispiel?«

»Zum Beispiel, daß du noch toller als grüne Himmelsfedern und Vazbrot bist. Daß du was ganz Besonderes bist. Nun, das hoffe ich. Du hast dich von den Xcabs abgesetzt, stimmt's? Das muß total aufregend gewesen sein.«

»Nun…« Und dann sieht sie das Leuchten in Blushs Augen: »Ja. Es war aufregend.«

»Irre. Die Cops haben immer noch Coyotes schwarzes Taxi. Was meinst du, was damit passieren wird?«

»Keine Ahnung. Vielleicht geht es an Karletta oder an die Frau. Wie hieß sie noch gleich?«

»Ex-Frau. Twinkle.«

»Egal.«

Die Mannschaften sind für die zweite Halbzeit aufs Spielfeld zurückgekehrt. Die Menge jubelt. Blush schiebt Karletta abermals die blauweiße Feder mit der Nummer 9 in den Mund und schließt dann ihre eigenen Augen, um das Spielfeld besser fühlen zu können. Boda, du bist umgeben von dröhnenden Gesängen, aber du kannst an nichts anderes denken als an die Bedeutung von Coyotes Worten, gechannelt durch ein junges Mädchen. Und das Hundemädchen, Coyotes Tochter, sitzt neben dir und sagt nichts, ist zu keinen Worten fähig, und spricht doch Bände. Sie sieht hundemädchenschön aus in ihrem Schweigen, aber es ist auch etwas Trauriges an ihr. Du kannst es über den Hundeshadow fühlen. So als würde Coyote noch immer zu dir sprechen, auf Hundeart. Mit Barthaar und Zunge. *Sie ist es, die er mir vorstellen wollte.* Deine Gedanken. Er wollte dir von seiner Familie erzählen, alles über sein Kind namens Karletta. Wollte diese Sache abschließen und hinter sich bringen und dann… vielleicht ein neues Stück beginnen? Mit dir in der Hauptrolle?

Coyote hatte es nicht zum Spiel geschafft.

»Ich bin unschuldig. Ich habe ihn nicht umgebracht«, sagt Boda zu Blush.

Blush reißt ihre Augen kurz vom Spielfeld los. »Das weiß ich doch, du Dummerchen. Aber sei jetzt still… das gibt einen Elfmeter!«

City verwandelt den Elfmeter. 4:3. »So ist's richtig!« johlt Blush. »Zwei mehr, und wir sind im Endspiel. Wir werden berühmt werden.« Sie dreht sich zu Boda um. »Coyote hat sich für dich entschieden, flüchtige Fahrerin. Seelenverwandte, so hat er euch genannt. Er hat eine gute Wahl getroffen.«

»Danke. Also, wer kann seinen Tod gewollt haben?«

»Niemand wollte Coyotes Tod. Er war beliebt auf den Straßen. Bis auf… vielleicht…«

»Ja?«

»Nun… die Xcabs…«

»Ich weiß.«

»Den Xcabs hätte es gefallen, diesen Fahrer zu erledigen. Dein Boß…«

»Columbus, ja.«

»Warum fragst du ihn nicht danach?«

»Columbus macht ein Geheimnis aus sich. Er ist schwer zu fassen.«

City schießt ein weiteres Tor. Der Ausgleich. Die Fans kennen in ihrem Jubel und Niesen kein Halten mehr. Vaz trieft aus ihren Mündern.

»Treffer«, brüllt Blush. »Hast du diesen Schuß gespürt, Boda? Natürlich hast du das nicht. Dodos, irre! Was soll man dazu sagen?«

Karletta niest. Blush krault ihr zärtlich den Nacken. »Arme Karletta. Was hältst du denn von diesem Heuschnupfen, Boda? Sie sagen, es wird noch schlimmer werden, bevor es sich bessert. Weißt du, wo dieser Heuschnupfen herkommt?«

Boda erwidert, daß sie keine Ahnung habe.

»Es kommt aus einer Himmelsfeder.«

»Was ist das denn?«

»Irre. Das weißt du nicht? Natürlich nicht. Er kommt aus einer Himmelsfeder namens Juniper Suction. Ich war letztens in Black Mercury unterwegs. Du hast doch schon von der Black-Mercury-Feder gehört, oder?«

»Natürlich. Aber ich dachte, Columbus hätte schon vor Jahren alle Kopien zerstört.«

»Hat er auch. Man kommt zum Beispiel nicht mehr in Deep Throat rein. Hör zu, Lady… wenn die Leute reisen wollen, dann reisen sie. Und je schmutziger die Reise, desto süßer der Weg.«

»Du bist zu reif für dein Alter, Blush.«

»Scheiß drauf. Kann ich denn was dafür, daß ich die Feder in mir habe und in einer männerlosen Umgebung aufgewachsen bin? Ich mache die Regeln nicht, ich breche sie nur.«

»Wo hattest du denn die Black Mercury her?« fragt Boda. »Oh, entschuldige bitte. Ich habe nicht nachgedacht. Du brauchst ja keine Federn.«

»Ganz genau. Meistens jedenfalls. Aber einige Träume sind einfach zu tief für mich. Die haben Schlösser, verstehst du? Kondomschlösser? Ich vermute, Columbus muß ihn versiegelt haben.«

Black Mercury war eine frühe Version des Xcab-Stadtplans, den Columbus beim Betriebsstart benutzt hatte. Sein handverlesenes Team von Vurtdesignern hatte ihn produziert, und Columbus hatte dann mit jener Vurtpause die Behörden überredet, das endgültige Zentralsystem zu installieren. Ein paar Bootleg-Kopien hatten ihren Weg auf die Straße gefunden. Laut Blush hatte Columbus daraufhin einen Schutzmechanismus eingebaut, der den direkten Zugriff auf den Demo-Stadtplan sperrte. Das sollte Leute wie Blush, Vurtleute, davon abhalten, mit einem illegalen Taxi auf dem Stadtplan herumzufahren. Aber diese Bootleg-Federn waren zu kaufen, wenn auch für einen hohen Preis, und mit ihnen konnte jeder den Stadtplan befahren, selbst wenn es nur diese zusammengestoppelte, frühe Version war. In den ersten Tagen des Xcab-Lebens hatten diese Eindringlinge ein Chaos im System verursacht, also hatte Columbus ein

Vurttaxi mit einem Federsuchprogramm ausgestattet und losgeschickt. Dieser fedrige Fahrer hatte schnell alle illegalen Zugänge im Stadtplan aufgespürt und sie dann aus dem System eliminiert. Den Benutzern blieben nur nutzlose beige Federn und Kopfschmerzen, die sieben Tage lang andauerten. Black Mercury existierte nicht mehr.

»Selbst ich kann den Trip nicht nackt machen«, sagt Blush. »Ich brauche die Feder dazu, und Coyote hat mir netterweise eine Kopie gegeben. Das war mein Geburtstagsgeschenk.«

»Coyote hatte Black Mercury?«

»Klar. Was denkst du denn, wie er sonst so über die Straßen segeln konnte? Du weißt doch, was der Xcab-Stadtplan ist, oder?«

»Ich war ein Fahrer.«

»Klar. Aber ich meine, weißt du es wirklich? Das ist kein normaler Stadtplan. Es ist eine Art lebender Stadtplan. In vielerlei Hinsicht ist er lebendiger als die realen Straßen. Naja, jedenfalls war ich letztens in der Black-Mercury-Feder unterwegs. Das ist ein echt heftiger Traum, kann ich dir flüstern. Game Cat nennt es in seinem Magazin eine Hammerfeder, aber ich war einfach, naja, ich war neugierig, verstehst du? Also habe ich sie trotzdem eingeschmissen. Ich spielte die Rolle von Mike Mercury, dem Fahrer von Supertaxi. Er ist der gewiefteste Xcabber in der Black-Mercury-Welt, aber ich vermute, das weißt du ja, oder? Jedenfalls hatte ich diese Fuhre nach Demo-Bottletown, und ich durfte mich dabei nicht von den Trambahnfurien erwischen lassen. Mein träumender Kopf hatte vollen Zugriff auf den Xcab-Stadtplan, und ich hatte alle Verteidigungssysteme aktiviert. Was sollte also noch schieflaufen? Mike Mercury konnte sein Taxi zwischen den Seufzern eines Flitterwochenpärchens hindurchsteuern. Ich mußte nur noch den Fahrgast an der Nummer 666 Pineapple Crescent abliefern. Alles lief bestens, bis Mike plötzlich zu niesen anfing. Es war einfach irre. Er nieste so heftig, daß mir das Lenkrad aus den Fingern rutschte. Ich zoomte in den Xcab-Stadtplan und rief Demo-Columbus auf, um mir von ihm Hilfe zu holen. Aber mit einem Mal tat sich dieses blendende Loch mitten im Stadtplan auf. Es gibt nämlich eine Wand zwischen den verschiedenen Welten, mußt du wissen. Manchmal ist sie recht dünn, besonders dieser Tage. Jedenfalls strömte durch dieses Loch in Black Mercury so ein gelbes Zeug herein. Sah aus wie irgendwelche Körner. Ich kann's nicht besser beschreiben. Es verstopfte mir die Nase. Ich erhaschte durch das Loch im Stadtplan einen flüchtigen Blick in diese andere Welt. Die Juniper-Suction-Welt. Total abgedreht. Hab darüber im Game-Cat-Magazin gelesen. Es ist eine Himmelsfeder. Der Ort, wo reiche Leute hingehen, wenn sie sterben. Outer Limits – die unbekannte Dimension, Baby. Und als ich wieder runter in die reale Welt zurückgekommen war, hatte ich immer noch dieses gelbe Zeug in der Nase. Ich nieste wie verrückt. Das Zeug war echt der Hammer. Deshalb glaube ich, daß der Heuschnupfen aus Juniper Suction herüberkommt, über den Taxi-Stadtplan.« Blush niest, so als wolle sie ihren Worten mehr Nachdruck verleihen, und Karletta stimmt in das Niesen mit ein.

Karletta…

Das hätte mein Kind sein können.

Denkt Boda, und dann ist sie mit einem Mal so wütend darüber, daß Coyotes Tochter unter dem Heuschnupfen leidet. Boda kann sich nicht gegen dieses dumme Gefühl wehren. Es ist irrational, und es ist lächerlich. Vom Verstand her ist ihr das durchaus klar, aber sie kann trotzdem nichts dagegen machen.

»Meine Theorie ist, daß Columbus den Heuschnupfen absichtlich herüberläßt«, erklärt Blush. »Er läßt Löcher zwischen den Welten entstehen.«

Boda steht auf.

»Gehst du schon?« fragt Blush. »Hat dir meine Geschichte nicht gefallen? Ich dachte, ich würde dir damit helfen. Coyote hat gesagt, daß ich dir helfen soll. Oder magst du nicht so nah an einem Vurt-mädchen sein? Hast du Angst?«

Nein, das ist es nicht. Nicht nur das. Boda hat einen Eindringling in ihrem Shadow bemerkt. Stark und mächtig. Es riecht wie…

Scheiße!

Erinnerungen regen sich. Prätaxi…

Der Rauch ihrer Mutter aus lang vergangenen Tagen. *Wer war meine Mutter?*

Karlettas Augen sehen Boda an, ein durchdringender Blick, den nur ein Hund hinkriegt. Ein beständiges Tränen.

Blush läßt mit ihrer Fragerei nicht locker: »Wirst du den guten Gumbo anrufen, Boda? Beweis ihm deine Unschuld. Vielleicht sagt er dir, wie du zu Columbus gelangen kannst…«

Boda entschuldigt sich bei einem blauweißen Fan, an dem sie sich vorbeidrängt, auf der Flucht vor den Fragen und diesem Muttershadow.

»Du verpaßt den Ausgang des Spiels, Boda. Coyote wollte dich hier haben. Er hat dich wirklich geliebt.« Blushs Stimme verfolgt sie…

Aber Boda ist schon weg. Es ist 20 Uhr 56. Sie bahnt sich einen Weg durch den Rotz und die Federn. Auf das Drehkreuz am Maine-Road-Ausgang zu.

Ich rief Zero über das Walkie-Talkie und sagte ihm, daß meine Tochter in diesem Moment auf den Ausgang zustrebte, sie trüge eine »blonde Langhaarperücke auf dem Kopf. Bolerojacke. Karierter Rüschenrock. Du kannst sie gar nicht übersehen.« Dann kämpfte ich mich durch die Menge zum selben Ausgang hinüber.

Sie war wie immer einen Schritt schneller…

Auf dem Weg zum Ausgang nimmt Boda ihre blonde Perücke ab und tauscht sie gegen eine schwarze aus. Eine weitere Beute von Country Joe. Sie kann noch immer ihre Mutter fühlen in ihrem Shadow. Am Ausgang kommt sie an einem bulligen Hundemann vorbei. Er sieht ihr geradewegs ins Gesicht. Boda kann fühlen, daß er sie über seinen Shadow erkennt. Er riecht nach üblem Coprauch. Doch das Seltsame ist…, er läßt sie passieren.

Als ich nach draußen kam, stand Zero einfach nur da, sein Gesichtsausdruck verwirrt und fiebrig. »Wo ist sie?« fragte ich.

»Es ist keine Blondine herausgekommen«, antwortete er.

»Du hast sie entkommen lassen?«

Zero fing an zu weinen und zu niesen, ich konnte ihn nicht trösten. Dieser Hund war einfach zu abgedreht für mich. Was war bloß los mit ihm? Ein schwarzhaariges Mächen lief durch die Gassen, die vom Stadion wegführten. Sie verschwand in den labyrinthgleichen Straßen von Moss Side.

Vielleicht hatte sie mehr als eine Perücke dabei gehabt.

Ich schubste Zero in den Fiery Comet.

Boda flieht vor dem Muttershadow. Sie läuft auf die Maine Road und von dort in eine winzige Seitenstraße. Das hier ist ein ganz mieses Stadtviertel, und dreiste Hundejungs, verborgen hinter Mülltonnen, kläffen ihr hinterher. Sie hat keine Ahnung, wo sie ist. Dunkelheit senkt sich herab. Die Welt verwandelt sich in ein Labyrinth aus geschlossenen Läden und Abbruchhäusern. Ihre schwarze Perücke, ihre zweite Perücke, fällt ihr vom Kopf. Irgendwo hinter sich hört sie ein Auto vor einem zu schmalen Durchgang halten.

Wie weit muß ich denn noch reisen, verflucht noch mal?

Boda stößt auf eine neue Straße, Broadfield Road, wo immer das sein mag. Ohne den Xcab-Stadtplan ist sie völlig orientierungslos und verloren. Ein Stück weiter vorn hängt ein Rudel Mulatto-Hundejungs vor einem Rasta-Bus herum. Beinharte Dogga-Music dröhnt aus den Lautsprechern des Busses. Boda kann fühlen, wie ihr Shadow zurückschreckt. Die Hundejungs können jetzt den Stadtplan auf ihrem Kopf erkennen, obwohl sie sich die letzten paar Tage die Haare hat wachsen lassen. Sie erkennen Boda als das, was sie ist: eine potentielle Hundekillerin. Ein weißes Mädchen. Gumbo hat über den Äther zu ihnen gesprochen. Sie bauen sich in einem Halbkreis um sie auf.

Plötzlich hört man ein Auto die Broadfield herunterrasen. Es kommt mit quietschenden Reifen zum Stehen, und von drinnen erschallt eine verstärkte Stimme: »Okay, Jungs. Wir sind die Cops. Laßt sie in Ruhe.«

Die erinnerte Stimme ihrer Mutter, ihr erinnerter Shadow.

Die Hundejungs geben Fersengeld. Boda rennt ebenfalls los, sucht Zuflucht in den gewundenen Gassen. Nur weg von ihrer Mutter.

Claremont Road. Plötzlich weiß sie, wo sie ist. Vor ihr liegt das überwucherte Paradies von Alexandra Park. Wo das Ganze angefangen hat. Quer über die Princess Road, dann hinein in den Park, die Copkutsche kann ihr nur bis zum Tor folgen. Boda schaut hinter sich; zwei Cops verfolgen sie durch die üppig wuchernden Blumen. Ihre Mutter und ein anderer. Shadow und Hund folgen ihr. Boda fällt hin. Ihre Beine haben sich in einem Gewirr aus Wurzeln verfangen. Der nasse Geruch von Gras, als ihr Gesicht sich in die Erde drückt. Mutter Erde.

Das Spiel ist aus.

Zero und ich liefen zu der am Boden liegenden Gestalt hinüber. Zero nieste wie verrückt von dem Blumenüberfluß im Park. Er hatte seine Knarre gezückt, aber ich war waffenlos. Schließlich handelte es sich um meine Tochter.

Belinda fauchte und knurrte und spuckte. Sie biß mich. Unsere Shadows rangen miteinander. Aber ich war stärker als sie, erfahrener im Rauch. Ich beugte ihren Willen, während ihre Fingernägel meine Wangen aufkratzten. Himmel, mit einem Mal war es so, als wäre sie wieder sieben Jahre alt und ich müßte sie für irgendeine Unartigkeit bestrafen. Wir lagen jetzt beide am Boden, walzten die Blumen platt. Ein Regen aus Blütenblättern fiel auf uns herab. Belinda schrie und beschimpfte mich über den Shadow, und dann fühlte ich etwas Kaltes, Hartes…

Alles wird schwarz.

Ein Schlag auf meinen Hinterkopf.

Als ich wieder zu mir kam, lag ich auf dem Rasen. Ein stechender Schmerz ließ mir fast den Schädel platzen. Durch den schmalen Spalt meiner zusammengekniffenen Lider konnte ich meine Tochter und Zero sehen, die einander gegenüberstanden. Zero hatte seine Copknarre schnurgerade auf ihre Brust gerichtet. Zorn und Angst pulsierten in Belindas Shadow. Zeros Shadow überlagerte ihn, starrend von Flohbissen und Knochen. Alles Menschliche war von ihm abgefallen. Zero war jetzt ganz Hund.

Mühsam brachte ich einige Worte heraus: »Clegg, was machst du da?«

Er antwortete nicht, Copwaffe schußbereit. Die Sonne ging hinter den Bäumen unter, verbrannte die Blumen des Parks zu scharlachrotem Feuer. Zeros Gesicht war verborgen hinter der Pollenmaske, aber ich konnte seine Gedanken *fühlen*. Ich fragte ihn abermals, was er da machte.

»Ich befolge nur Befehle«, erwiderte er.

»Kracker hat dir das befohlen?«

»Der Herr hat mir befohlen, dich zu töten. Euch beide.«

»Ist mit dir alles in Ordnung, Belinda?« fragte ich.

Keine Antwort von meiner Tochter. »Clegg, wach doch endlich auf.« Ich versuchte, meine Stimme ruhig zu halten, weil der Shadow des Hundecops so übernervös war. Ich fürchtete, daß er jeden Moment ausrasten würde. »Kracker spielt nur mit dir. Er spielt mit allen. Der Herr verfolgt seine eigenen Ziele.« Die Waffe nahm meine Tochter ins Visier. »Clegg! Hör mir zu. Kracker benutzt dich nur.«

»Die Stimme meines Herrn, Jones. Ich bin nur ein folgsamer Hund.«

Noch immer waberten dichte Pollenschwaden umher, von meinem Kampf mit meiner Tochter. In uns konnte der Pollen kein Nest finden, also begnügte er sich mit Zero. Zero nieste.

HAAAAAAAAAAAAAAAATSSSSSSSSSSSCHHIIIIIII!!!!!

Zero schwankte, seine Waffe zitterte. Ich machte Anstalten aufzustehen.

»Jones! Rühr dich nicht. Du machst mich wütend.«

Ich hörte auf, mich zu bewegen.

»Bitte, mach mich nicht wütend. Ich versuche ja, Krackers Befehl nicht zu befolgen. Ich versuche es wirklich.« Zeros Stirn oberhalb der Maske war schweißnaß. »Aber du weißt ja, wie es ist, Sibyl… es steht du gegen ihn. Und der Herr ist stärker als du. Er ruft mich. Ich muß nichts weiter tun, als euch beide zu töten. So einfach ist das.«

»Denkst du denn gar nicht darüber nach, warum er diesen Befehl gegeben hat?« sagte ich. »Kracker ist kein Cop mehr.«

»Was?«

»Er hat es darauf abgesehen, das Gesetz zu brechen. Ich denke, daß er in den Blumen-Fall verwickelt ist, Zero…«

»Hör auf, mich so zu nennen! Mein Name ist nicht Zero.« Die Waffe war immer noch starr auf meine Tochter gerichtet.

»Schon gut…, Zulu.«

Seine Augen schlossen sich kurz, und als er sie wieder öffnete, war Belinda in seinen Verstand eingedrungen. Ich konnte fühlen, wie sie sich dort über den Shadow Zutritt verschaffte. Sie zwang seine Hand, sich zu bewegen, so daß die Waffe auf mich zielte. Zero zitterte vor Angst, sein Kopf geweitet von dem Eindringen des Shadows. »Sibyl, sie zwingt mich, dich zu erschießen…«

Und dann zog Belinda eine Waffe aus ihrer Schultertasche. Ich nenne es eine Waffe, aber im Grunde war es eher eine Antiquität. Ein 45er Colt? Er sah wie ein Spielzeug aus. Wo hatte sie den nur her?

Ein eisiger Blick in den Augen meiner Tochter. »Belinda, mach doch jetzt keine Dummheiten…« Es klang schwach, aber was sollte ich tun? Belinda sah mich an, nur einen flüchtigen Moment lang, so als wäre der Name zu ihr durchgedrungen.

Belinda schoß auf Zero.

Ich habe den Eindruck, es war der erste Schuß, den sie je abgefeuert hat.

Zero schrie auf. Er fiel hin, umklammerte seinen Arm. Belinda rannte auf die umstehenden Büsche zu. »Belinda, Belinda…« Meine Stimme folgte ihr ins Gebüsch.

»Sibyl«, rief Zero. »Bitte… bitte hilf mir…«

Ich mußte mich entscheiden, entweder meiner Tochter zu folgen oder mich um den schwerverletzten Clegg zu kümmern, dieses dumme, herrenhörige Opfer…

Ich brauchte nicht lange, der Copkodex machte mich schwach.

Ich kniete mich neben den Hundecop, legte seinen Kopf an meine Brust. »Alles wird gut, Zero«, flüsterte ich. »Gemeinsam werden wir es schaffen.« Zero winselte und nieste ehrlich gemeinte Ausreden für sein Verhalten. Ich sagte ihm, er solle jetzt still sein, während ich dort unter den Ästen der Dämmerung hockte und seinen warmen Körper wiegte.

Die Umrisse in den Blättern, durch die meine Tochter entflohen war. Sie hatte nicht ein einziges Wort zu mir gesprochen.

Und dann, etwas später, kämpft Boda sich durch die dicht wachsenden Blumen, die vor leuchtenden Farben förmlich zu explodieren scheinen, selbst in der Dunkelheit. Ganz allein auf dem Südfriedhof. Die Nacht hat ihre Fährte verwischt. Die schwarze Perücke ist den Gang allen Haars gegangen, aber ihr blondes Haar ist nun wieder fest und sicher an seinem Platz. Ihr stoppeliger Schädel schwitzt. Hatte sie den bulligen Hundecop, den ihre Mutter mitgeschleppt hatte, getötet? War es wirklich ihre Mutter gewesen? Auf alle Fälle roch es wie der langvergessene Shadow ihrer Mutter. Wie hatte sie mich noch gleich genannt?

Belinda?

Es war einfach zu viel, um jetzt darüber nachzudenken.

Dieser Ort des Todes ist für die Leute dieser Tage zu ungebändigt. Zu viele Blüten, zu viel Pollen in der Luft. Die Leute ziehen es vor, sich hinter Türen und Gardinen, Masken und Tinkturen zu verstecken. Sie glauben wirklich, das würde etwas nützen. Boda kann die Körner sehen, die durch die gelbe Nachtluft des Friedhofs schweben, von Pflanze zu Pflanze, getragen vom Wind oder per Anhalter auf dem Körper irgendeines Insekts. Die Bienen fressen sich dick und fett am Nektar. Alles ist beschleunigt, aber Bodas Nase ist ein verschlossenes Tor für das winzige Leben.

Allein mit Coyote.

Sie tritt ganz dicht an sein Grab. Die Hundeleute haben zusammengelegt und eine Grabstatue gekauft. Leider hatte der Steinmetz so kurzfristig keinen Dalmatiner auf Lager, daher wacht ein beigefarbener Labrador auf Coyotes Grab. Die Skulptur ist überwuchert von Efeu und Blumen. Die gemeißelte Schnauze ragt aus den Blüten heraus, und schwarze Blätter scheinen ein Fleckenmuster auf dem steinernen Körper des Labradors zu bilden. Coyote Hund wollte sich einfach nicht unterkriegen lassen.

Boda schmiegt ihr Gesicht in die Blumen, die das Grab des Taxihundes bedecken. Sie atmet den Pollen tief ein, in der Hoffnung auf irgendeine Reaktion. Irgend etwas, solange es sie nur wieder ins Lot bringt. Ihr Leben geht in die Brüche.

Das war meine Mutter, deren Arme mich umschlungen haben.

Nichts passiert. Kein Niesen, keine Tränen.

Vielleicht bin ich innerlich abgestorben, tot?

Nur noch Fragen, nur noch der Wille zum Überleben.

Hatte Columbus Coyote tatsächlich umbringen lassen? Ließ er wirklich den Schnupfen aus der Vurtwelt herüberkommen? Bestand ein Zusammenhang zwischen Coyotes Tod und dem Schnupfen? Steckten die Cops und die Taxis bei dieser Sache unter einer Decke?

Durch den wuchernden Efeu kann sie gerade noch ein gemeißeltes Auge ausmachen, ein Taxihundauge, das sie steinern anblickt. Boda nimmt ihre blonde Perücke ab, fährt sich mit der Hand über ihren Schädel. Dem Stadtplan wachsen Stoppeln. In drei Tagen ist Bodas Geburtstag. Dann wird sie neunzehn sein und vielleicht auch langsam zu alt für einen so ausgefallenen Kopfschmuck. Und überhaupt, wozu braucht sie schon einen Stadtplan auf dem Schädel, wenn sie doch sowieso nur noch Trambahn fährt und ihr die vereinte Streitmacht der Xcabs und der Cops auf den Fersen ist? Ganz zu schweigen von Gumbo YaYa. Oder ihrer eigenen Mutter. Boda kann nicht einmal einen Antrag auf Stütze stellen, weil dann ihr Name und Aufenthaltsort in den Inphobanken auftauchen würde. Ihr Geld ist für Trambahnfahrten draufgegangen, die allesamt ins Leere führten. Die junge Frau steht auf einem nächtlichen Friedhof, vor dem Grab eines Hundejungen, für den sie Lieder geschrieben und dem sie Liebesgedichte geschickt, den sie aber eigentlich kaum gekannt hatte.

Die Last der Welt ruht auf meinen Schultern, drückt mich hinunter in den Klammergriff der Erde. Aber ich werde nicht kapitulieren. Ich werde mich ihrem Verlangen nicht ergeben.

Bodas Verstand wird von diesen verschlungenen Gedanken geplagt, während sie eine Blume mit Stumpf und Stiel aus Coyotes Grab ausreißt. Ihre Finger bluten von den Dornen, und ihr Shadow tanzt durch das Gebüsch, getrieben von Efeu und Gräsern. Coyote steht vor ihr, eine reglose Statue, ein Fahrer toter Straßen. Boda zerrt einen verschlungenen Knoten aus Ranken vom Grabstein des Taxihundes. Die Ranken sperren sich dagegen, wehren sich, winden sich, bis der Stein abermals ganz von ihnen eingehüllt ist.

Boda legt eine einzelne Orchidee auf das Grab.

Freitag
5. Mai

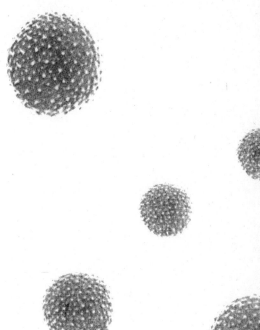

Die Straße war ein Teppich aus weichen Blüten, durch den meine Reifen krochen. Die Ampeln Ecke Oxford und Whitworth waren mit Efeu zugewachsen. Es war schwierig, die Lichter umspringen zu sehen, von Rot über Gelb zu Grün; überall nur grüne Stengel, rote und gelbe Blumen. Es spielte keine Rolle; war doch meins eines der wenigen Autos, die noch auf den Straßen unterwegs waren. Der Schnupfen ließ sich Zeit mit mir. Ich mußte immer wieder an Juwel denken, der daheim in der Wohnung lag und litt. Ich hatte ihm sogar eine Gumbo-YaYa-Pollenmaske gekauft, seine Nase mit *Sneeza Freeza* eingeschmiert, sämtliche Ritzen seines Zimmers mit *Gumbo-YaYa-patentierter Schutzversiegelung* gesichert. Alles umsonst; mein Kind starb. Das wurde mir jetzt klar. Der Schnupfen hatte meine Stadt in eine blühende Wüste verwandelt. Ein Paradies, das niemand wollte, nicht einmal die Hunde, die endlich auch vor den Pollen in Deckung gegangen waren. Vielleicht sammelten sie aber ihre Kräfte auch nur für einen großen Showdown. Freitag morgen. Hier und dort wanderten ein paar Streifencops umher, hauptsächlich Robos, aber total maskiert bis an die Augäpfel. Niemand war sicher. Die Cops waren nicht mehr dazu da, das Verbrechen zu bekämpfen, sie waren eher wie Beschützer, die die Leute von den Straßen und den Pollen fernhielten. Über dem Eingang des Vurt-Palast-Theaters verbreitete ein Laserschild folgende Botschaft – EINE GESUNDHEITSWARNUNG SEINER MAJESTÄT: DER POLLENSTAND STEIGT, DAS RIECHEN AN DEN BLUMEN IST TÖDLICH. Entlang der ganzen Oxford Street wuchsen Akeleien, Kamelien, Mimosen und tausend andere Blumenarten aus den Ritzen und Rissen im Asphalt, hefteten sich an meine Fersen, hielten mich fest. Fünfundsechzig Prozent der Bevölkerung litt unter schwerem Heuschnupfen. Die Zahl der bekannten Todesfälle war mittlerweile deutlich zweistellig, die ursprünglichen Morde nicht mitgerechnet. Die

Türme Manchesters wurden von Flora erstickt. Es war wie ein Dschungel, durch den ich dort fuhr. So viele Menschen tot, und noch immer kein Copweg zu einer Lösung. Keine Spur von dem Blumenmädchen namens Persephone. Chief Kracker hatte wegen meines »unerklärlichen und unzulässigen Verhaltens« einen Fahndungsbefehl für mich ausgegeben, und überall in der Stadt suchten die Cops nach mir. Ich hatte mich natürlich seit dem gestrigen Debakel mit Clegg und Belinda vom Revier abgesetzt, Aufenthaltsort unbekannt. Ich hatte mich unerlaubt von der Truppe entfernt und kam mit dem Fall nicht weiter, während die Stadt um mich herum langsam aber sicher von den Samen verrückt wurde. Der Pollenstand war über die letzten Stunden alarmierend in die Höhe geschossen, 1200 und Tendenz deutlich steigend, beinahe so, als würden die Blumen ungeduldig werden. Schlechte Zeiten auf dem Planeten Erde. Die Stadt weinte. Wenn Manchester dem Zauber der Blumen verfiel, dann würde die ganze Welt dasselbe Schicksal erleiden, Stück für Stück, eine Stadt nach der anderen. Die Behörden hatten an allen vier Toren Sperren errichtet, um zu verhindern, daß die Vaz-Laster den Schnupfen verbreiteten. Vielleicht zu spät. Die Leute gaben den Cops die Schuld an der Gefahr, angestachelt von Gumbo YaYas Piratenstimme.

Auf der Rochdale Road kam ich an einem Straßenschild mit der Aufschrift *Willkommen in Namchester* vorbei. Vor mir ragten schweigend die sieben Türme von Nam auf, die dunklen Giganten-Silhouetten vor einer aufgeheizten Sonne. Zehn Jahre zuvor war dieses Viertel in Folge des Hochhauskrieges verödet, jetzt waren die Türme das Zuhause der Wohlverdienten und der Wohlverdienenden. Zero begrüßte mich am Eingang zu Festung Eins, einem feuchten, von Blumen überwucherten Zementklotz. Er führte mich hinauf zu seiner Wohnung, sein Gesicht verdeckt von der jüngsten »vollständig neuen und verbesserten« Pollenmaske. Seine Schulterwunde war von Robo-Skinner geschlossen worden. Seine Wohnung bot allen menschlichen Komfort im Überfluß und nicht einen Hauch von Hundewelt. Auf der überpolsterten Schlafcouch saß ein junger Mann. In den Händen hielt er verkrampft einen gepanzerten

Probenbehälter, so als wäre darin ein lebende tollwütige Ratte. Er war ein reinherziger Einzelgänger. Sein Shadow war durchzogen von Schwäche. Zero stellte ihn mir als Jay Ligule vom Botanischen Institut der Universität Manchester vor. Ligule hatte Beweisstücke mitgebracht, einige Mikrofedern.

Der Alexandra-Park-Zwischenfall hatte den Bruch zwischen Zero und Kracker gebracht. Zero Clegg war jetzt ein einsamer Hund, der die Leine abgestreift hatte. Ich konnte fühlen, wie seine Lebensgeister übermütig durch seinen Shadow tollten. Er hatte sich von seinem verlorenen Herrn befreit.

Von jetzt an würden wir inoffiziell operieren.

Jay Ligule wedelte mit einer Mikrofeder vor mir herum, so als sollte ich in der Lage sein, solche Dinger zu schmecken. Ich sagte ihm, daß ich mit Federn nichts anfangen könne. Aber Zero hatte sich bereits ein Szenario überlegt. Er hatte sich vom Revier einen Federübersetzer »geliehen«, und die Inpho war von Ligule auf ein antikes Video überspielt worden. »Das ist der kleine Übeltäter«, verkündete Ligule, während auf dem Monitor ein bewegtes Bild erschien. »Amaranthus Caudatus. Oder zumindest eine Abart davon. Eine tropische Pflanze, blüht gewöhnlich im Hochsommer, und auch dann nur im Süden Englands.«

»Im Süden, sagten Sie?« Zero haßte den Süden.

»Ja. Amaranthus… das kommt aus dem Griechischen. Übersetzt heißt das eine imaginäre Pflanze, eine, die niemals welkt. Im Volksmund auch bekannt als Tränendes Herz.«

»Ich glaube, ich habe den Fall gelöst, Smokey«, sagte Zero. »Wir suchen nach einem irren Botaniker mit poetischen Neigungen. Ich denke, wir sollten diesen Mistbock endlich fangen und ihn in die Strangeways-Feder stecken. Was meinst du?«

Strangeways-Feder war der Ort, an den sie in jenen Tagen Häftlinge verwahrten; dort wurden ihre Körper gelagert, während ihre Träume durch winzige Zellen im Vurt trieben. Das war billig und abscheulich, aber es funktionierte.

Jay Ligule schaute vom Videobildschirm hoch. »Sehen Sie sich das an.«

… kleinstes Leben schwamm dort… Flocken… winzige Monstren… zuckende Blattwedel… Knoten von Dunkelheit hier und dort… Momente des Erkennens, die sich wieder im Geheimnis verloren…

»Sehen Sie die dunkleren Flecken?« fragte Ligule. »Die sind das menschliche Element.«

»Menschlich?« fragte ich.

»Prinzipiell haben wir es hier mit einer neuen Hybridenart zu tun. Eine Kreuzung zwischen Mensch und Pflanze. Diese dunklen Flecken sind menschliche Gene im Innern der Pflanzenzellen. Kirkpatrick war schockiert.«

»Kirkpatrick?«

»Universität Glasgow. Sie ist die führende Expertin auf dem Gebiet pflanzlicher Fortpflanzung.«

»Die Dame ist nicht zufällig eine irre Botanikerin, oder?« fragte Zero. »Vielleicht mit poetischen Neigungen?«

»Sie nannte diese Probe ein Monstrum. Wir haben es hier mit einem ernsten Problem zu tun, sagte sie. Menschen und Pflanzen, die Sex miteinander haben.«

Zero nieste.

»Heuschnupfen wird durch Sex verursacht«, fuhr Ligule fort. »Wußten Sie das? Er ist das Ergebnis davon, daß Blumen versuchen, einander zu lieben. Und dabei versagen. Der Schnupfen ist das Ergebnis von schlechtem Pflanzensex.«

»Interessante Spielart«, entgegnete Zero. »Könnten Sie das vielleicht etwas näher erklären.«

»Natürlich kann ich das«, begann Ligule. »Der Pollen wird im Staubbeutel, dem männlichen Geschlechtsorgan einer Blume, produziert. Von dort wird er durch den Wind oder Insekten weitergetragen, bis er die Narbe einer anderen Pflanze erreicht. Oder auch derselben Pflanze. Die Narbe ist das weibliche Geschlechtsorgan. Sie ist feucht und mit feinen Härchen bedeckt. Sie umklammert den Pollen, sorgt dafür, daß er sich wohl fühlt, damit er seine Proteine freisetzt. Diese dringen dann in die Narbe ein, auf der Suche nach der Eizelle im Innern. So lieben sich Blumen. Und manchmal kommt halt ein Mensch dazwischen.«

Zero: »Und das verursacht Heuschnupfen?«

»Der Pollen setzt sich in den Nasenlöchern des Menschen fest. Er findet dort einen feuchten, behaarten Ort vor und denkt sich ›das ist die Narbe – hier muß ich mich niederlassen.‹ Die Pollenkörner setzen ihre Proteine frei, die dann in die Nasenhöhle eindringen. Natürlich versteht der menschliche Körper das als einen Angriff und aktiviert daher sein Immunsystem. Wir versuchen, den Eindringling über Nase und Augen abzustoßen, mit Rotz oder Tränen. Heuschnupfen ist ein Verteidigungsmechanismus.«

»Sie sagten, daß Menschen und Pflanzen Sex miteinander haben?« fragte Zero und nieste erneut hinter seiner neuesten Maske. »Himmel! Da bezahlt man einen Wochenlohn für diese Dinger… und es nützt nicht das geringste.«

Ligule stimmte in sein Niesen mit ein und fuhr dann fort. »Der Körper stößt das Pollenkorn nicht mehr ab. Er behandelt es wie einen Liebhaber. Das Immunsystem versucht, gegen diesen Impuls anzukämpfen, aber das Fortpflanzungssystem wehrt sich dagegen. Und siegt. Der Körper nimmt das Pflanzensperma an. Kirkpatrick hat einige der Leichen untersucht. Der Pollen ist bis in die Gebärmutter vorgedrungen. Er verschmilzt mit der menschlichen Eizelle, so als wäre es eine pflanzliche Eizelle. Kirkpatrick denkt, daß das die nächste Stufe ist.«

»Und was für eine Stufe soll das sein?« fragte ich.

»Die nächste Phase der Evolution, besonders wenn man bedenkt, daß das Land als Ganzes immer mehr zu Kreuzungen neigt.«

»Heiliger Schnupfen!« Zero atmete tief durch seine Maske, machte dabei Laute wie ein Opfer. Ich hatte Mitleid mit ihm, aber gleichzeitig waren Ligules Theorien einfach zu interessant.

»Hat Kirkpatrick irgendeine Ahnung, woher die Pollenkörner stammen?« fragte ich.

»Wir vermuten, daß das Ganze auf Fruchtbarkeit 10 zurückgeht«, erklärte Ligule. »Wir halten es für möglich, daß Casanova Einzug in das Pflanzenreich gehalten hat.«

»Was soll das denn nun wieder heißen?« wollte Zero wissen.

»Floraphilie, so nennt Kirkpatrick es zumindest.«

»Und was meint sie damit?« hakte Zero noch einmal nach.

»Daß irgend jemand eine Blume gevögelt hat und daß dieser Heuschnupfen das Baby dieser Verbindung ist.«

»Heiliger Hundesohn!« schniefte Zero.

»Wir müssen alle Leichen verbrennen«, fügte Ligule hinzu. »Als Vorsichtsmaßnahme. Sie dürfen nicht begraben werden.«

»Warum nicht?« erkundigte ich mich.

»Das wäre so, als würde man ein Samenkorn vergraben.«

Eine Viertelstunde später, nachdem er uns alles erzählt hatte, was er wußte, und seine Proben wieder eingesammelt hatte, verließ Ligule Zero und mich. Ich machte Anstalten, dem Botaniker die Treppe hinunter zu folgen, aber Zero hielt mich am Arm zurück. »Geh nicht, Sibyl.« Ich konnte es nicht ertragen, mit ihm allein zu sein; mein Rauch war noch erfüllt von Erinnerungen an den Park. »Bitte, Sibyl. Laß es mich erklären. Hör mal, ich werde dir ein Essen kochen. Was sagst du dazu?«

Ich sagte überhaupt nichts.

»Kann ich das als ein Ja nehmen?«

Wir aßen schweigend. Es war ein gutes Essen. Ein durch und durch menschliches Mahl, keine Spur von rohem Fleisch darin. Grüne Sprossen, Feuerbohnen, eine kräftige Soße, scharfe Chilis und goldener Mais. Es war ein Heuschnupfengericht. Zero nannte es seinen Versuch, »sich dem Feind zu stellen«, dann verfiel er wieder in Schweigen. Er hielt sich seinen verletzten Arm, während er aß, so als wäre es ihm peinlich, von einem so jungen Mädchen verletzt worden zu sein, und als er schließlich abermals sprach, klang seine Stimme säuerlich. »Weißt du, was ich tue, Smokey? Ich versuche, gesund zu werden.«

»Ich weiß.«

»Ich gebe mir wirklich alle Mühe.«

»Ich weiß.«

»Aber du willst mir nicht helfen?«

»Du hast mich angelogen, Zero«, entgegnete ich. »Du hast mich hintergangen. Du hattest Befehl, mich zu töten. Meine Tochter zu töten. Kannst du dir überhaupt vorstellen, wie weh das tut?«

»Was sollte ich denn machen? Kracker war der Herr.«

»Und jetzt?«

»Es gibt keinen Herrn mehr.«

»Er ist in diesen Schnupfen-Fall verwickelt. Siehst du das jetzt? Er wird alles in seiner Macht Stehende tun, um uns in die Knie zu zwingen.«

»Ja. Ich weiß. Hör mal, wollen wir die Vergangenheit nicht ruhen lassen? Mir wäre das sehr lieb.«

»Es läßt sich nicht so leicht vergessen.«

»Ich erzähle dir alles.« Zeros Augen starrten mich durch die Filter der Maske an. Er weinte; es klang, als würde Regen gegen eine Scheibe prasseln. »Ich werde dir alles Wissen geben. Alle Hinweise und Spuren. Sibyl, ich versuche, meine Fehler wiedergutzumachen. Willst du mir denn nicht entgegenkommen?«

Ich wich seinem durchdringenden Blick aus. Wolken aus goldenen Pollen schwebten in der Luft vor dem hochgelegenen Fenster.

»Sibyl… du bist meine einzige Hoffnung.«

Ich sah ihn an. »Wie konntest du mir das nur antun?«

»Ich hatte keine andere Wahl. Scheiße, wahrscheinlich habe ich einfach zuviel Hund in mir.« Das war ein echtes Geständnis, und es verwunderte mich. »Ich stand unter Krackers Kontrolle. Ihr Menschen wißt ja nicht, wie das ist. Der Hund in meinen Adern ist ein Liebessklave. Und Kracker war mein Herr. Bitte… was kann ich denn noch sagen?«

»Erzähl's mir.«

»Bist du auf meiner Seite?«

»Erzähl mir alles.«

»Es ist vielleicht nicht gut für dich.«

»Erzähl's mir trotzdem.«

»Was hältst du von ein bißchen frischer Luft?« Zero stand vom Tisch auf und ging zu den Fenstern hinüber. Er öffnete sie und trat dann hinaus auf den Balkon. Ich folgte ihm. Draußen, auf jenem schmalen Vorsprung, schlang Zero seine Arme um mich, zog mich an sich. Panik brodelte in meinem Shadow hoch, wühlte ihn auf, stürzte ihn in Turbulenzen; es war einfach zuviel *Hund* um mich herum. Aber Zeros Atem war sterbend… sterbend. Ich konnte hören, wie er sich in der goldenen Luft verlor.

Wir beide dort draußen auf dem Balkon von Festung Eins, neunundzwanzigster Stock. Die Welt von Manchester fiel steil unter uns ab; und auch ich ließ mich fallen. Das Geheul der Hundeleute weit unten und weit weg; eine Flutwelle von frustriertem Gebell. Der Duft von Blumen in der Luft.

»Du weißt, was dieser Fall ist, oder, Sibyl?«

»Nein, das weiß ich eben nicht. Das Ganze ist mir einfach zu hoch.«

»Es ist ein Vurt-Fall, Smokey.«

»Was hat denn der Vurt damit zu tun?«

»Er ist der Schlüssel, Sibyl. Jene, die nicht träumen können…, sie bleiben verschont.«

»Zero!«

»Schon gut. Reg dich nicht auf…«

»Zero, die ganze Zeit höre ich bei diesem Fall nur Lügen. Was ist los? Hast du es bis jetzt nicht für nötig gehalten, mich einzuweihen?«

»Es war alles streng geheim.«

»Streng geheim? Meine Güte!«

»Kracker wollte nicht, daß wir irgend etwas darüber erfahren. Es war Tom Dove, der mir den Dodo-Hinweis gab.«

»Tom Dove, Allmächtiger! Er ist ein Vurtcop, stimmt's?«

»Einer der besten. Die Copcomputer haben eine Analyse erstellt. Man hatte genügend Daten. Hat alles in das Copgehirn eingegeben; erhielt folgende Antwort – Dodos niesen nicht. Dein Name ist in der Analyse auch aufgetaucht.«

»Was soll das heißen?«

»Das soll heißen, daß der Schnupfen aus dem Vurt herüberkommt. Bist du denn nicht längst selbst drauf gekommen?«

»Nein… ich…«

»Ich meine… nicht träumen… nicht niesen… das muß dir doch auch aufgefallen sein?«

Ich war Zero näher, als ich je eingestanden hätte, besonders jetzt, wo sein Atem pfeifend und mühsam ging und seine Augen tränten. Und wegen der Tatsache, daß er eine Waffe auf mich und meine Tochter gerichtet hatte. Und bei dem Versuch, uns zu töten, gezögert hatte. Absichtlich? Egal, es war eine Tat, die Leute unwiederbringlich trennen, aber auch näher zusammenbringen konnte. Vielleicht empfand er einen Schmerz, den ich nie kennenlernen würde. Ich war immun gegen Dinge, die ihm möglicherweise den Tod brachten. Ich hatte wirklich Mitleid mit dem großen Hundecop, und das war schon ein Schock für mich.

Zeros Pollenmaske war gen Himmel gewandt. Er trat ein Stück von mir weg, streichelte seinen verletzten Arm und drehte sich dann wieder zu mir um. »Die Inpho hat bereits die Straßen erreicht. Die Leidenden wenden sich gegen die Immunen. Sie nennen sie die Immen. Ich befürchte, es wird zu gewalttätigen Übergriffen kommen.«

»Was können wir tun?«

»Tom Dove glaubt, daß er herausgefunden hat, woher der Schnupfen stammt. Er hat die Spur bis zu einer bestimmten Region im Vurt zurückverfolgt. Der Pollen kommt durch ein Loch im Traum nach Manchester herein. Deshalb mußt du auch nicht niesen. Der Vurt läßt dich unberührt. Und genau deshalb brauche ich deine Hilfe. Ihr Dodos seid vielleicht unsere einzige Hoffnung?«

»Das ist doch verrückt, Zero.«

»Hör erst einmal zu, das ist nämlich noch nicht alles. Es ist jemand verschwunden, Jones. Es war ein Austausch.«

»Wirklich?«

»Ein gewisser Brian Swallow. Er verschwand, wenige Minuten bevor Coyote starb.« Zero legte ein Foto vor mir auf den Balkonsims. Er gab mir einen Moment, damit ich es ansehen konnte, bevor er fortfuhr. »Ein niedlicher Junge. Neun Jahre alt. Schwer Vurt. Er hatte die Feder in sich. Ein Wert von 9,98 auf der Hobartskala. Das ist ein ganz schön mächtiger Traum. Tom Dove hat in dem Fall ermittelt. Er hat herausgefunden, daß dieser Junge, dieser Brian Swallow... er wurde ausgetauscht, verstehst du... Wechselkurse?«

»Klar… Alles, was aus dem Vurt kommt…«

»Genau… Es muß gegen etwas Gleichwertiges aus der realen Welt eingetauscht werden. Tom Dove hat herausgefunden, daß der Junge gegen etwas aus Juniper Suction ausgetauscht wurde. Weißt du, was das ist? Das ist eine Himmelsfeder.«

»Na toll.«

»Der Heuschnupfen infiziert auch den Vurt, Sibyl. Er kommt von dort herüber. Aus Juniper Suction. Das ist die Welt, die John Barleycorn regiert. Kennst du ihn? Er ist eins der mächtigsten Vurtgeschöpfe. Ein wahrer Dämon. Tom Dove hat mir die Geschichte erzählt. Juniper Suction ist eine Art Jenseitsfeder für die Reichen. Eine dunkle Geschichte. Es geht um Barleycorn, den Sohn von Kronos, dem Gott der Zeit. Das ist so ein griechischer Mythos, der in den Vurt übertragen wurde, verstehst du? In Juniper Suction geht es darum, daß Barleycorn ein kleines Mädchen namens Persephone entführt hat. Persephone? Scheiße, was weiß ich schon, aber irgendwie paßt das alles zusammen, stimmt's? Du hast doch diesen Namen entdeckt, oder nicht, unten im Belle-Vue-Zoo?«

»Willst du damit sagen, daß Persephone aus dem Vurt nach Manchester gekommen ist?«

»Ich will sagen, daß diese Persephone… nun, augenscheinlich ist sie eine Göttin der Blumen und Fruchtbarkeit, dieser ganze Mist halt. Ich denke, es könnte sein, daß der Vurt aufbegehrt.«

»Was meinst du mit aufbegehren?«

»Vielleicht sucht die Vurtwelt nach einem Weg zu uns, nach einem Weg zurück. So wie die Zombies versuchen, zurück in die Stadt zu kommen, kapierst du? Ich finde, das ergibt einen Sinn. Die Dinge verändern sich, die Wand zwischen dem Traum und der Realität stürzt ein. Und Manchester ist nun mal der Fokus jener Wand. Wenn Manchester fällt… nun, dann… dann fällt auch die ganze Welt. Ich möchte, daß du mit Tom Dove zusammenarbeitest…«

»Nein.«

Zero hob die Hände an sein Gesicht, und als er sie wieder herunternahm, baumelte die Pollenmaske zwischen seinen Fingern. Er warf sie über den Balkon.

»Zero?«

Er atmete die goldene Luft tief ein. »Sibyl… wenn ich weiter diese Luft atme… dann werde ich sterben. Bedeutet dir das denn gar nichts?«

»Kommt nicht in Frage. Auf keinen Fall. Ich hasse den Vurt.«

»Dove ist bereit, sich gegen Kracker zu stellen. Genauso wie ich. Diese Sache ist uns zu wichtig.«

»Ich arbeite nicht mit einem Vurtcop zusammen. Das ist mein Alptraum.« Mein Stimme war erfüllt von einer Erblast. Ich ging zurück in das Zimmer, hielt auf die Wohnungstür zu.

»Sibyl?« Zeros Stimme hinter mir. »Es ist zu spät für Kleinmut, Sibyl.«

Ich öffnete die Tür.

Ein Mann stand auf der Schwelle. Ein ausrasierter Keil von orangefarbenen Haaren. Schlank und durchtrainiert.

Mein Shadow schreckte zurück, so als würde der Teufel höchst persönlich mich streicheln.

Wir wissen jetzt, daß die Unfähigkeit zu Träumen auf einer genetischen Veranlagung beruht, es fehlt ein gewisses Verbindungsglied in der Doppelhelix. Und die Angst vor jenen, die der Traum sind, ist angeboren und unausweichlich. Die Reaktion eines Unwissentlichen auf ein Vurtgeschöpf ist wie die einer Maus gegenüber einer Katze. Sie operiert auf derselben Realitätsebene, tief unten in den Ursprüngen des Körpers.

Zeros Stimme: »Sibyl, das ist Tom Dove.«

Ich reagierte auf den Eindringling. Mein Rauch war durchzogen von Angst. Tom Dove begrüßte mich, aber mein Shadow schrie. Er wollte, daß ich wegrannte, so weit und so schnell wie möglich.

»Sibyl, bitte setz dich.« Ich nahm Zeros Worte durch ein Beben von Hitze wahr. »Ich glaube wirklich, daß dies die Lösung ist. Stell dir doch nur mal vor, Sibyl: Ein Cop, der nicht träumen kann… in einem Team mit einem Cop, der der Traum *ist*…«

Das würde ein Alptraum werden. Und das sagte ich Zero auch.

»Sibyl, ich werde bald sterben«, erklärte er. »Der Schnupfen wird mich umbringen. Daran gibt's nichts zu rütteln.« Und das von einem Hundecop, der es während der Stütze-Aufstände allein mit dem Hundemob von Bottletown aufgenommen hatte. Jetzt jedoch klang seine Stimme flehend. »Würdest du dich bitte zusammenreißen, Smokey? Schau dich in diesem Zimmer um. Wie viele Cops siehst du hier? Wir stehen allein gegen den Schnupfen. Ich, du und Tom. Wir haben heute morgen weitere fünfzig Bürger verloren. Vielleicht bin ich als nächster dran.«

»Nein… ich… bitte, schaff ihn weg von mir.« Ich fuchtelte mit meiner Hand in Richtung Tom Dove, so als könnte ich damit seine Vurtheit abwehren. Tom Dove seinerseits stand einfach nur da, sein wunderschönes Gesicht wie versteinert. Ich glaubte fast, seine Vurtflügel in der Wohnung flattern zu sehen. Tom Dove sprach kein einziges Wort. Ich versuchte einen großen Bogen um ihn zu machen, auf die Tür zu.

»Wofür, zum Teufel noch mal, hältst du mich?« knurrte Zero. »Denkst du vielleicht, es macht mir Spaß, mir die Eingeweide rauszuniesen? Denkst du, ich will an diesem Rotz sterben? Verflucht noch mal, ganz sicher nicht! Ich will auf dem Schlachtfeld sterben, wie es einem guten Hund ansteht. Tom meint, er könnte deinen Shadow in den Traum schicken. Frag mich nicht wie. Ich bin nur ein armer, sich zu Tode niesender Hund. Also reiß dich jetzt bitte zusammen, ja?«

»Zero! Das ist einfach zuviel für mich. Ich…«

»Tu es!« Und dann nieste er gewaltig, maskenlos…

HAAAAAAAAAAAAAATSSSSSSSSSSCHHHHHHH!!!!!

»Du mußt mir helfen, Sibyl«, bettelte er. »Du bist meine letzte Hoffnung…«

Ich trat hinaus in den Flur. »Besorg dir lieber eine neue Maske, Zero.« Ich schlug die Wohnungstür hinter mir zu und lief davon.

In jener Nacht fanden wir das erste Opfer des Großen Niesens. Sie war ein Dodo. Daher immun. Eine Imme.

Ihr wirklicher Name lautete Christina Dewberry.

Sie war eine junge Frau, fast mit dem College fertig, wo sie Bio-Plastik und *Hardwere*, die Zwillingsfundamente des Robohundelebens, studierte. Christina war genetisch perfekt, mit einer kristall-klaren Intelligenz gesegnet, und ihre Dozenten an der Universität Manchester hatten den »objektiven« Blick ihrer Metahundologie-studien gepriesen. Eins der großen Metahundunternehmen hatte ihr bereits eine Anstellung zugesagt, sobald sie ihren Abschluß in der Hand hatte. Im Verlauf meiner Ermittlungen wurden mir auch ihre letzten Hundeentwürfe gezeigt. Sie waren in der Tat beeindruckend: kalt und rückhaltlos zweckorientiert, aber gerade dadurch auch um so atemberaubender.

Christinas Leiche wurde im Gebüsch hinter der St.-Ann's-Kirche gefunden. Als wir dorthin kamen, hatten die Büsche ihre Leiche be-reits völlig überwuchert. Aber es war kein Tod durch Blumen. Dies war ein menschlicher Tod.

Um 22 Uhr 34 hatte sie Corbiere's Winebar verlassen, zu betrun-ken, um noch mit der Trambahn zu fahren, und hatte sich deshalb entschieden, kostbares Stipendiumsgeld für ein Xcab zu verschwen-den. Sie wohnte in Rusholme, nicht weit weg, es würde schon nicht die Welt kosten, und schließlich stand ihr doch eine gutbezahlte Stelle in Aussicht, oder? Es war der Geburtstag eines ihrer College-freunde. Zeugen im Lokal sagten aus, daß sich Christina während des Abends durch die Tatsache, daß sie nicht nieste, bedroht gefühlt hatte. Das ganze Lokal litt unter dem Schnupfen, und sie hatte die eisigen Blicke der anderen gespürt. Eine Bande von übermütigen Roboburschen hatte angefangen, Christina deswegen aufzuziehen, und sie als Imme beschimpft. Ihre Freunde hatten zwar versucht, Christina zu beschützen, aber selbst sie fühlten sich ihr plötzlich fremd, so sehr sie sich auch dagegen wehrten. Sie nannten sie »die Jungfrau«. Um halb elf war ihr alles – die schäbige Umgebung, der durch die Luft fliegende Schnodder, die ständigen Beschimpfun-gen – zuviel geworden. Christina war geflohen, zu einem Taxi aus der wartenden Reihe am St.-Ann's-Taxistand, das sie nach Hause bringen sollte.

Sie schnappten sich Christina, bevor sie noch eins von beidem er-reichte, zerrten sie in das Gebüsch hinter der Kirche. Ich stelle mir vor, wie sie sich verzweifelt gewehrt hat, während sich eine Traube von Masken über sie beugte. Und dann wurden die Masken eine nach der anderen gelüftet, um alle Variationen der Hybriden zu enthüllen: Hund und Mensch, Shadow und Robo. Christina hatte sie angefleht aufzuhören, aber ihr geöffneter Mund war nur eine Einladung für den Mob gewesen; die Leidenden hatten auf sie geniest, hatten ihre Krankheit gefeiert. Ihr Anführer war ein großschnauziger Hundejunge, und er rammte seine Schnauze in ihren Mund und nieste dann seine ganze Wut und seinen ganzen Neid heraus. Anschließend hatte sich sein Rudel von Anhängern Christina einer nach dem anderen vorgenommen, und jeder von ihnen hatte seine Ladung Rotzgift in ihr hinterlassen.

Ich hatte das alles von den Xcab-Fahrern gehört, die sich um den Tatort geschart hatten, ein lachendes, feixendes Mord-Publikum. Nur einer hatte versucht, dazwischen zu gehen, und er war beiseite gestoßen worden. Das war Roberman gewesen. Natürlich hatte ich an jenem Tag keinen »offiziellen Einsatzbefehl« für Polizeiarbeit, aber einige der Cops waren mehr als hilfsbereit; ich vermute, Krakker muß auf etliche Zehen getreten sein.

Ich hatte in jener Nacht Roberman befragt, und er erzählte mir von der Abscheu, die er während des Großen Niesens empfunden hatte. Natürlich konnte ich anfangs kein einziges geknurrtes Wort verstehen, nicht einmal, nachdem ich den Shadow voll aufgedreht hatte. Es war nun einmal keine Spur von Mensch an Roberman, bloß Hund und Robo, und der Shadow eines Robohundes ist nur schwer zu empfangen. Seine Gedanken zu lesen war so, als würde man sich im Dunkeln durch einen Keller tasten. Verschiedene Hundecops hatten sich zwar an einer Entschlüsselung versucht, aber alle mußten sich letztlich geschlagen geben. Schließlich war Zero Clegg auf der Bildfläche erschienen, herbeigerufen von einem seiner Kontakte in der Hundewelt. Zero hatte sich mit Begeisterung auf diese neue Aufgabe gestürzt und Robermans kehliges Gejaule mühelos für mich ins reine übersetzt. Doch ich konnte selbst mit bloßem Menschenauge erkennen, wie sehr es dem Robohund ans Herz ging, als er aussagte, was er gesehen hatte. Das Große Niesen. So nannten die Leidenden die Ermordung durch Niesen. Roberman beschrieb alles, aber die Namen der Täter konnte er nicht nennen, ebensowenig wie die anderen Fahrer. Die logen alle wie gedruckt, lediglich dieser Robohund blieb der Wahrheit treu. Und jetzt erkannte ich auch die wahre Ursache für Robermans Trauer; erkannte, woher dieser verschnupfte, unmenschliche Mutant mit der schnodderverklebten Plastikschnauze sein Mitgefühl für jene, die nicht niesen konnten, hatte. Er stand Boda nahe. Da war eine tiefe Einsamkeit in seinem Shadow, die Einsamkeit einer Kreuzung, und nur meine Tochter hatte vermocht, ihn dort zu erreichen. Zero erzählte ihm, daß ich Bodas »Wurfmutter« wäre. Danach war es ganz einfach. Er sagte uns, daß Boda zum Zeitpunkt des Mordes an Coyote am St.-Ann's-Taxistand mit ihm gesprochen hatte. Columbus hatte also bezüglich der Taxidaten gelogen. Boda war unschuldig an Coyotes Tod.

Zwei junge Mädchen als Treibgut der Einsamkeit; Boda und Christina, Zwillinge des verlorenen Lebens. Sie beide bedienten sich der Träume, die sie selbst niemals empfinden konnten.

Die Cops hatten Christina Dewberry aus den Ranken gezerrt, die ihre Leiche hartnäckig festhielten; ihre Augen waren weit aufgerissen und starr, und auf ihren Lippen klebte ein getrockneter Strom von Blut. Im Pathologielabor hatte Robo-Skinner dann seine scharfen Kameras in ihren Mund geschoben, und die Untersuchungsergebnisse wurden mir telefonisch in meine Wohnung übermittelt…

Bericht: Lunge des Opfers durch Rotzgeschosse geplatzt. Tod durch Passivniesen.

Das war der Moment, in dem die Stimmung der Leute umschlug, sich von Leugnung in Akzeptanz verwandelte. Der Schnupfen griff um sich. Es war eine fließende Welt, und es bestand Gefahr für alle, die darin lebten.

Sogar für jene, die nicht träumen konnten. Ich, meine Tochter…

Boda kann nicht nach Hause zurückkehren, also hat sie sich für ein paar Tage in einer schäbigen Pension in Fallowfield einquartiert. Im Moment sieht sie sich gerade Blush auf dem antiken Fernseher im Zimmer an, schaut zu, wie Coyotes Freundin sich in einer billigen

Seifenoper namens *Comatose Road* ihren Lebensunterhalt verdient. Boda hat sich mit den Beuteln, die als Gratisgeschenk an die Pensionsgäste verteilt wurden, irgendein plörriges Heißgetränk aufgebrüht. Die Flasche Boomer, die sie Country Joe gestohlen hat, steht auf der wurmstichigen Kommode. Über dem Bett, auf dem Boda liegt, hängt eine nackte Glühbirne. Das Licht ist eine lockende Versuchung für alle Manchester Motten; sie flattern immer wieder gegen die gläserne Oberfläche, bis ihre Flügel verkohlt sind. Boda schaut ihnen teilnahmslos beim Sterben zu. Mögen die Motten und alle anderen Geschöpfe in Frieden sterben. Mögen sie ihr gerechtes Ende finden.

Blush spielt einen Neuling in *Comatose Road*, die jüngste Tochter von Len Dirtycloth. Len Dirtycloth hatte kürzlich Betty Swine geheiratet, die sich nunmehr Betty Dirty-Swine nannte. Blush spielte das lang verschollene Kind aus Lens zügellosen Jahren, als er jede Frau in der Comatose Road gevögelt hatte, völlig hemmungslos und ohne die geringste Reue. Jetzt mußte er für jenes geraubte Vergnügen bezahlen. Blush war ein Alptraum, aus dem es für Len Dirtycloth kein Erwachen gab. Sie war seine Seifenoper-Nemesis.

Boda reißt sich aus der Fernsehwelt los; ihr Kopf erfüllt von Shadows. Und die Welt, in die sie zurückkehrt, ist klamm von Schweiß und Liebessäften. Das Zimmer ist ein heruntergekommenes Paradies für Heimatlose, ein feucht glänzendes Sammelbecken für Sperma und Verzweiflung.

Boda hat kaum noch Geld.

Boda hat kaum noch Hoffnung.

Dieses traurige Zimmer war während der letzten zwei Nächte ihre ganze Welt. Sie mag nicht mehr ausgehen. Sie will nichts mehr vom Leben dort draußen wissen. Das Leben dort draußen ist voll von Dämonen. Xcabs, Coyote, die Cops, Gumbo, ihre Mutter, Columbus, die ehemalige Boda, der ehemalige Karo. Sie alle fordern ein Stück von ihr. Das Zusammentreffen mit ihrer Mutter in jenem Blumenpark war einfach zuviel gewesen. War ihre Mutter wirklich ein Cop? Das wäre die schlimmste Demütigung. Erinnerungen bedrängen sie, bis das Gesicht ihrer Mutter über *Comatose Road* zu schweben scheint. Ihre Mutter sitzt in der Schankstube des Sleeping-Queen-Pubs, in dem alle Anwohner der *Comatose Road* tranken. Ihre Mutter trinkt sich irgendwie in Bodas Shadow hinein.

Boda weiß nicht einmal, wie ihre Mutter heißt.

Sie steht vom Bett auf und schaltet den Fernseher aus. *Comatose* verliert sich im Staub. Boda ist wieder allein. Sie wartet. Auf was? Blumen wuchern vor den Fenstern des Zimmers, obgleich es im zweiten Stock liegt. Draußen auf der Straße bellen Hunde. Die Natur wird zu einer tödlichen Gefahr. Boda greift tief in ihren Shadow, sucht nach ihren Erinnerungen. Sucht nach ihrem Leben, bevor die Xcabs ihr alles nahmen.

Sie findet nichts.

Dunkelheit, Dunkelheit. Boda schaut zu der Flasche Boomer auf der Kommode. *Vielleicht ist es an der Zeit? Mach endlich allem ein Ende.* Sie weiß, daß Boomer bei falschem Gebrauch töten kann.

Da war ein Loch in deinem Stadtplan, meine Tochter. Du warst kurz davor, hindurch zu fallen.

Columbus hatte ihren Tod gewollt. Warum nur? Weil sie irgend etwas wußte? Aber was, zum Teufel, wußte Boda? Sie hatte keine Ahnung. Hatte der Taxikönig auch Coyote umgebracht? Hing das alles irgendwie zusammen? Fragen über Fragen. Es gibt nur einen Weg, Antworten zu finden: Sie muß auf den Plan zurückkehren.

Boda muß mit Zentrale sprechen. Sie muß ihn von Angesicht zu Angesicht mit den Fragen konfrontieren.

Wie kann sie das erreichen?

Boda schaltet das Radio ein, sucht die Skala ab, bis sie den Piratensender findet.

Gumbo spricht direkt zu ihr…

»Boadicea, meine Schöne. Der Gumbo ist in die Xcab-Daten abgetaucht und dort auf eine Unregelmäßigkeit gestoßen. Sie sind verändert worden. Man hat sich an ihnen zu schaffen gemacht. O ja! Zuhörer, hört zu. Boda war nicht einmal in der Nähe von Alexandra Park, als Coyote starb. Jemand versucht also, ihr den Mord in die Schuhe zu schieben, und dieser jemand kann nur Columbus höchstpersönlich sein. Wer sonst hätte Zugang zu den Daten? Boda ist unschuldig. Die Schuld haben die Taxis, und vielleicht auch die Cops, denn stecken die nicht alle unter einer Decke? Ich hatte eine Belohnung von fünf goldenen Federn auf den Kopf von Coyotes Mörder ausgesetzt. Jetzt setze ich sechs dieser kleinen Kostbarkeiten für den Aufenthaltsort seiner unschuldigen Geliebten aus. Der Pollenstand steigt stetig weiter. 1257 Körner pro Kubikmeter. Boda, bist du dort draußen? Hörst du mich? Komm heim zu mir. Du weißt, daß das Haus des Gumbos ein sicherer Ort ist. Die Cops und die Taxis werden dich hier niemals finden. Um dich auf deiner Reise zu mir zu beflügeln, spiele ich nun mein Titellied. Ja genau. ›Hippy Gumbo‹ aus dem Jahr 1967, von einem gewissen Marcus Bolan, prä-Tyrannosaurus Rex. Mögen alle Teile seiner bei dem tragischen Autounfall zerfetzten Seele in Frieden ruhen…«

Musik. Der Moment der Entscheidung…

Es gibt niemanden sonst, dem sie trauen kann.

Direkt vor der Fallowfield-Pension gibt es eine Telefonzelle. Sie nimmt Münzen. Boda wartet einen Moment, um den Mut zu finden, dann steckt sie ein paar ihrer letzten Pennies in den Schlitz.

Sonnabend
6. Mai

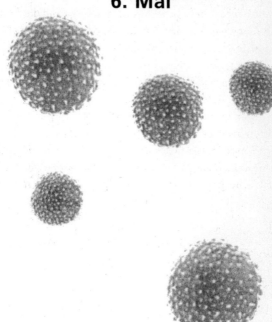

Belinda, unsere Geschichten bewegen sich immer mehr aufeinander zu, nähern sich dem Moment, wo sie eins werden.

Meilen und Meilen und Meilen; psychedelische Lichtwellen in einem vernebelten Keller. Klangwellen von Musik. »Strawberry Fields« schallt aus dem Lautsprecher, als Boda in die zärtlichen Liebkosungen purzelt. Wanita-Wanita, eine funkige Schwarze mit stilechten Schlaghosen und einer gigantischen Afrofrisur, tanzt zu diesem Funk des Nordens. Sie umfaßt Bodas Taille, führt sie hinab in den Trip…

Boda steigt in einen dunklen Raum voller leuchtender Federn hinunter. Farben strahlen von schillernden, fedrigen Büscheln, die an den feuchten Wänden hängen. Überall verstreut stehen elektrische Gerätschaften herum, ihre Rückwände herausgerissen, um Platz für die Kabel zu schaffen, die sie untereinander verbinden. Alle Kabel treffen sich in einem verschlungenen Liebesknoten. Einige von ihnen sind an eine alte Autobatterie angeschlossen, andere an Steckdosen, der Rest führt zu einem Kabel, das aus der Lampenfassung an der Decke baumelt. In der Mitte des Kabelgewirrs sitzt Gumbo YaYa höchstpersönlich und verbindet ein rotes Kabel mit einem weißen und einem blauen. Produziert Funken. Boda kann das Feuer in ihrem Shadow fühlen; Impulse von Wissen, die in den Rauch sickern. Vier elektrische Schreibtischventilatoren erzeugen einen sanften Luftzug im Keller, auf dem bunte Federn schweben, wie Bruchstücke eines Traums. Belinda ist unwohl inmitten all dieser Flüge. Plötzlich züngelt loderndes Feuer von einer Platine hoch. Gumbo YaYa spuckt auf die Flamme. Die Beatles sind so laut, daß der Raum im Rhythmus zu pulsieren scheint. Hier und dort flackern Lichter, wie die Lightshow einer Disco. Bilder kreisen an den Wänden, ausgestrahlt von altmodischen Filmprojektoren. Wanita-Wanita hat mittlerweile enttäuscht Bodas Taille losgelassen, weil sie keinen Tanz in der flüchtigen Fahrerin fand, und nun genießt sie den Trip allein, wiegt ihren Körper wie in Trance zum hämmernden Beat. Boda kommt sich wie ein einsamer Eindringling vor. Boomeraroma wabert durch einen purpurnen Nebel.

Nichts scheint real.

Gumbo YaYa ist ein faltiger Zauberer mittleren Alters, der sich hinter einer verkletteten Matte aus schmutzig-blonden Haaren versteckt. Er trägt purpurne Pumphosen und ein mit Spiegelpailletten verziertes Großvaterhemd. Bislang wurde noch kein Wort gesprochen. Seine vaz-beschmierten Lippen kleben am Mundstück einer riesigen Wasserpfeife, in der Boomer blubbert. Boda kann riechen, wie der süße Saft sich auf ihrem Shadow in Rauch verwandelt. Verlangen regt sich in ihr, sie möchte einen tiefen Zug von dieser Leckerei nehmen, und als Gumbo den Schlauch aus seinem Mund nimmt und ihn ihr anbietet, greift sie ohne zu zögern zu.

Eine Portion Peace and Love für die Welt.

»O Mann, o Mann... das ist...« Gumbos Stimme ist triptief und jenseits von allem. »Was für ein Saft! Nimm zwei und reich's weiter.«

Es ist eine starke, illegale Mischung aus Glückseligkeit und Gefahr, und Bodas Verstand wandert durch ein Labyrinth der Lust. Gumbo sagt etwas zu ihr, aber die Musik und die Drogen machen ein Rätsel daraus. Irgend etwas über ihre Vergangenheit?

Die Welt ist ein einziger Strudel. Farben und Funken, die zu einem Kompositum aus Liebe verschmelzen. Der Boomersaft wirkt. Boda kann nicht mehr erkennen, wo sie ist. Der Raum ist schlüpfrig von Licht und Hitze und Federn.

»Ich weiß nicht, was ich bin«, sagt sie, halb als Antwort. »Ich bin ein Mysterium.«

Gumbo bewegt seine Hände durch die Luft, ein langsamer Tanz, wie Tai Chi, und die Musik wird etwas leiser. Boda kann ihn jetzt verstehen. »Gut gesagt... echt klasse... du bist nicht mehr im System gespeichert, Ya Ya?« Ohne seine Radiofilter ist Gumbos Stimme ein bebendes Kieksen, genährt von zu vielen Drogen, zu viel Paradies.

»Ich weiß nicht, was passiert ist«, erwidert Boda und reicht die

Wasserpfeife wieder an Gumbo zurück. »Ich habe mich ausgeklinkt, als das Taxi zum Maverick wurde. Ich bin jetzt ganz allein. Keine Erinnerungen.«

»Mann, das muß ja ein totaler Hirnfick gewesen sein.«

»Ich kenne nicht einmal meinen Namen. Nicht einmal meinen zweiten Namen.«

»Dein Prätaxi-Rufname? Keine Sorge. Den kann ich dir sagen.«

»Das kannst du?«

»Klare Sache, Zuckerschnäuzchen. Dauert nur einen Moment. Das Lied geht zu Ende…« Gumbo drückt einen Schalter an einem alten Radiomikrofon und beginnt; der selbstgebaute Frequenzverstärker verwandelt seine Stimme in einen Honigbaß, trotz des Niesanfalls, der ihn schüttelt. Außerdem steckt er sich noch eine blausilberne Feder in den Mund, bevor er spricht: »Entschuldigung bitte. Das waren die Beatles, und das hier ist Gumbo YaYa mit einer Sensation für all seine treuen Zuhörer. Ich habe heute einen Überraschungsgast bei mir in der Sendung. Ich werde jetzt für euch das *Piper at the Gates of Dawn*-Album von Pink Floyd spielen, in voller Länge, liebe Leute, während der gute Doktor mit dem Gast plaudert. Ich melde mich dann wieder so schnell wie möglich live mit den neusten Neuigkeiten über die flüchtige Xcab-Kriegerin. Huch! Hab' ich mich jetzt etwa verraten? Was bin ich doch für ein alter Hippie-Schelm!«

Wanita-Wanita setzt die Nadel auf die Rille, Vinylversion. Es ist ein echter Plattenspieler aus den 1960ern, winzig und zittrig, die Bässe hochgeputscht von einem zusammengeschusterten Zauberkasten, der auf einem Stapel von *Popular Vurt Mechanic*-Magazinen steht. Von der offenen Rückseite des Plattenspielers führen Kabel zu Verstärkern, in deren diversen Anschlußbuchsen Vurtfedern stecken. An den Wänden tanzen die Höhen und Bässe als schillernde Regenbogen. Oben auf der Musikanlage steht ein selbstgebauter Pollenzähler, zusammengebastelt aus Federn und Röhren. Anzeige 1594, Tendenz steigend.

»Du hast also den Weg zu mir gefunden?« fragt Gumbo.

»Ich bin hier, oder nicht?«

»Du solltest etwas mehr Respekt zeigen, Madam«, bemerkt Wanita. »Es ist nur wenigen vergönnt, den Palast von Gumbo zu besuchen.«

Boda weiß nicht, was sie sagen soll. Die Musik wickelt sie in immer enger werdende Windungen der Seligkeit ein. Boda kann einfach nicht glauben, daß der berühmte Hi-Tech-Sound des Gumbos aus einer solchen Low-Fi-Anlage stammt, und das sagt sie ihm auch. Gumbo versucht nicht einmal, ihr zu antworten; sein Kopf schwebt bereits in anderen Sphären. Er wiegt sich wie eine träge Schlange.

»Gumbo mag es primitiv«, erklärt Wanita ihr, während sie zu den neueren, weicheren Rhythmen tanzt.

»Wofür ist die blau-silberne Feder?«

»Das ist Cherry Stoner. Eine von Gumbos eigenen Schöpfungen. Die Sache ist die, daß der Gumbo volle vierundzwanzig Stunden am Tag zugedröhnt ist. Der gute Hippie ist seit neunzehnhundertsechsundsechzig stoned, und damals hat er noch nicht einmal *gelebt*. Cherry Stoner erlaubt ihm einen Moment der Klarheit.«

»Mein Gott.«

»Nicht ganz das, was du erwartet hattest, was?«

»Kann er mir wirklich helfen, Wanita?«

»Kleine, ihm kann niemand das Wasser reichen.«

Gumbo hat diese Unterhaltung von seinem Sitzplatz auf dem Boden verfolgt, seine Augen erfüllt von einer anderen, schöneren Welt. Jetzt greifen seine Finger träge nach der Cherry-Stoner-Feder. Er lutscht genüßlich daran, dann sagt er: »Alles, was du hier siehst, Boda, stammt original aus den Sechzigern. Natürlich hochfrisiert auf einen futuristischen Standard, versteht sich, aber ich bin nun mal der festen Überzeugung, daß dieses verlorene Jahrzehnt das beste Jahrzehnt aller Zeiten war. Weißt du irgendwas über jene Zeit, Taxifahrerin?«

»Nicht viel.«

»Es war die Zeit der Happenings und der Flower Power. Eine Zeit des Umbruchs. Deshalb fasziniert mich diese Schnupfenepidemie ja auch so, trotz aller Gefahr. Was dieses Niesen angeht, bin ich total geteilter Meinung, du weißt schon, zwei Seelen wohnen, ach, in meiner Brust, wie's so schön heißt. Die Blumen feiern ein Comeback, und die Welt wird immer heftiger. Alle Wälle werden niedergerissen. Die Stadt ist im Moment so verdammt *saftig.*«

»Kannst du mir etwas über meine Vergangenheit erzählen?«

»Das kann ich. Ya Ya! *HAAAAAAAAAATSSSSSSCHIIIIIIIII!!!!*«

»Gesundheit«, sagt Wanita-Wanita.

»Entschuldigung. Wunderbar.« Gumbo bewegt seine Hände, und die projizierten Bilder verwandeln sich in eine lange Liste von Worten, die eine Botschaft an die Wand schreiben. Bodas Vergangenheit. »Ich habe das aus den Taxidateien stibitzt. Viel Spaß beim Lesen, Süße…« Und damit schaltet sich YaYa abermals ab.

Boda liest ihre Geschichte von den Wänden. Ihr richtiger Name: Belinda Jones. Besondere Merkmale: Shadow und Dodo. Ihr Geburtsdatum und Geburtsort. Der Name ihrer Mutter: Sibyl Jones. Beruf ihrer Mutter: Shadowcop.

»Meine Mutter ist ein Cop.«

Gumbo schwebt abermals in anderen Sphären. Wanita spricht für ihn. »Deine Mutter ist tatsächlich ein Shadowcop. Und jetzt ist das Copkind bei uns in der Sendung. Der Gumbo ist begeistert, glaub mir.«

»Wir haben früher in Victoria Park gelebt?«

»Die Taxidateien lügen nicht.«

Boda wirft Wanita einen schrägen Blick zu.

»Nun… jedenfalls nicht oft, Kind.«

»Lebt meine Mutter noch immer dort?«

»Das läßt sich leicht herausfinden, Boda. Oder soll ich dich Belinda nennen?«

Sie muß nicht lange überlegen. »Nenn mich Belinda.«

»Belinda, Belinda!« ruft der vollkommen zugedröhnte Gumbo. »Ausgezeichnet! Willkommen daheim.« Gumbo fuchtelt abermals mit seinen Händen herum, und die Xcab-Vergangenheit löst sich in der Musik von Pink Floyd auf.

»Keine Sorge. Man muß ihn einfach lieben«, meint Wanita. »Wie ist dir bei dem Ganzen zumute?«

»Das ist ein Teil des Problems… ich weiß es einfach nicht. Ich fühle mich so, als hätte ich mein Leben für Erinnerungen an nichts vergeudet. Ich will wieder den Stadtplan zurückhaben. Ich fühle mich so verloren ohne den Plan.«

»Bist du deshalb zu uns gekommen?«

»Ich will Coyotes Mörder finden. Das ist jetzt meine Aufgabe. Und ich muß wieder auf den Plan zurückkehren, um das zu tun.«

»Was hast du herausgefunden?«

»Dann denkt ihr also wirklich nicht mehr, daß ich ihn umgebracht habe?«

»Der Gumbo *weiß*, daß du unschuldig bist, Belinda. Er hat eine Reise in die Xcab-Dateien gemacht. Das ist gumbo-offiziell. Columbus hat die Cops belogen.«

»Das ganze hängt mit dem Pollen zusammen. Coyotes Tod, meine ich.«

»Das wissen wir.«

»Und auch mit Columbus.«

»Es wird ja immer besser. Gumbo vermutet, daß Kracker höchstpersönlich seine dreckigen Finger mit im Spiel hat.« In diesem Moment erscheint ein flimmerndes Bild von Kracker an der Wand, projiziert aus dem Kopf des Gumbos.

»Ich kenne diesen Mann«, ruft Belinda aus. »Er war ein Fahrgast, nannte sich Deville. Das ist Kracker?«

»Ja. Der Chief aller Cops.«

»Kracker hat versucht, mich umzubringen.«

Gumbo nimmt die Wasserpfeife gerade lang genug aus seinem Mund, um »Dreckiges Schwein!« zu brüllen.

Belinda ignoriert ihn. »Warum wollen die mich umbringen, Wanita?«

»Du wirst wohl zuviel wissen, Belinda.«

»Ich weiß überhaupt nichts. Ich bin ganz allein.«

»Jetzt nicht mehr. Gumbo braucht dich.«

»Übernimmst du immer das Reden für den Hippiekönig?«

»Was denkst du denn?«

»Ich bin in gutem Glauben hergekommen, Wanita. Ich habe mehr erwartet als… als diese zugedröhnte Hippiescheiße.«

Wanita verfällt in Schweigen. Gumbo gluckst selig hinter seiner Wasserpfeife, sein Gesicht verzerrt von dem gewölbten Glasballon, dann niest er.

»Gesundheit…«

»Wanita, halt die Klappe!« Das kommt von Belinda, die selbst überrascht von ihrem Ausbruch ist. Sie steigt über das Kabelgewirr hinüber zum guten Gumbo. Sie reißt ihm die Pfeife aus dem Mund und greift sich die Cherry-Stoner-Feder aus der Luft, obgleich Feuer und Schmerz durch ihren Körper schießen, als fedrige Härchen ihre Haut kitzeln. Egal. »Belinda, laß das…« Wanitas Stimme in Farben. Egal. Diese Feder hat ein Ziel, und niemand wird sie jetzt davon abbringen. Belinda rammt sie in Gumbos Mund. Er spuckt und röchelt, aber sie zwingt ihn, daran zu lutschen.

Lange und ausgiebig.

»Jemand hat mir erzählt, der Schnupfen käme aus einer Vurtwelt namens Juniper Suction herüber. Stimmt das? Gumbo? Stimmt das?«

»Genauso sehe ich das auch.« Die unvermittelte Realitätsdröhnung läßt Tränen in Gumbos Augen schießen.

»Erzähl mir von Juniper Suction.«

»Das ist eine grüne Himmelsfeder. Sehr selten. Gumbo hat schon seit Jahren keine mehr zu Gesicht bekommen.«

»Was sind Himmelsfedern? Na los, spuck's aus!«

»Leck mich.«

»Gumbo…«

»Halt dich da raus, Wanita.« Zurück zu Gumbo. »Helfen wir einander nun, oder was? Vielleicht sollte ich dich mal mit dem Shadow bearbeiten? Wie wär's? Würde dir das gefallen? Ein Shadowfick?«

»Nein, nein… bitte… Juniper ist ein Ort, wo man seinen Verstand hinschicken kann, wenn man stirbt. Du kannst dort in alle Ewigkeit leben, in deinen Träumen. Es ist eine Unterwelt, regiert von einem gewissen John Barleycorn. Er lebt dort mit seiner jungen Frau, Persephone.«

»Persephone war doch Coyotes letzter Fahrgast.«

»Bingo! Genau das ist es.«

Belinda läßt den Gumbo los. Wanita eilt zu ihm, um ihn zu trösten.

»Alles in Ordnung, Wanita. Total cool.« Seine Augen verlieren ihren abwesenden Blick, als er sich abermals zu Belinda umdreht. »Deshalb wollten sie dich umbringen, Fahrerin. Du wußtest zuviel über diese Traumsaat. Der Vurt will unsere Welt erobern, und Persephone ist die Ursache des Schnupfens. Columbus ist die Straße, auf dem die Saat reist.«

»Also hat Columbus Coyote umgebracht, nachdem der Fahrgast hereingeschmuggelt worden war?«

»Vielleicht, aber im Moment ist es wichtiger, die Invasion der Vurtwelt aufzuhalten. Es ist tödlich, so als würde jedesmal, wenn wir niesen, ein weiterer verhängnisvoller Satz gegen uns geschrieben werden.«

»Was sollen wir tun?«

»*HAAAAAAAAAAAAAAAAAATSSSSSCHIIIIIII!!!!* Entschuldigung.« Gumbo steckt sich abermals die Cherry-Stoner-Feder in den Mund, um sich eine weitere Dröhnung Realität zu geben, bevor er fortfährt: »Wir müssen dich und Columbus zusammenbringen.«

»Kannst du das schaffen, Gumbo?« fragt Belinda.

»Es ist möglich, aber ziemlich gefährlich. Bist du bereit, das Risiko einzugehen?«

»Jederzeit.«

»Der erste Schritt besteht darin, dich wieder zurück auf den Xcab-Stadtplan zu bringen.«

»Ich bin zu allem bereit.«

Gumbos Mund verzieht sich zu einem breiten, schwarzverfärbten Kiffergrinsen, das nicht einmal seine Haargardine verbergen kann. Dann schaut er hinüber zu der großen Schiffsuhr an der Kellerwand. Sie zeigt 11 Uhr 42. Gumbo legt einen Schalter um, und Pink Floyds musikalische Muster verwandeln sich in ein Netzwerk aus gelben und schwarzen Insekten, die über die Wände pulsieren. »Das ist der Xcab-Stadtplan«, erklärt er.

»Mein Gott!«

»Aber zuerst einmal… live auf Sendung…«

Zero Clegg rief mich um 11 Uhr 55 am Samstag morgen an und fragte mich, ob ich kürzlich mal den Gumbo gehört hätte? »Nein, nein, antworte nicht«, fuhr er eilig fort, bevor ich noch etwas sagen konnte. »Offensichtlich nicht, Sib, nach deiner Reaktion zu urteilen.«

»Was verbreitet er denn jetzt schon wieder?« fragte ich. »Eine Liste aller bekannten Immen?« Während der Nacht hatte man ein weiteres halbes Dutzend Immenleichen entdeckt.

»Schlimmer.«

»Spuck's aus.«

Zero schwieg einen Moment, was ihm gar nicht ähnlich sah. Irgend etwas stimmte nicht. Ich habe einhundertzweiundfünfzig Jahre gelebt und habe viele, viele seltsame Zeiten durchgemacht, aber die Worte, die ich an jenem Tag über das Telefon hörte, werden für immer Teil meines tiefsten Shadows sein. Zero spielte mir eine Aufzeichnung von Gumbo YaYas Sendung an jenem Morgen vor, von 11 Uhr 42 bis 11 Uhr 45. Es begann mit langsam ausgeblendeter Musik, und dann meldete sich eine Stimme in die letzten Takte hinein. Nur daß es nicht Gumbos Stimme war, sondern die Stimme einer Frau…

»Hier ist Boda der Maverick, und ich spreche über den Gumboäther zu allen Leuten von Manchester. (VIER SEKUNDEN STILLE) Mein Name ist jetzt Belinda Jones. Das ist mein Prätaxi-Name. Ich habe Coyote nicht umgebracht, und ich hätte es auch niemals tun können. Die Xcabs lügen, was den Aufenthaltsort meines Taxis angeht; ich war zu der betreffenden Zeit nicht einmal in der Nähe vom Alex Park. Columbus hat versucht, mir die Schuld in die Schuhe zu schieben. Vielleicht wußte ich zuviel über seine geheimen Absichten, oder vielleicht habe ich Coyote auch nur zu sehr geliebt. Ich hatte niemals die Gelegenheit, ihm das wirklich zu sagen. Er wurde mir zu früh, viel zu früh genommen. (ZWEI SEKUNDEN STILLE) Ich bin entschlossen herauszufinden, wer ihn ermordet hat. Coyote hatte bei seiner letzten Fuhre einen Fahrgast namens Persephone. Columbus hat Coyote diese Fuhre untergeschoben und ihn damit aufs Kreuz gelegt. Die Cops stecken mit König Taxi unter einer

Decke. Chief Kracker… Kracker hat versucht, mich umzubringen. Versuch's nur weiter, du dummes Cop-Arschloch. Persephone ist ein junges Mädchen, so um die zehn oder elf Jahre alt. Sie könnte die Ursache des Schnupfens sein. Jeder, der Hinweise hat, kann die YaYa-Nummer anrufen. Er wird das Wissen dann an mich weitergeben. (ZWEI SEKUNDEN) Der Pollenstand liegt momentan bei 1607, Tendenz weiter steigend. (FÜNF SEKUNDEN) Gumbo wird jetzt ›Have You Seen Your Mother, Baby (Standing In The Shadow)‹ von den Rolling Stones spielen. Dieses Lied spielen wir auf besonderen Wunsch für Sibyl Jones von den Manchester Cops. Hast du in der letzten Zeit irgendwelche guten Vurtballspiele gesehen, Sibyl? (ZWEI SEKUNDEN) Ich melde mich wieder um 1 Uhr, mit den neuesten Neuigkeiten. Und jetzt haut in die Saiten, Mick und die Jungs. (DREI SEKUNDEN) Ähm… war das so in Ordnung, Gumbo?«

Und dann eine andere Stimme, die des Gumbos: »Das war klasse, Kleine. *HAAAAAAAAAATSSSSSSSSSCHIIIIII!!!* Entschuldigung. Und nachher mehr von der Maverick-Xcabberin. 13 Uhr. Bleibt dran, verstanden?«

Und dann setzte die Musik ein. Zero stellte die Aufzeichnung ab und kam wieder an den Hörer. Aber er sagte nichts. Ich hörte seinen pfeifenden, fiebrigen Atem in der Dunkelheit meines Shadows, der sich plötzlich wie ein enges Gefängnis anfühlte. Zero nieste über die Leitung, dann sagte er: »Weißt du, was das bedeutet? Gumbo hat sich deine Tochter geschnappt.«

»Was kann ich tun, Zero? Ich will sie wiederhaben.«

»Ich denke, der Schnupfen ist im Moment wichtiger.«

»Ich nicht.«

»Immer mit der Ruhe, Imme.«

»Ich bin ihre Mutter, Zero. Ich suche seit Jahren nach ihr.«

Abermals verfiel Clegg in Schweigen. Ich hörte ihn vom Hörer abgewandt niesen, dann meldete sich seine Stimme wieder: »Ich sage dir jetzt, wie's läuft, Officer Jones. Ich komme mit Tom Dove zu dir, und dann werden wir…«

Ich knallte den Hörer auf die Gabel, schnitt Zero das Wort ab. Wenn man einem Hund einen kleinen Knochen gibt, wie es so schön hieß. Vielleicht war einer von Zeros entfernten Verwandten ein reinrassiger Retriever gewesen.

Ich war nervös, und beständig gingen mir Visionen von Federn durch den Kopf. Mein Sohn weinte in seinem Zimmer. Ich ging hin, um mich um Juwels Bedürfnisse zu kümmern. Mehr um meinetwillen denn seinetwegen. Jede Ritze in seinem Zimmer war versiegelt, aber dennoch trug er die Saat bereits in sich. Doch es beruhigte mich etwas, wenigstens so zu tun, als würde ich meinem Erstgeborenen helfen. Sein Atem kam in leisen Explosionen; sein geschwächter Körper war mit einer harten Kruste aus Schnodder bedeckt, die ich zwar nach besten Kräften wegzuwischen versuchte, aber es trat bloß neuer Rotz an ihre Stelle, feucht und schleimig. Ich fürchtete, daß ihm nur noch wenige Tage blieben. An dieser Stelle sollte ich erklären, daß der Tod einer unzulässigen Lebensform nichts mit dem eines vollständig lebenden Wesens gemein hat. Ein Sterblicher behandelt den Tod wie einen Feind, kämpft bis zum letzten Atemzug dagegen an. Für eine UL ist der Tod, wenn der Moment schließlich naht, eher eine Liebesaffäre; der lange Kampf zwischen ihren gegensätzlichen Ahnen ist endlich vorbei. Leben und Tod im Kuß von Liebenden. Dann geht es nur noch darum, sich der dunkleren Seite in ihnen hinzugeben und mit ihr auf das Bett der Liebe zu sinken. Das Bett ist das Grab. In ihm wurden sie gezeugt. Und in ihm werden sie auch sterben. Wie weit war Juwel noch von jenem Moment der Akzeptanz, der Hingabe entfernt? Einen bloßen Atemhauch? Ein letztes Niesen? Einen weiteren sprunghaften Anstieg des Pollenstands? Meine einzige Chance bestand darin, ein Heilmittel für ihn zu finden. Und die ganze Schutzversiegelung diente in Wirklichkeit natürlich nur meinem eigenen Seelenfrieden, nachdem ich Belinda jenes Lied für mich hatte spielen hören. Have you seen your mother, baby, standing in the Shadow? Ich schaltete Gumbos Äther ein, gerade noch rechtzeitig, um ihn damit prahlen zu hören, daß Belinda von nun an in seinem geheimen Haus bleiben würde, »wo die Cops sie niemals finden werden. Sie wird sich stündlich melden und Manchester die Geschichte ihres außergewöhnlichen Lebens erzählen. Exklusiv bei Radio YaYa, dem Zungenkuß für den ganzen

Norden.« Und dann lachte er schallend, und dieses Lachen machte mich fertig, es brachte mich auf die Palme.

Ich setzte mich auf das Sofa und griff nach der halben Flasche Rotwein, die vom vorigen Abend übrig geblieben war. Es dauerte nur zwanzig Minuten, bis sie ganz geleert war, und dann eine weitere Viertelstunde, um den Pegel einer neu angebrochenen Flasche kräftig zu senken. In dieser Zeitspanne muß ich mindestens dreißig Napalms geraucht haben. Getragen von den sündigen Trauben, verlor ich mich selig in den Liebkosungen des Dionysos. Ich hatte das Gefühl, mein Blutzucker wäre zu Alkohol geworden. Mein Shadow versank in tiefdunklem Claret. Der Hinweis auf der Napalm-Schachtel lautete: RAUCHEN IST GUT FÜR DIE SEELE – DER PERSÖN-LICHE JESUS SEINER MAJESTÄT RÄT.

Zum allerersten Mal hielt eine Napalm nicht, was sie versprach.

Um 13 Uhr schaltete ich abermals Radio YaYa ein und wartete darauf zu hören, wie Belinda die Geschichte ihres Lebens, meines Lebens, erzählte. Ich muß sehr verzweifelt gewesen sein.

Gumbo YaYa grinst durch seine vielzähligen Haarschichten. »Ausgezeichnete Sendung, Belinda. Für eine Anfängerin. Jetzt schau mal her. Scheiße, so gut habe ich mich seit Ewigkeiten nicht mehr gefühlt.« Wir reisen zurück in der Zeit, zu 11 Uhr 46 am Vormittag desselben Samstags.

Gumbo und Belinda sind jetzt allein, Wanita ist in irgendeinem Flur verschwunden. Gumbo ist high von Cherry Stoner, und er sieht fast normal aus, als er auf die Wände zeigt, wo die Xcab-Straßen flimmern. »Was du hier siehst, ist der aktivierte Xcab-Stadtplan. Die gelben Punkte sind die Taxis, das schwarze Netzwerk die Straßen.« Gumbo betätigt einige Schalter und Hebel, und plötzlich kippt der gesamte Stadtplan um 180 Grad. »Ist das nicht toll? Wir können es uns aus allen Blickwinkeln ansehen, von jeder Position aus. Behalt die Straße im Auge, Fahrerin.«

Belinda fährt jetzt die Oxford Road entlang, genauso, wie sie es früher in Karo getan hat. Diesmal allerdings aus der Distanz. »Wo ist Columbus?« fragt sie.

»Columbus ist das alles zusammen. Das ist seine Schwachstelle, verstehst du?«

»Warum?« Belinda ist fasziniert.

»Zentrale ist zu mächtig geworden. Er sieht den Wald vor lauter Bäumen nicht, die Straße nicht vor lauter Taxis.«

»Du weißt, daß er beabsichtigt, einige weitreichende Veränderungen am Stadtplan vorzunehmen, oder?«

»Es macht mich echt fertig, daß Columbus das abzieht. Es ist so, als wären wir beide Boten, der Gumbo und der Taxikönig. Kommunikation ist Macht. Wir sind beide verpflichtet, den Menschen die Botschaft zu überbringen, und dieser Mistkerl geht los und mißbraucht die Macht. Also, wir schlagen umgehend zu, Belinda, ja?«

»Was soll ich tun?«

»Schau hin…« Gumbo spielt abermals mit seinen Schaltern und Knöpfen, und das Bild zoomt auf ein einzelnes Taxi. »Siehst du das Taxi da, Belinda?« fragt er. Belinda nickt. »Das ist mein Taxi. Das ist das Gumbo-YaYa-Taxi. Der Magic Bus.«

»So ein Taxi gibt es nicht«, widerspricht Belinda.

»Offiziell nicht. Aber dieses alte Hippietaxi ist trotzdem da. Du hast doch den Magic Bus draußen vor dem Haus gesehen?«

»Ja.«

»Das ist meine Version des Xcabs.«

»Das ist unmöglich.«

»Nun, aber es ist passiert. Schau her…« Gumbo macht sich wieder über seine Schalthebel her, und das Hippietaxi biegt auf dem Stadtplan nach links ab, von der Oxford Street in die Whitworth.

»Wer steuert denn das Ding?« fragt Belinda.

Gumbo lacht. »Ich. Niemand. Das ist ein imaginäres Taxi. Darüber bekomme ich mein Stadtplanwissen. Columbus weiß nicht mal, daß es das Magic Taxi gibt.«

Belinda ist, als würde ihr Kopf von diesem Wissen explodieren, dieser Verneinung von allem, was sie immer über das Wesen des Stadtplans gewußt hat. »Das ist widernatürlich«, entfährt es ihr.

»Ganz genau. Und das gleiche kann ich auch mit dir und Karo

machen.« Gumbo schaut abermals auf die Uhr. 11 Uhr 52. »Wir haben nicht viel Zeit«, erklärt er ihr. »Bist du dabei, Belinda? Wirst du abermals auf den Stadtplan zurückkehren?«

»Ja. Ja, ich tu es. Ich will es.«

Gumbo hämmert auf die klappernden Tasten einer antiken Schreibmaschine ein, aus deren aufgebrochener Rückseite Kabel zu einem Liebesknoten führen. Der Hippie-Pirat streckt die Hand aus, um sich eine silberne Feder aus der Luft zu schnappen, muß dabei nicht einmal hinschauen, trotz des Niesanfalls, der ihn schüttelt. Er schiebt sich die Feder in den Mund, lutscht daran, dann nimmt er sie wieder heraus. Er steckt die nasse Feder in die Anschlußbuchse eines zusammengeschusterten Transformators. Eine neue Botschaft wandert über den Xcab-Stadtplan an der Wand: WILLKOMMEN ZU SLITHERING SILVER. DIES IST EIN SHAREVURT. BITTE SEIEN SIE ANSTÄNDIG. BEZAHLEN SIE DIE REGISTRIERUNGSGEBÜHR. »Einen Scheißdreck werde ich tun«, verkündet der Gumbo. »Inpho sollte kostenlos sein.« Er gibt einige Befehle ein, bis der Stadtplan von einer schwebenden Menüleiste überlagert wird, dann sagt er zu Belinda: »Jeden Morgen um 11 Uhr 59 wird der Xcab-Stadtplan mit Inpho aus den Gemeindeamt-Datenbanken auf den neuesten Stand gebracht. Das ist der Moment der Schwäche. Das ist die Tür, durch die wir eintreten.« Gumbos Finger tanzen über die Tasten. »HAAAAAAAAAAAAAATSSSSSSSSSSCCHHHHHHIIIIIIII!!!!! Entschuldigung. Scheiße, dieser Schnupfen bringt mich noch um. Würdest du mir bitte einen neuen Straßennamen geben?«

»Was?«

»Belinda, ich meine es ernst. Das Zeitfenster ist sehr eng. Sag mir jetzt bitte einen neuen Straßennamen…«

»Holpriger Weg«, erwidert Belinda, ein Name, den sie in der Dunkelheit gefunden hat.

»Geschafft.« Gumbos Finger rufen ein Arbeitsfenster im Bildschirmstadtplan auf. Es ist 11 Uhr 57. Gumbos Finger tanzen über die Tasten. Im Fenster schwebt eine neue Straße namens Holpriger Weg über dem Stadtplan. In einem weiteren Fenster hat Gumbo die Inphobanken der Behörden aufgerufen. Ihre jüngsten Updates für den Stadtplan drängen sich in dem engen Rahmen. Gumbo zieht das Holpriger-Weg-Fenster über das Gemeindeamt-Fenster. Dann läßt er die beiden mit einem flinken Fingertanz auf der Tastatur verschmelzen. »Keine Sorge«, meint Gumbo zu Belinda. »Die ganze Inpho ist durch einen schwarzen Verzerrer geschützt. Jetzt gib mir bitte Karos Xcab-Kennzeichen.« Belinda sagt ihm das Kennzeichen, und dann zieht Gumbo ein Xcab-Symbol von der Werkzeugleiste am oberen Rand des Bildschirms. Er vereint das Symbol mit dem Kennzeichen, dann plaziert er beides auf dem imaginären Holprigen Weg. Es ist jetzt 11 Uhr 59, und Gumbo und Belinda schauen schweigend zu, während der Xcab-Stadtplan das Update des Gemeindeamts aufsaugt. »Alles klar, flüchtige Fahrerin«, erklärt Gumbo. »Du bist wieder online.«

Belinda tritt dichter an den Bildschirm. Leuchtende gelbe Symbole schwirren auf dem Xcab-Stadtplan umher. Im Osten der Stadt gibt es eine neue Straße namens Holpriger Weg, wo nie zuvor eine Straße existierte, und Belindas ureigenstes Taxi-Symbol, Karo, steht dunkel in jener Straße und wartet auf einen Fahrer. Gumbo erklärt ihr, daß das Symbol dunkel ist, weil sich der echte Karo momentan außerhalb des Stadtplans befindet, aber sobald sie mit ihm die Grenze überfährt, wird das Markierungszeichen so leuchtend und lebendig sein wie die anderen, nur in geheimen Farben. »Ich werde mit dir über das System sprechen können«, erklärt er. »Mister Zentrale wird nichts davon mitkriegen.« Und dann fängt Gumbo an zu lachen. Belinda fragt ihn, wie das Ganze funktioniert. »Im Grunde ist es total einfach: Es ist ein trojanisches Pferd. Du baust eine neue, aber imaginäre Straße in das Update ein und plazierst dein Taxi darauf; Columbus denkt, die Straße wäre betriebsbereit, obwohl sie ja in Wirklichkeit gar nicht existiert. Und dein Taxi fährt auf dieser unsichtbaren Straße. Es ist eine Virus-Straße. Mein Magic Bus befährt eine Straße namens Strawberry Fields. In jener Straße steht, dem Stadtplan nach, auch dieses Haus… in Strawberry Fields. Deshalb können die Behörden meine Adresse nicht finden. Die Cops und die Xcabs und die Behörden, Gumbo lacht sie alle aus. Der Stadtplan gehört wieder dir, Belinda.«

»Vielen Dank«, sagt Belinda zu Gumbo, während sich ihr Kopf mit Wissen auftankt. »Aber das bringt mich immer noch nicht näher an Columbus heran. Du hattest mir doch eine direkte Route versprochen.«

»Es gibt nur einen Weg.«

»Spuck's aus.«

»Da bist du ja wieder, meine Liebste.« Gumbo schaut über Belindas Schulter. Belinda dreht sich um. In der Tür steht Wanita-Wanita mit einem Kind an der Hand. Ein Mädchen in einem Badeanzug, das Haar naß schimmernd. Hier und dort sind durchgeweichte Federn in die nassen Locken eingeflochten.

»Sie war im Pool, Gumbo«, erklärt Wanita.

»Klasse. Echt cool.«

»Blush…« Belindas Stimme. »Bist du das?«

»Aber ja.«

»Du kennst Gumbo?«

»Ich kenne alle und jeden, Boda.«

»Belinda… ich heiße Belinda.«

»Irre. Wir stecken alle in dieser Sache drin.« Blush hält eine schwarze Feder in ihren tropfenden Händen.

»Ist das Black Mercury?« erkundigt sich Belinda.

»Das ist mein Schatz.«

»Das ist unser aller Schatz«, verkündet Gumbo.

»Und damit können wir an Columbus herankommen?« fragt Belinda, während ihr durch den Kopf geht, daß Coyote möglicherweise auf genau dieselbe Art mit dem Taxikönig gesprochen hatte.

»Nur du kannst diesen Trip machen, Baby«, erwidert Gumbo. »Denn bist du nicht die gute Fahrerin?«

Um 13 Uhr schaltete ich abermals den Gumbo ein und erwartete, die Stimme meiner Tochter zu hören. Statt dessen tönte der Hippie-Pirat aus dem Lautsprecher und wies mich an, dran zu bleiben und zuzuhören…

»Leute, Leute, Leute! Bleibt auf Sendung und sagt auch all euren Freunden Bescheid. Um 14 Uhr heute nachmittag werden wir alle zusammen einen Trip machen, über den Äther. Wir werden in den Vurt hinabsteigen, auf der Suche nach dem Schnupfen und seinem Heilmittel. Ja, so ist es. Belinda Jones, Ex-Xcab, wird höchstpersönlich diese Reise unternehmen. Sie will Columbus im Traum treffen. Wir glauben, daß der Schnupfen über Columbus aus einer Welt namens Juniper Suction kommt und daß Columbus für Transport und Ablieferung des Pollens sorgt. Belinda wird mit ihrem flüchtigen Taxi zu jener vergifteten Quelle fahren. Sobald sie dort angekommen ist, wird sie Columbus mit seinen Verbrechen konfrontieren. Bleibt dran und sagt allen Bescheid. Das wird wie eine Reise zum Mond werden. Eine Premiere. Haltet alle Luken geschlossen. Ihr wißt ja, nur der gute Gumbo kann euch den Trip eures Lebens bieten.«

Ich schaltete das Radio ab.

Ich hatte das Gefühl, mein Shadow würde sich um mich zusammenschnüren. Wie, in aller Welt, sollte Belinda in den Vurt reisen? Sie war doch ein Dodo, eine Unwissentliche. Es sei denn, sie hätte jemanden wie Tom Dove, einen Federmenschen, im Schlepptau. Würde meine Tochter wirklich dieses Risiko eingehen?

Überall in Manchester versammeln sich die Leute um die Neuigkeit. Sie lauschen in Bars und Geschäften, in Zeitungskiosken und Supermärkten. Selbst auf den Straßen spricht Gumbo YaYas Stimme zu ihnen, ausgestrahlt von Lautsprechern, und ruft sie auf, alles andere stehen und liegen zu lassen. Diese Reise hat sie wieder hinaus auf die Straßen gelockt. Die Leute sind übermütig. Sie stehen in Gruppen zusammen, unmaskiert und niesend, umgeben von Blumen.

An der Trambahn-Haltestelle Piccadilly und am Victoria Bahnhof schallt die donnernde Stimme aus den Ansagesystemen. Reisende unterbrechen ihre Reisen aus Angst, sie könnten sonst die Sendung verpassen.

In Bottletown kleben Twinkle und Karletta vor dem Radio. Sie wissen, daß Blush Gumbo gut kennt und sie zweifellos an diesem Trip beteiligt ist. Twinkle legt ihre Arme um Karletta und putzt dem Welpenmädchen die Nase, wenn es niest.

Zero Clegg hört in der Sicherheit von Festung Eins, Namchester, Radio. Tom Dove sitzt neben ihm auf dem überpolsterten Sofa.

Kracker ist bei sich zu Hause, umzingelt von seinen quengelnden Kindern, die einen Heidenlärm veranstalten. Er knurrt sie an, daß sie die Klappe halten sollen, während er lauscht…

13 Uhr 15.

Das Radio…

Leute scharen sich in der Market Street und den Piccadilly Gardens. Fast alle sind hier mit Masken verhüllt. Die Blumen umschlingen jedes Gebäude und jedes Auto. Die im Stau steckenden Wagen füllen die Straßen Stoßstange an Stoßstange mit aufgeheiztem, funkelndem Chrom. Der Gumbosender dröhnt aus tausend Lautsprechern in der ganzen Stadt. Einige haben eine Gumbofeder in ihrem Mund, aber die meisten begnügen sich damit, in aller Öffentlichkeit zuzuhören. Es ist ein kollektives Erlebnis. Niemand wagt es, sich zu rühren, aus Angst, das Ganze zu verpassen.

Auf dem Brachland vor Gumbos Palast hat sich ein Rudel Hundecrusties versammelt; sie stehen völlig regungslos da, einige auf zwei Beinen, andere auf allen vieren. Windschiefe Zelte wallen in der sanften Brise. Ein Lagerfeuer brennt. Über den Flammen brutzelt ein schweinsgroßes Stück Fleisch. Spindeldürre Eisenskulpturen, errichtet zu Ehren irgendeiner mutierten Hundegöttin, starren lüstern durch den dunstigen Sonnenschein. Alte Lieferwagen und ein ausgebrannter Krankenwagen parken auf einer kreisrunden Auffahrt, die zu einem bunten Transit führt, der von den Worten *Magic Bus* geschmückt wird. Das ist das höchsteigene Gefährt des Gumbos, und diese Hundeleute sind seine Jäger und Beschützer. Dicke, bazillenverseuchte Dreadlocks hängen ihnen über Schultern und Rücken. Keiner von ihnen spricht. Die meisten Angehörigen des Rudels tragen Pollenmasken, und die Sonne bricht sich in ihren nach oben gewandten Schutzbrillen. Alle lauschen sie dem Lautsprecher, der an der Seite von Gumbos Palast montiert ist.

Im Innern des Palastes führt Wanita-Wanita Belinda an der Hand zu einem Zimmer im zweiten Stock. Eine Tür öffnet sich in die Dunkelheit.

Gumbos Musik klingt leise, ganz leise aus den Lautsprechern im Innern des Raums…

Belindas Augen gewöhnen sich an die Finsternis. Leise Gleitgeräusche. Etwas Nasses bewegt sich über den Fußboden auf sie zu.

Zombie-Atem.

Der Raum ist vom Boden bis zur Decke mit Halbtoten vollgestopft. Fettiges Blubbern. Die dunklen Kinder von Manchester. Krampfhaftes Niesen, Nasenexplosionen, die Rotzsalven herabregnen lassen.

»Mein Gott!« Belindas Atemhauch.

Wanitas Stimme: »Gumbo gibt den Verlorenen ein Zuhause.«

»Bitte… bitte rette uns«, fleht eine tiefe Zombiestimme. Sie erinnert Belinda an Bonanza, den Zombie, der ihr geholfen hatte, aus Country Joes Motel im Limbus zu flüchten.

13 Uhr 30.

Tief, tief verborgen im Zentrum seines Straßennetzes wartet Columbus der Taxikönig und wartet und wartet…

Auf der Deansgate und der Cross Street, der Oxford Road und der Wilmslow, auf der Rochdale Road und der Princess, Moss Lane East und Blackfriars haben sich die Leute zu Tausenden versammelt und lauschen der Musik, die aus Ladentüren und den heruntergekurbelten Fenstern stehender Autos schallt. Roberman steckt irgendwo inmitten des Gewirrs, sein Taxiäther auf Leck-mich-Modus, während er statt dessen das Lied, das alle verbindende Lied hört.

13 Uhr 45.

Belinda Jones läßt ihre nackten Füße in den Swimmingpool baumeln, der sanft im Keller von Gumbos Palast schwappt. Blush das Vurtkind ist bei ihr, kühlt ebenfalls ihre nackten Füße, während sie Belinda erzählt, daß alles wieder ins Lot kommen wird, wenn nur der richtige Weg eingeschlagen und bis zum Ende verfolgt wird. »Du bist was ganz Besonderes, Belinda«, sagt sie und schlägt mit ihren strampelnden Füßen Wellen. »Du bist Coyote sehr ähnlich. Verrückt und naiv. Aber auch stark und entschlossen. Ihr seid beide gute Fahrer und hättet toll zueinander gepaßt. Daraus wird jetzt natürlich nichts mehr. Welche Hoffnung bleibt einem da noch, außer Rache?«

»Ich fühle mich schwach, Blush«, klagt Belinda und läßt das Wasser um ihre Knöchel spielen, wie kalte Hände, die sie nach unten ziehen wollen. »Ich weiß nicht, ob ich diesen Trip schaffe. Ich habe Angst vor dem Vurt.«

»Ich habe Angst, du hast Angst, das ganze verrückte Manchester hat Angst. Aber bleibt dir wirklich eine andere Wahl? Ich denke nicht. Du bist eine der wenigen Guten, Belinda, du weißt es nur noch nicht. Du, ich, Gumbo und die Black-Mercury-Feder; wenn dir ein besserer Weg einfällt, um Columbus zu besuchen, dann nur raus damit.«

Schweigen. Nur das träge Wogen der Schatten im Keller des Palastes und das spielerische Schwappen von Wasser um die Knöchel einer nicht ganz so hehren Heldin.

13 Uhr 50.

Gumbo spielt »Riders On the Storm« von den Doors, und die dunkle, düstere Melodie erhebt sich von den kollektiven Radios und den öffentlichen Lautsprecheranlagen und bildet eine Wolke aus Musik über der Stadt.

Gumbo und Boda; Zwillingsreisende im Traum.

Wer sonst könnte die Stadt retten?

Die Zeit steht still, die Sonne hält auf ihrer Himmelsbahn inne. Die Welt von Manchester dreht sich um eine Piratenfeder, während sie auf ein Heilmittel wartet.

13 Uhr 52.

Bei Zero Clegg klingelt das Telefon. Er ist wütend darüber, aus der erwartungsvollen Spannung gerissen zu werden, aber er kennt nur einen Menschen, der noch das Telefon benutzt.

»Smokey, bist du das?« fragt er.

»Ja«, erwidert Sibyl.

»Was willst du?«

»Kannst du Tom Dove für mich finden?«

»Er sitzt hier neben mir.«

»Komm mit ihm her.«

»Sibyl, ist mit dir alles in Ordnung?«

»Ich bin bereit für den Trip, Zero.«

Im Innern des geheimen Palastes von Gumbo hält der Hippie-Pirat die Black-Mercury-Feder in seiner Hand. Die Feder läßt Funken von den aufgetürmten Apparaten und Geräten sprühen. Belinda würde am liebsten vor den Funken davonlaufen, doch gleichzeitig wird sie auch wie magisch von ihnen angezogen. Ihr Shadow ist gespalten. Es ist 13 Uhr 56. »Okay, alle mal herhören«, ruft Gumbo. »Macht euch für die Reise bereit.« Seine Augen sind süchtig nach der Black-Mercury-Feder. Selbst durch die Schichten aus Tränen und Rotz erkennt man ein lüsternes Funkeln in seinen Augen. Es spricht Bände über die verflossenen 60er-Jahre, als freie Liebe noch möglich war. »Diese Feder ist so schön. Ich möchte Sex mit dieser Feder haben.«

»Ich habe Angst, Gumbo«, gibt Belinda zu. »Ich bin ein Dodo.«

»Stimmt schon. Aber die Kleine hier…« Er tätschelt Blushs Kopf. »Sie *ist* die Feder. Dein Shadow wird mit ihr reisen. Die gute Fahrerin und das Federkind werden gemeinsam den Vurt besuchen. Was für ein entzückendes Gespann ihr beide doch abgebt. Ach, komm schon, Fahrerin, du hast doch so manchen wilden Trip hinter dir. Ich werde die ganze Reise über bei dir sein. Genau wie die Leute von Manchester. Deine liebliche Stimme wird uns durch die Geschichte geleiten. Denk nur immer an Hobarts Gesetz: Wenn du etwas aus dem Vurt mitnimmst, dann wird der Vurt auch dir etwas nehmen.« Gumbo niest. »Also gut, dann wollen wir mal den Mann hinter diesem Schnupfen suchen. Wanita?« Wanita gibt Gumbo einen Kuß, während sie ihm die Feder aus der Hand nimmt. Er betätigt eine Reihe von Schaltern und Knöpfen, schmeißt eine weitere kräftige Dosis Cherry Stoner ein, um der Vernunft Bahn zu brechen, dann beugt er sich über ein Bakelit-Mikrofon…

»Leute von Manchester! Seid ihr alle versammelt? Hungert ihr nach Liebe? Das waren die Doors mit ›Riders on the Storm‹. Es ist Punkt zwei, und hier ist Doktor Gumbo mit einem Heilmittel für all eure Kümmernisse. Halleluja! Ich habe hier eine phantastische Mannschaft um mich versammelt. Da ist Wanita-Wanita, die sich für die Technik zuständig zeigt. Dann ist da ein Vurtkind namens Blush. Und natürlich die flüchtige Fahrerin, Belinda Jones. Sowie all meine treuen Zuhörer. Wir werden diesem Spuk den Garaus machen!«

Wanita steckt kurz den Black Mercury in die verschiedenen Anschlußbuchsen der zusammengeschusterten Gerätschaften, lädt sie mit Gumbosaft auf und reicht die Feder dann Blush. Belinda entsendet ihren Shadow in Blush, während das junge Mädchen die schwarze Feder tief in ihren Rachen führt.

Ein explosionsartiger Straßenrausch, und dann öffnet sich eine neue Welt…

Der Trip breitet sich über die ganze Stadt aus. Die braven Bürger sind via Gumbo live dabei. »Hier spricht der YaYa. Ich nehme euch alle mit auf eine Entdeckungsreise in jene unbekannte Welt namens Planet Xcab. Das ist eine Radio-Premiere, ein Happening, meine Freunde. Ein echt cooler, total abgefahrener Trip. Und welches Stück würde sich besser als musikalische Untermalung für unser Abenteuer anbieten als die Hymne aller Tripper. Purple Haze! Nimm uns mit, Mr. Jimi.«

Tom Dove bewegte seine Hände auf mich zu. Ekel wallte in mir hoch. Pulsierte im Rauch. Mein Shadow wollte schier aus meinem Körper springen, so verängstigt war er. Das ganze Zimmer schwankte vor Wahnsinn. Der *Traum* war im Zimmer.

»Ihnen wird nichts passieren, Sibyl«, beruhigte mich Tom Dove. »Es ist völlig unmöglich, daß Sie sich auf diese Art den Schnupfen holen. Haben Sie verstanden?«

»Der Schnupfen kümmert mich einen Scheißdreck.«

»Sie müssen keine Angst haben, Sibyl…«

»Ich habe keine Angst, verflucht noch mal!«

Doch innerlich wurde ich schier aufgefressen von Furcht und Nervosität. Gumbo YaYas Sendung schallte noch immer aus dem Radio. Dieser Pirat führte meine Tochter in das Vurtreich. Er nannte das Ganze einen monumentalen Trip, der erste Besuch eines Dodos in der Traumwelt. Er verglich es mit einer Mondlandung, einer Reise in ferne Welten. »Ein kleiner Schritt für ein Mädchen, aber ein gewaltiger Schritt für die Dodoheit.«

»Sie gehen nicht wirklich in den Vurt«, erklärte Dove unterdes-
sen. »Sie werden Ihren Shadow in meinen entsenden. Und ich
werde dann mit meinem Körper in den Vurt gehen. Ihr Geist wird
in meinem Körper sein. Wenn alles nach Plan verläuft, dann werden wir gemeinsam den Vurt besuchen. Juniper Suction. Aber an
dem Loch gibt es eine Art Einwegschloß; es läßt Pollen heraus, aber
nichts kann hinein. Ich habe mich schon einmal daran versucht,
doch es hat mich abgestoßen, was ziemlich weh getan hat. Ich erzähle Ihnen das nur, um Sie zu warnen, Sibyl. Ich bin sicher, daß ich
Ihren Shadow hindurchschmuggeln kann. Ich denke, Sie müßten
gerade… nun… rauchig genug sein. Nebulös. Verstehen Sie?«

»Bitte, ich habe Angst…«

»Ich werde immer bei Ihnen sein.«

»Es wird doch keine Probleme geben, oder?« erkundigte sich Zero
besorgt bei Tom Dove. »Sicher? Das ist eine Himmelsfeder, verflucht noch mal. Sie wird dort drin doch nicht sterben? Du hast das
doch schon mal gemacht, oder… diese Shadow-Tausch-Scheiße?
Denn wenn irgend etwas…«

Das alles drang nur wie durch einen Nebel zu mir, während mein
Shadow mit der Angst kämpfte. »Wir werden den ganzen Trip mit
Hilfe von Betrachterfedern überwachen, keine Sorge.« Es dauerte
eine Weile, bis ich begriff, daß Zero jetzt mit mir sprach. »Falls auch
nur das geringste Problem auftaucht… dann holen wir dich sofort
da raus. In Ordnung? Wir werden es dir nicht übelnehmen, wenn du
rausspringst.«

Eine Art Leben, und Visionen von Belinda und Juwel in meinem
Kopf. Meine beiden Kinder…

»Dann laßt es uns tun.« Ich streckte meine Shadowtentakel in
Tom Doves Verstand aus, tastete mit meinen Rauchfingern umher,
suchte nach sicherem Halt. Er antwortete mit einem festen Griff,
und dann wirbelte ich auch schon durch ein Feuerwerk aus Farben;
messerscharfe gelbe und rote Blitze bohrten sich in meinen Shadow.
Es war, als würde ich meine Zähne in Glas schlagen. Ich wollte rausspringen, wollte zurück in die sichere Wirklichkeit fliehen, aber der
Vurte hielt mich an der Kehle gepackt. »Sibyl, bleiben Sie ruhig«,

sagte er. »Alles läuft bestens. Wir sind unterwegs. Halten Sie sich gut fest.« Seine Federhände umklammerten die meinen, und dann sauste ich auch schon mit ihm in das Reich der Geschichten hinab...

Mein allererster Traum.

Meine Flügel.

Tom Dove geleitete mich sanft durch die Farben und dann hinunter in die Dunkelheit. Versuchte, mir den Flug mit seinen Worten angenehmer zu machen: »Bleiben Sie ganz ruhig. Ich bin ja hier. Ich passe auf Sie auf. Kommen Sie weiter. Wir sind schon fast da. Bleiben Sie ruhig. Es ist alles in Ordnung. Wir sind fast da. Fast da.«

Ich hatte keine Zeit zum Nachdenken... diese Dunkelheit war... bot sich nicht an für... andere, seltsamere Kreaturen bewegten sich... durch die Dunkelheit... meine Gedanken waren... Gesichter aus Schmerz und Verlust griffen nach... zu schnell, um eingefangen zu werden... meine Welt und ihre... alles verschmolz... wurde eins...

Ich führte meine Hand ans Gesicht, konnte aber nichts fühlen. Ich hatte keine Hände, keine Arme, keine Schultern, keinen Körper, keinen Kopf, kein Gesicht, keine Stimme; nur das sture Beharren darauf, daß ich noch lebte, irgendwo. Eine Tür öffnete sich. Eine Tür *öffnete sich*. Ein Loch. Das Loch atmet. Diese Tür ist schlüpfrig und glatt. Im Innern der Tür ist eine weitere Tür, und Tom Dove zieht mich hinunter zu diesem Loch im Himmel. »Hier durch kommt der Schnupfen herein«, erklärt Tom Dove mir. »Das ist Juniper Suction.« Ich fühle Musik. Sie fühlt sich an wie purpurne Nebelschwaden. Ich weiß nicht mehr, wo oder was oder warum ich bin, alles verliert sich im Gefühl des Fallens... halten... fallen... halten... läßt mich fallen... hält mich fest... etwas. Aber... *Mein Gott! Das Loch war klein, so klein, daß sich nicht einmal ein Wurm hätte hindurchzwängen können. Zuerst dachte ich, es läge nur an der Perspektive, bis mir klar wurde... Scheiße! Ich bin direkt vor dem Ding! Es gab keine Perspektive im Vurt. Dove!!! Was machen wir –* Keine Zeit, die Frage zu beenden. Mein Kopf wurde durch das Loch gequetscht. Gelbe Körner trieben durch den Spalt. Brennender

Schmerz. Toms Gedanken drangen in meinen Rauchkörper: »Muß ich Ihnen sagen, wie man durch den Shadow reist, Sibyl? Aller Schmerz ist nur Fiktion.« Toll, gut zu wissen, dennoch war der Übergang zwischen den Welten so, als würde man durch einen Schlitz aus sengendem Fleisch gezwängt. Wie die Angst bei einer Mondlandung. Mein Kopf brach in die andere Welt durch.

Ich sah den Garten. Den Garten… ich hatte ihn schon einmal gesehen…

Dunkelheit beobachtete mich. Das Rascheln trockenen Laubs. Pollen klebten an meiner Haut…

Ein letzter allmächtiger Stoß von dem Vurtcop, und dann verlor sich der Schmerz wie Regentropfen in einem Eimer… löste sich in eine allumfassende Ruhe auf.

In erster Linie empfindet Belinda Ekel; diese Feder dringt einfach zu tief in sie ein. Hendrix dröhnt in ihrem Shadow. Und der Stadtplan, durch den sie reist, ist ganz anders, als sie sich den Taxistall vorgestellt hat; die Straßen sind grün und gewunden wie die Wurzeln eines Baums. Belinda ist der Fahrgast, und Blush ist Mike Mercury, und das Vurttaxi namens Karo tänzelt durch ein organisches System. Also ist der Plan aus Wurzeln gemacht, und die Stadt eine Blume, die sich vom Saft des Plans nährt. Das war was Neues, das war *Wissen*. Aber in Wirklichkeit steuert Blush das Xcab, und Belinda ist lediglich Fahrgast im Äther. Doch wenigstens ist sie wieder auf dem Plan, sogar auf dem Vurtplan, und sie kann fühlen, wie sich Karos träumende Lederpolster wohlig an sie schmiegen. Sie kann fühlen, wie das Taxi überrascht erschaudert, als das Wissen hereinflutet. WAS GESCHIEHT HIER, HERRIN? fragt Karo. ICH DACHTE, ICH WÜRDE MICH IM LIMBUS VERSTECKEN? Belinda weist ihn an, den Mund zu halten und einfach nur zu fahren. GEHT KLAR. WER LENKT MICH? fragt Karo.

»Ihr Name ist Blush. Du kannst ihr vertrauen.«

SCHÖN, ABER WOHIN FAHREN WIR?

»Das hier ist ein Vurttrip, Karo. Wir fahren zum Mittelpunkt des Stadtplans.«

Und dann meldet sich plötzlich eine neue Stimme: Hier ist Gumbo Yaya. Ich rufe Belinda. Gumbo Yaya ruft Belinda. Ganz Manchester lauscht uns. Hörst du mich, Belinda?

»Ich höre dich, Gumbo.«

Warum erzählst du den Zuhörern nicht, wie der Trip bis jetzt läuft?

»Der Trip läuft gut, Zuhörer.«

Ausgezeichnet.

Wer ist das? fragt Karo. Was macht dieser Gumbo in meinem Äther?

»Halt den Mund und fahr, Karosse.«

Ich fahre.

Aber wohin? Denn diese sonderbaren Straßen führen in einen dunklen Dschungel. Die Sonne ist hinter einer Wolke aus Erde verschwunden. Belinda kann den Stadtplan nicht wiedererkennen. Wo soll sie hinfahren? Das sind die Wurzeln des Weltenbaums. Pollen wabert durch ein Loch im Stadtplan. Saft tropft von üppigem Grün. Schwüle, schwarze Luft legt sich drückend über alles. Heiliges Taxi, wir sind unter der Erde, schießt es Belinda durch den Kopf. Wir sind unterhalb von Manchester. Der Rücksitzfahrer steuert das Taxi durch Blushs Hände auf die Öffnung im Stadtplan zu.

Der Wurzelstadtplan breitet sich um ein Zentrum aus, das kein Zentrum hat. Ein Strudel aus Tentakeln und Federn. Blush sitzt vorn auf dem Fahrersitz und lacht: »Irre! In der realen Welt kann ich gar nicht Auto fahren.« Aber Belinda ist vurtkrank. Zuviel Träumen für jemanden, der noch nie zuvor geträumt hat. »Wo sind wir, Karo?« fragt sie.

Ähm... ich bin nicht ganz sicher, Fahrerin-Belinda. Diese Strasse ist mir ein Rätsel. Ich empfange nur »Die Furt, durch die man die Ochsen über den Medlock getrieben hat«. Ist das hier Manchester?

»Das hier ist Vurtchester, Karo.«

Scheisse.

»Ich denke, wir sind auf der Oxford Road, Karo. Nein, streich das. Ich denke, wir sind *unter* der Oxford Road.«

Lass mich das kurz eingeben… wir fahren Richtung Stadt-zentrum. Die Gegend um Albert Square. Ich empfange keine klare Inpho, Fahrerin.

»Ich weiß. Halt den Kurs.«

Belinda, hier spricht wieder Gumbo. Ich sage es dir ja nicht gern, aber auf meinem Plan sieht es ganz so aus, als würdest du auf die Erde unter der Bottle Street zuhalten. Weisst du, was da ist?

»Klar. Das Coprevier.«

Soll ich dich rausholen?

»Lieb gemeint, aber nicht nötig. Wir machen diesen Trip.«

Gütiger Gumbo!

Und dann eine Taxifahrt hinunter in die Erde. Alles ist dunkel und furchteinflößend, eng und kummervoll, abgesehen von dem Loch im Humus, aus dem Pollenkörner entweichen. Die Wurzel-pfade sind holprig. Blush wird von Niesanfällen geschüttelt, und das Fahrzeug schleudert vom Griff ihrer verkrampft zuckenden Finger. »Gumbo, ich glaube nicht, daß ich es schaffe«, ruft sie.

Ihr seid fast da. Behalt nur die Ruhe, Kleine.

Immer den Trieben nach, bis hinab zur Wurzel.

Belinda sieht alle Straßen von Manchester auf jene Stelle in der Erde vor ihr zulaufen. Würmer wimmeln im Boden, verwandeln ihre windenden Bewegungen in Worte, die über den Shadow empfangen werden können…

Eindringling, gib dich zu erkennen. Dies ist eine Privat-welt. Die Stimme von Columbus.

Belinda entsendet einen Rauchtentakel in Karos Taxibordsystem, zwingt das Lenkrad in eine heikle Position, damit Karo auf Gefahr steuern kann. Der Pollen hüllt das Taxi ein, bis das Fahrzeug ganz mit feinem Staub bedeckt ist. Dieser dringt in die Belüftungsschlitze ein, verstopft das System mit Botanik. Karo niest…

HaaaaaaaaaaaaaaaaaaaaaaatssssssssssssssssscHHiiiiiiiiiiiii!!!!!!!

Belinda hatte noch nie zuvor ein Taxi niesen gehört.

Fahrerin-Belinda… sagt er. Die Messung des Pollenstands zeigt 1764. Ich habe mich angesteckt.

1766, um genau zu sein, Taxi-Karosse, berichtigt der Gumbo YaYa über den Äther. Sag dem Taxi, es soll einfach nur weiterfahren, Belinda.

Hör nicht auf ihn, erwidert Karo. Das hier ist eine Verboten-Zone.

»Fahr weiter, Karo. Sonst liebe ich dich nicht mehr.«

Der Motor des Taxis stottert kurz, bevor Karo in den Ultragang schaltet und die Erde und die Wurzeln und die Würmer nur noch verwischte Schemen jenseits der Scheiben sind.

Belinda, die Verbindung zu dir reisst ab! brüllt der Gumbo. Stille.

Und dann ist Belinda ganz allein unter der Erde. Jimi Hendrix ist verschwunden. Gumbo, Wanita, Blush… alle sind weg. Nur Karo das Taxi bleibt der Reise treu.

Diese Welt ist beengt, dunkel und klamm. Insekten graben sich durch die von Wurzeln durchzogene Erde, aus der die Straße besteht, auf der sie fahren. Die Geräusche von Blumen, während sie wachsen. Sie erinnern Belinda an jene knisternde, rauschende Botschaft, die sie über das Telefon gehört hatte, als sie Coyotes Kontaktnummer angerufen hat. Knorrige Wurzeln strecken sich nach ihrem Taxi aus, zerschlagen die Fenster, schlingen sich um sie, und als Belinda nach einem der Tentakel greift, um ihn wegzudrücken, blitzt plötzlich eine Vision in ihrem Shadow auf. Belinda sieht ganz Manchester vor sich, der Stadtrand verloren in Nebel und Regen, und alle Straßen werden von den leuchtenden Linien des Stadtplans überlagert, die sich wie die Ranken einer wachsenden Pflanze ausbreiten. Tausende von gelbschwarzen Ameisen eilen auf den verflochtenen Wurzeln entlang, als wären es Straßen. Einst hat Belinda selbst diese Straßen befahren, und in dem Moment erkennt sie, daß die Ameisen die Xcabs sind. Und daß jedes Taxi aus der realen Welt hier unten in dem Vurtstadtplan einen Doppelgänger hat. Karos Abwesenheit im realen Stadtplan bedeutet gleichzeitig ein fehlendes Teilchen im Traum; deshalb ist Columbus so versessen darauf, Belindas Karosse zurückzubekommen. Dem Spiegel fehlt sein Spiegelbild. In ihren Fahrertagen hat Belinda oft über das wahre Wesen des Stadtplans nachgegrübelt, hat ihn vor ihrem geistigen Auge als eine gewaltige Ansammlung reiner Daten gesehen. Es wäre ihr niemals in den Sinn gekommen, daß der Stadtplan ein organisches, vurtuelles System sein könnte.

Shadowschnitt.

Unvermittelt bricht das Taxi aus dem Wurzelwerk und der dunklen Erde. Es fährt jetzt durch neues Sonnenlicht und blendende Verwirrung. Belinda kurvt durch Sonnenlicht und eine Landschaft, in der alles friedlich und frei ist. Es duftet nach Paradies.

Regen tropft auf eine dunkel-purpurne Blume. Echos. Schallsondierungen. Irgendwo mitten drin Toms Stimme. »Willkommen in Juniper Suction, Sibyl. Ich bin auf diese Entfernung blind. Was siehst du?«

Ich sehe eine grüne Welt unter einem schwarzen Himmel. Einen Wald. Einen erblühenden Dschungel aus Sex. Blumen, die sich um Ranken schlingen. Tief, tief schwarze Ranken. Nasse Blumen tropfen von ihnen herab. Blasen aus goldenem Pollen platzen in der Dunkelheit, auf der Suche nach Liebhabern. Viele der Pollenkörner schweben durch ein Loch im Waldboden.

Dies war dieselbe Welt, die ich in den letzten Lebensmomenten von Coyote, dem Zombie und D-Frag erblickt hatte, nur von Smaragd in Ebenholz verwandelt. Ein Dämon hatte seine Hände über dem Paradies ausgebreitet, hatte ein dunkles Leichentuch über die Blüten gelegt. Ich will versuchen, es so gut zu beschreiben, wie ich kann: Ich hing kopfüber in einem schwarzen Wald, meine Füße gefangen in den höchsten Wipfeln einer Eiche, verheddert zwischen den Ästen. Über mir war nur ein Gewitterhimmel, von dem Sturzregen auf ein Laubdach prasselte und es mit seinem Gewicht erdwärts drückte. Mein Körper war gefangen in einem dichtmaschigen Netz aus Zweigen und Ästen, eine Maske aus Blättern und dunkellila Blüten. Spitze Dornen bohrten sich in meine Haut. Mein baumelnder Kopf ragte aus den tieferen Ästen heraus, umgeben von fauligem Obst, das von der Ranke herunterhing. Unter mir war eine kleine Lichtung im dichten Wald, direkt unter mir ein Loch im Boden, aus dem der Pollen entwich. Aus jener Öffnung kam die

Musik, Note für Note, Pollenkorn für Pollenkorn; die Gesetze des Austauschs. Tag wurde zu Nacht. Der Mond schien weinend auf die Lichtung, wo Horden von *Tränendes-Herz*-Blumen unter seinem Licht erschauderten.

Regen.

Mein Name ist Sibyl Jones. Sibyl Jones. Das sage ich mir immer wieder und wieder, vergewissere mich meiner Identität. Diese schlüpfrige Welt...

Ich blicke hinunter auf eine umgedrehte Bühne, wie ein kopfüber zuschauender Voyeur. Ein perverses Publikum. Dies ist ein Theaterstück, ein Bewegen von Handlungen, die zusammenstreben, verschmelzen. Wenn ich doch nur dahinter käme, wer es geschrieben hat...

Ein kleiner Junge ist genauso wie ich gefangen, hängt ein Stück weiter in den Ästen eines anderen Baums fest. Die Dornen bohren sich in sein Fleisch. Sein gequältes Gesicht kommt mir irgendwie bekannt vor. Eine Schlange windet sich um seinen Körper. Blut quillt aus den Dornenwunden, tropft von den Blüten auf den Waldboden, Rot auf Grün. »Bitte, helfen Sie mir«, sagt der Junge, seine Stimme gedämpft von den Blättern, die in seinem Mund wachsen, und von der dunklen Schlange, deren Windungen seinen Leib wie eine Schraubzwinge halten. Die Wangen des Jungen wimmeln von Maden. Er weint.

»Wer bist du?« frage ich.

»Brian Swallow... werden Sie mir helfen, bitte?«

Natürlich. Das Bild, das Zero mir gezeigt hat. »Ich versuche es. Wurdest du ausgetauscht?«

»Ja... Eingewechselt.«

»Gegen wen?«

»Persephone... sie heißt Persephone... das Blumenmädchen... Bitte, helfen Sie mir, Lady... ich will wieder nach Hause.«

»Wo ist Persephone jetzt? Weißt du das?«

Die Schlange ringelt sich fest um den Körper des Jungen, und die Äste ziehen sich enger zusammen. Swallow schreit auf. »Helfen Sie mir, Lady, bitte... bitte...«

Ich weiß nicht, was ich tun soll. Tom Doves Stimme ist verstummt. Das Loch im Himmel, durch das ich gefallen bin, hat sich nun wieder geschlossen, wie eine verheilte Wunde. Ich bin allein in einer grünen Federwelt, über die ich nicht das geringste weiß, während sich Dornen in mein Fleisch bohren und keinen Meter entfernt ein kleiner Junge zu Tode gequetscht wird. Eine speckig aussehende Schlange kriecht über das Gesicht des Jungen. Pollenkörner drängen in meinen Mund, kleben an meinen Beinen, brennen Löcher ins Fleisch. Die fette Schlange reckt ihren Kopf hoch, um mich anzustieren…

Das Reptil hat ein Menschengesicht.

Das Gesicht eines jungen Mannes, mit einer Wolke von Fliegen, die seinen sich windenden Körper umschwirren wie symbiotische Passagiere. Ein unvermittelter Windzug schüttelt die Äste. Sie lockern sich um Brian Swallows Körper, und er stürzt gute drei Meter auf den Waldboden zu, bevor die Schlange herumschnellt und den Knaben an den Knöcheln packt, um ihn dann einfach dort baumeln zu lassen, fünf Zentimeter über dem Boden. Der Schlangenmann lacht, während er den Jungen über der Lichtung hin- und herschwingt wie das Pendel einer menschlichen Uhr. Ich strecke mich, so gut ich kann, nach dem Jungen aus. Meine Finger versuchen, seinen Körper aus den Windungen der Schlange zu befreien.

Sibyl!

Ich höre Toms schreiende Stimme über meinen Shadow, er brüllt mir zu, daß der Traum weiterginge, daß das Fenster sich schloß, aber wie konnte ich diesen armen Jungen allein in diesem Teufelsgarten zurücklassen? »Ich stehe dir bei, Brian«, rief ich. »Ich bin hier! Sieh mich an. Ich bin ein Cop…«

Aber ich hatte keine Hände, keine Arme, keine Zunge, keinen Kopf, keinen Körper, keinen Mut, um ihn damit zu packen. Ich war eine überreife Frucht, die an einem regengeschüttelten Baum hing. Die rußschwarze Schlange hielt Swallow mit einem Knoten aus prallem Fleisch fest und reckte dann ihren Kopf hoch, bis das menschliche Gesicht abermals in meins starrte. »Dürfte ich wohl fragen, was du hier machst?« Die Stimme des Schlangenmannes war so dunkel wie der Wald, aus dem er geflossen war.

»Mein Name ist Officer Sibyl Jones. Ich bin ein Cop. Sie sind hiermit festgenommen.« Natürlich schaltete ich automatisch in Copmodus um, doch noch während ich die Worte aussprach, wurde mir bewußt, wie absurd das Ganze war.

»Ach wirklich? Prächtig.« Die spitzen Zähne des Schlangenmanns streckten sich in Richtung meines Gesichts aus, und seine gespaltene Zunge liebkoste meine Lippen. Ich konnte nicht entkommen.

»Verdacht auf illegalen Austausch eines Menschenkinds«, fuhr ich fort, meine Stimme geschwächt vom Pollen, der erfolglos gegen meine Lippen drängte. »Verdacht auf illegale Einfuhr einer verbotenen Substanz in die Realität. Wollen Sie eine Erklärung dazu abgeben? Ich muß Sie allerdings warnen, daß alles, was Sie jetzt sagen, später gegen Sie verwendet werden kann… vor… vor… vor Gericht…«

Die gespaltene Zunge streichelte jetzt meine linke Wange, und der amüsierte Ausdruck auf dem Gesicht des Schlangenmannes hatte sich in ein hämisches Grinsen verwandelt. »Officer Jones… wie süß du bist.« Seine Stimme wurde von den Zischlauten verzerrt. »Du versuchst, Sir John Barleycorn festzunehmen, in seinem eigenen Reich! Ein wahrlich gelungener Scherz! Du bist so weit gekommen, aber du hast immer noch nichts begriffen. Wie unfähig du bist. Das ist wirklich ganz bezaubernd.« Während er sprach, wickelte er seine Windungen zärtlich um meinen freiliegenden Hals und begann zuzudrücken.

Das Blut staute sich in meinem Kopf, und das Licht über dem Wald wurde immer schwächer.

Schmerz.

Schmerz, und die Muskeln aus Ruß. So sieht es für John Barleycorn aus. Darauf läuft die Welt am Ende hinaus. Ich bekam keine Luft mehr.

Meine einsame Stimme sucht sich einen Weg zu bahnen…

Verloren. Verloren inmitten der Blumen. Der Wald zieht sich

immer enger um mich, liebkost mich, die Ranken wickeln sich wie Klaviersaiten um meine Beine, der Schlangenmann drückt mir mit seinem muskulösen Leib die Kehle zu. Schlanges Kopf schnellt hoch, hält einen Moment im Regen inne und saust dann wieder herab, um mich zu beißen…

Bitte… nicht…

Mein Hals wird von den Windungen aus Fleisch zerquetscht, Dornen bohren sich in meine Beine. Fangzähne. Blut quillt aus der Frucht.

»Sibyl?«

Eine Stimme.

»Sibyl, sind Sie noch da? Ich versuche jetzt, Sie herauszuholen. Aller Schmerz ist nur Fiktion.«

Toms Stimme, aber viel zu weit entfernt, viel zu spät, denn schon schließen sich die Fänge der Schlange um meinen Hals.

Mein Kopf wird abgetrennt.

Und fällt…

Belinda steuert Karo eine grüne Straße zwischen sich endlos erstreckenden Feldern entlang, auf denen Weizen und Korn wogen. Blütenblätter und Vögel schimmern und singen in den Hecken und Lauben. Die Sonne schillert auf jedem Blatt und jeder Blume, bis die ganze Welt nur noch aus Farbsegmenten zu bestehen scheint. In der Ferne spielen Kinder zwischen Gehöften und Cottages; ein Schwein quiekt vergnügt, weil es gejagt wird.

Das Taxi zwängt sich durch grüne Pflanzen und goldenes Licht, mit Belinda am Steuer. Karo genießt das Gefühl dieser jüngsten, heißesten Straße unter seinen Rädern. Beide, Fahrer und Fahrzeug, haben alle Sorgen hinter sich gelassen.

Sie sind frei von allem Wissen, in einem Land, bevor der Baum der Erkenntnis abgepflückt wurde.

Vor ihnen lehnt ein junger Mann an einem üppig belaubten Baum am Straßenrand. Der junge Mann ist neunzehn und goldblond. Er reckt den Daumen hoch, als Belinda an ihm vorbeifährt.

Ein Anhalter.

Belinda hat noch nie zuvor einen Anhalter mitgenommen, aber jetzt hat sie das Gefühl, daß anzuhalten und ihn mitzunehmen das beste wäre, was sie überhaupt tun könnte. Karo sieht das genauso.

Das Taxi hält an, und der junge Reisende macht es sich auf dem Rücksitz bequem. Das Taxi fährt durch eine laubverhangene Allee aus Schatten und Sonnenlicht. Belinda fragt den Fahrgast nach seinem Namen…

»Fahrerin Boda, willkommen in der Vurtwelt«, erwidert der Fahrgast. »Das heißt, dieser Tage nennst du dich ja wohl Belinda, stimmt's?«

»Bist du Columbus?« fragt Belinda.

»Es freut mich wirklich sehr, dich endlich in Fleisch und Blut kennenzulernen, nach all diesen Jahren der Liebkosungen, Belinda«, sagt der Fahrgast. »Genau das war es nämlich, mußt du wissen. Deine Karosse zu animieren war eine Liebesmassage, und ich bedaure deinen Fehltritt wirklich sehr. Es verletzt mich, daß dir der Taxi-Name, den ich für dich ausgesucht habe, nicht mehr gefällt. Dies hier ist übrigens nur meine menschliche Gestalt, die ich dir zeige.«

»Leck mich, Columbus!« schreit Belinda. »Du hast meinen Coyote umgebracht.«

Ein Taxi fährt in die Sonne.

»Hier steige ich aus, Fahrerin«, erklärt Columbus. »Hier kannst du halten.«

Belinda stoppt mit dem Taxi neben einem Holztor, das auf ein Feld führt. Columbus steigt aus, dann fragt er Belinda, wieviel er ihr für die Fahrt schulde. Das Leben ihres Geliebten, erwidert Belinda. Columbus bittet die Fahrerin, ihm in die Felder zu folgen, wo sich möglicherweise eine befriedigendere Bezahlung finden lasse.

Belinda macht die Reise.

Und inmitten der Weiten aus goldenem Weizen erzählt Columbus Belinda, daß diese fruchtbare Welt eine Projektion der Realität sei, wie sie sein werde, wenn der Vurt erst einmal die Herrschaft übernommen hat. »Verspürst du nicht den drängenden Wunsch, deinen Beitrag zu leisten, damit es dazu kommt?« sagt Columbus zu Belinda. »Duftet die neue Welt nicht wunderbar?«

»Ist das hier der Limbus?« fragt Belinda.

»Aber nicht doch«, erwidert der Xcab-König. »Das hier ist Manchester in der Zukunft. So wird Manchester einmal aussehen, wenn der Vurt die Stadt erst erobert hat. Ist das nicht wunderbar? Keine Verbrechen mehr, keine Umweltverschmutzung. Weder Reichtum noch Armut.«

»Ja, es ist wunderbar«, muß Belinda zugeben. »Aber wo sind die Leute?« Die Wurzeln unzähliger Pflanzen versammeln sich um ihre Knöchel, ziehen sich immer enger zusammen.

»Die Leute sind zu sehr mit dem Spielen beschäftigt, um sich blicken zu lassen.« Columbus pflückt eine Blume. Eine Orchidee. Er streicht die Blütenblätter zurück. Nichts kann so große Blütenblätter haben, sechs Stück davon, gruppiert wie ein sich entfaltender Stadtplan. Das pralle Staubgefäß ist reif für die Liebe. Columbus steckt seine Zunge in den Kelch der Blume. Die Orchidee scheint auf seine Liebkosungen zu reagieren, wird steifer, reifer. Als seine Zunge wieder zum Vorschein kommt, ist sie mit Pollen bedeckt, der von dort aufsteigt und durch das Sonnenlicht auf ein winziges Loch im Himmel zuschwebt. Die Luft ist drückend und schwül, und die Pollenkörner leuchten schillernd. Belinda kann kaum atmen. Ihr Mund ist trocken.

»Columbus, du hast Coyote umgebracht!« schreit sie. Und da ziehen sich die Wurzeln um sie noch fester zusammen.

Columbus ignoriert sie. »Ist diese Blume nicht wunderschön?« fragt er. »Oh, sieh doch nur, wie sich die Körner verteilen! Siehst du denn nicht, wie sie die Stadt mit einem goldenen Stadtplan überziehen? Schau doch nur, wie sie aus der Blume herauskommen!«

»Ich werde dich umbringen.«

»Ein neuer Stadtplan wird Einzug halten, Fahrerin. Ein Stadtplan aus Pollen. Siehst du denn nicht, wie er sich vom Staubgefäß löst? Das ist der Schwanz von John Barleycorn. Er war sehr freundlich mir gegenüber. Ich wette, du hast noch nie von ihm gehört, stimmt's? Du unwissendes Schaf. Du bist der Geschichte nicht würdig. Sehr, sehr lange fügte sich der Stadtplan der Realität. Jetzt wird sich die Realität dem Stadtplan fügen. Deshalb habe ich die Xcabs ins Leben gerufen, mit Barleycorns Hilfe, versteht sich. Sie sind das Transportmittel für den Vurt. Die Reise geht jetzt ihrem Ende entgegen. Ich werde diese Stadt verändern, Fahrerin. Sie wird mir gehören.«

Je mehr Belinda sich wehrt, desto fester schlingen sich die Wurzeln um ihre Knöchel. »Ich bin nicht deine Scheißfahrerin, Columbus!« ruft sie aus, denn inmitten all des Blühens ist auch ihre Entschlossenheit wiedererwacht.

Columbus lacht nur. »Ich muß dich loben, daß du es so weit geschafft hast, Belinda. Aber ich fürchte, ich kann nicht zulassen, daß du weitermachst. Mit dem neuen Stadtplan werden die Bewohner des Vurt endlich einen Zugang zur Realität haben. Die Geschichten werden heimkehren, und es wird ganz wunderbar werden. Was derzeit nur im Kopf passiert, wird bald schon auch außerhalb des Kopfes existieren. Der Traum! Der Traum wird leben! Denn was ist schon menschliches Leben, menschliches Fleisch? Nichts weiter als ein Gefäß für den Traum. Erkennst du denn nicht die Logik dahinter? Ohne Träume wäret ihr Menschen noch Affen. Also zeigt doch bitte etwas mehr Respekt vor euren Schöpfungen. Mehr verlangen wir ja gar nicht. Ist das denn zuviel? Wenn sich mein neuer Stadtplan über eure traurigen Straßen herabsenkt, dann werdet ihr alle auf die Knie fallen und mich anbeten. Ich bringe eure Phantasie zum Erblühen, und ihr bedankt euch mit Greinen und Winseln. Wie erbärmlich. Ich könnte kotzen. Der Traum, der Traum ist gut!«

»Warum hast du Coyote umgebracht?« Das ist alles, was Belinda herausbringt.

Columbus Augen blitzen kurz auf, dann verdunkeln sie sich wieder. »Was soll ich darauf antworten? Einige schaffen den Trip, andere nicht. Einige bleiben am Leben, andere sterben. Kann ich etwas für die Evolution? Die Straße gehört den besten.« Ein Speicheltropfen fällt aus Columbus Mund und landet auf der Orchidee. »Nein, nein… das war unhöflich. Trotz deiner Vergehen habe ich Respekt vor dir, Belinda. Du gehörtest immer zu meinen Lieblingen unter den Fahrern. Ich meine, schon allein die Tatsache, daß es dir gelungen ist, dich ohne mein Wissen wieder zurück auf den Stadtplan zu schmuggeln… Das war wirklich eine fahrerische Meisterleistung. Ich muß mich für den Tod deines Freundes entschuldigen. Dieser Traum ist eine ländliche Idylle, und Persephone kann manchmal ein wenig stürmisch sein.«

»Persephone? Coyotes Fahrgast...«

»Persephone ist Barleycorns Frau. Sie bringt der Stadt den neuen Plan. Vielleicht solltest du deinen Taxihund-Trend als einen Boten betrachten. Ich meine, irgendwie ist er so eine Art Johannes-der-Täufer-Figur. Er wird in die Geschichte eingehen. Das war die Rolle, die ihm das Leben zugedacht hatte. Wir alle haben unsere Bestimmung.« Und dann streckt Columbus Belinda seine Hände hin. In beiden Handflächen befindet sich ein schartiges Loch. Blut strömt aus den Wunden.

»Persephone hat Coyote umgebracht?« fragt Belinda. »Ist es so gewesen?« Die Wurzeln des Felds recken sich hoch, um ihre Hände mit Fesseln aus Ranken an ihren Körper zu binden.

Columbus wendet den Blick ab. »Einige sterben« ist alles, was er sagt.

»Wo kann ich Persephone finden?« erkundigt sich Belinda barsch.

»Könntest du ein Samenkorn in einem Hektar Boden ausmachen?«

»Du bist schuld an Coyotes Tod, Columbus, und dann hast du versucht, es mir in die Schuhe zu schieben.«

»Es gab nun einmal zwingende Gründe dafür, das mußt du verstehen.« Columbus sieht Belinda an. »Du hast deine Wahl zu treffen, Belinda, zwischen der alten und der neuen Welt; zwischen dem Elend und dem Paradies. Wofür entscheidest du dich?«

»Ich habe Coyote geliebt.« Belinda ist es gelungen, eine Hand aus dem Klammergriff der Wurzeln zu befreien.

»Belinda, ich bitte dich, zum Stadtplan zurückzukehren. Das ist dein Zuhause. Du bist doch nicht glücklich ohne den Stadtplan, oder? Hat sich das Leben nicht als recht beschwerlich erwiesen?«

Ihre freie Hand gräbt in ihrer Schultertasche. »Ich habe den Xcabs neun Jahre meines Lebens gegeben, Columbus. Und du hast mich dafür verraten.«

»Belinda, ich brauche dich.«

Belinda holt den Colt aus ihrer Tasche und feuert ohne zu zögern, wieder und wieder, bis alle Kammern leer sind. Fünf silberne Kugeln zischen aus der Mündung und fliegen schnurstracks auf Columbus zu.

»Belinda…«

Mein Kopf ist abgetrennt. Und fällt…

Die schwarze Welt des Grüns wirbelt um mich herum, während mein Kopf auf den Garten zustürzt. Das Loch im Himmel ist geschlossen, Tom Dove für immer verschwunden. Noch im Fallen sehe ich, wie sich das Loch im Waldboden weiter öffnet, um mich zu empfangen, wie eine Wunde, die eine Kugel willkommen heißt. Eine weitere Tür. Blumen umzingeln mich. Dornen bohren sich in meine Haut…

Mein Kopf stürzt durch die Wand des Vurt in die Dunkelheit…

Durch ein schier endloses Gewirr aus Wurzeln, das wie ein komplexer unterirdischer Plan meiner Stadt anmutet.

In den nassen Geruch von nährendem Humus und von dort in ein leuchtend gelbes Licht. Die Sonne. Die Felder der Liebe. Der Duft des Paradieses. Ich stolperte durch Gräser und Blumen, mein Körper aus reiner Luft und dem Atemhauch eines Shadows gemacht. In der Ferne stehen zwei Menschen auf dem Gras. Ich erreichte ihre Sphäre, fand Columbus den Taxikönig und meine eigene Tochter Belinda, das aufbegehrende Kind.

Fand Liebe.

Ein Mantel aus Wurzeln, eine Wolke aus Pollen. Die feuchte Zunge einer Orchidee. Meine Tochter war dort, gänzlich umschlungen von Ranken, die gleichzeitig die Straßen der Stadt waren. Eine von ihnen war fest um ihren Hals gewickelt. Fünf Kugeln reisten in träumerischer Zeitlupe von meiner Tochter zu dem jungen Mann mit dem goldenen Haar, dessen Name der Shadow als Columbus angab. Mein schwebender Kopf bewegte sich in demselben trauerfeierlich gemessenen Rhythmus.

»*Mutter…*«

Jenes Wort, entsandt von Shadow zu Shadow.

»Bitte hilf mir. Er tut mir weh.«

Die fünf Kugeln bewegten sich wie mattes Silber.

»Wen haben wir denn da?« fragte der Taxikönig. »Noch ein Besucher. Columbus ist wirklich begehrt.« Er fing eine träge Kugel mit seiner linken Hand, eine andere mit seiner rechten, und dann warf er beide Patronen beiseite. Die Kugeln verschwanden in dem tiefblauen Himmel dieser neuen, grünen Welt, bahnten sich den Weg in eine andere Geschichte. Die dritte Kugel verfehlte den Körper des Herrn der Taxis um einige Zentimeter und löste sich ebenfalls in der Luft auf. Die vierte Kugel dagegen traf Columbus mitten in der Brust, riß eine kleine Wunde in seine Haut, aus der leuchtend orangefarbenes Blut strömte. Er lachte über den Treffer, und dann verzog er kurz das Gesicht, so als würde ihn eine Unpäßlichkeit überkommen. Die schwebenden Pollenkörner schienen für den Bruchteil eines Augenblicks innezuhalten und zu beben, als die Kugel ihr Ziel fand, so als würde zwischen ihnen und dem Taxikönig eine intime Beziehung bestehen. »Das wirst du bereuen, Belinda.« Er sagte das gedehnt und langsam, während er mit mordlüsternem Blick meine Tochter fixierte. Die fünfte und letzte Kugel bewegte sich noch immer auf ihn zu, Moment um Moment. Er nahm all seine Kraft zusammen und lenkte die Kugel durch die träumende Luft ab, bis sie geradewegs auf mein Gesicht zusteuerte. Die Kugel bewegte sich wie der Traum einer Schildkröte.

»Tu ihr nichts, Columbus!« Das war Belindas Schrei.

Tom Doves Stimme drang schimmernd aus dem Nichts: *»Sibyl, wo sind Sie? Ich empfange Wunden aus allen Winkeln des Vurt.«*

»Ich bin bei Columbus, Dove«, antwortete ich. *»Im Zentrum des Stadtplans. Paradiseville. Holen Sie mich hier raus.«*

»Das ist schwierig.«

»Warum versuchen Sie's nicht erst einmal?«

Die Kugel war noch zehn Zentimeter von meinem Gesicht entfernt. Belinda flehte Columbus an, mich zu verschonen. »Sie hat mit dem Ganzen nichts zu tun, Columbus. Diese Sache geht nur dich und mich etwas an.« Gleichzeitig entsandte sie im Shadow folgende Botschaft: »*Bitte, Mutter. Es tut mir leid, daß es so gekommen ist.*«

O meine geliebte Tochter…

Die Kugel war keine fünf Zentimeter mehr entfernt, und ich konnte mich nicht von der Stelle rühren. Dann hörte ich in Wurzeln aus Shadow, wie Gumbo YaYas Stimme zu Belinda sprach. Belinda, endlich empfange ich dich wieder. Ich werde dich jetzt rausholen. Halt dich fest. Und gleichzeitig streichelte mich Tom Dove mit beflügelten Fingern…

(Die Kugel küßte bereits meine Haut.)

… zog meinen Kopf zurück in die Realität.

(Kugels Kuß dauerte noch immer an.)

Belinda, du legst eine Bruchlandung in Gumbos Palast hin. Blush schreit dich an, fuchtelt mit der Feder. »Du hast sie zerstört«, brüllt sie. »Du hast meine Black Mercury zerstört! Sieh dir nur mal an, was du mit meinem Schatz angestellt hast. Du hast meine schwarze Feder *beige* gemacht!« Blush weint fast vor Wut. Die schwarze Feder ist jetzt total beige und vollkommen tot. Das passiert mit Vurtfedern, wenn sie aufgebraucht sind und man nicht mehr mit ihnen träumen kann. Belinda möchte ihr sagen, daß es Columbus war, der die schwarze Feder hatte beige werden lassen. Auf diese Art hatte er die Tür zu den Spuren geschlossen. Aber was soll sie sagen?

Du hältst eine Blume in deinen Fingern, Belinda. Eine mörderische Orchidee. Etwas, das du aus dem Black Mercury mitgebracht hast. Sie hat sechs Blütenblätter. Fünf sind wie silberne Kugeln, auf dem sechsten findet sich ein Abschnitt des Stadtplans von Manchester. Du drückst die Blütenblätter auseinander, um das Staubgefäß und die Narbe freizulegen; den Schwanz und die Möse. Das Staubgefäß ist prall von Pollen, und während du in den Kelch blickst, lösen sich die Körner vom Staubbeutel. Sie schweben durch die Luft, gehen kurz in deiner Nase auf Entdeckungsreise, finden dort kein Zuhause und fliegen dann geradewegs zu Blush. Und zum Gumbo. Und zu Wanita-Wanita. Zu allen Geschöpfen im Raum. Diese Mitspieler greifen eilig nach ihren Masken, legen sie schreiend und kreischend an.

Belinda, du hältst die silbern schimmernde, stadtplangleiche Blume in deinen Händen. Coyotes Tod, alles umsonst. Der Mörder läuft immer noch frei herum. Der Schnupfen grassiert immer noch. Ein neuer Stadtplan, geradewegs aus der Hölle. Eine Blume in deiner trauernden Hand…

Die Erkenntnis trifft dich im selben Moment, als Gumbo dich durch seine Maske anspäht: »Heiliger Jagger, Mädchen. Du hast etwas mit zurückgebracht! Du hast eine Blume aus dem Vurt gepflückt. Weißt du, was das bedeutet?«

Du weißt es. Du kannst dich nicht daran erinnern, die Feder genommen zu haben, aber du weißt… etwas war dir im Gegenzug genommen worden. Du greifst in deine Schultertasche, suchst nach dem A-Z-Stadtplan und findest nur Bonbonpapier und eine Wollmütze.

Du hast fünf silberne Kugeln und einen Stadtplan von Manchester an den Vurt verloren.

Blasen. Blubbernde Seifenblasen. Worte. Meine eigenen? Die von jemand anders? Wie konnte ich sprechen, wo ich doch keinen Kopf mehr hatte? Wo war ich überhaupt? Zuhause in Victoria Park? Dunkelheit. Grün. Piecksen. Blasen aus Worten. Kein Kopf. Nur Obst. Der schwarze Garten. Dornen, die mich stechen. Mein Kopf. Kein Kopf. War ich tot? Wurde ich gerade einer Shadowvisitation unterzogen? Dunkelheit. Dann Grün. Zwei kleine flackernde Glühwürmchen. Das waren meine Augen. Kein Kopf, aber Augen? Was wuchs mir da? Etwas Fruchtiges? Geküßt von einer Kugel. Dreh die Glühwürmchen voll auf.

Laß mich…

Laß mich meine Augen öffnen.

Zero stand über mich gebeugt da, und seine Maske verwandelt seine Worte in blubbernde Bläschen. »Hast du da drin irgendwas gefunden, Sibyl? Hast du was erreicht?« Sein Körper war gezeichnet vom Schnupfen. Ich konnte ihm nicht antworten. »Hast du was erreicht, Smokey?« wiederholte er. »Oder war das alles eine reine Kraftverschwendung?«

Ich war jetzt wieder zurück, tastete mit meinen Händen die Falten meines Gesichts ab. Vergewisserte mich, daß es noch da war. Ich lag in meinem Bett, noch zitternd vom Raussprung. »Ich… ich weiß es nicht…« Ich wollte unbedingt sprechen, aber meine Stimme hatte Vurt-Lag.

»Verflucht noch mal, Sibyl. Hast du denn überhaupt keine Neuigkeiten für mich? Die Neuigkeit, daß ich ewig leben werde, zum Beispiel?«

War das alles, was er wollte? Ein Heilmittel für sein Leiden? Die Gerechtigkeit hatte sich scheinbar in der schlechten Luft aufgelöst, die er in seine Nase sog.

»Spiel doch einfach die Feder-Bänder ab«, meinte ich.

»Die Bänder konnten dir nicht durch das Loch folgen, Jones. Tom Dove kam einfach nicht durch. Knie nieder und preise sein Können, daß er es überhaupt geschafft hat, dich wieder zurückzuholen. Du bist die einzige, die uns sagen kann, was Sache ist, Smokey.«

»Belinda war dort. Meine Tochter, sie war… und Swallow, Brian Swallow, der ausgetauschte Junge… er war auch dort. Es ist schrecklich, Zero… ein schrecklicher Ort. Die Taxis sind auch dort. Und Columbus. Wo früher Manchester stand, liegt nun ein Paradies.«

»Was redest du da? Heiliger Hund! Was ist mit dem Heilmittel? Hast du etwas gegen den Schnupfen gefunden?«

»Das Mädchen… Persephone… sie ist der Schnupfen.«

Zero nieste durch seine Maske, eine bombastische Explosion, in die Juwel aus seinem Zimmer mit einstimmte. »Was, zum Henker, hältst du dir da in dem Zimmer, Smokey?« Zeros Stimme. »Klingt so, als würde die ganze beschissene Welt niesen.«

Später an jenem Tag, an meinem Eßtisch. Zero hockte mit hängendem Kopf da, betrunken von billigem Wein. Tom Dove spielte mit dem Essen, das ich ihm serviert hatte. Ich selbst ging wieder und wieder die Einzelheiten meiner Vurtreise durch.

»Es ist eine schlimme Geschichte«, sagte Tom. »Ich habe Angst. Ich glaube nicht, daß wir eine Chance haben.«

Vor dem Essen hatte ich ihnen mein Geheimnis gezeigt. Meinen geheimen Sohn. Meinen Zombie. Zero hatte sich zwar halbherzige Empörung abgerungen, aber im Grunde hatten sie es gut aufgenommen. Wir waren jetzt alle drei so weit jenseits der Copgesetze, was machte da noch ein illegaler Zombie mehr oder weniger?

»Es ist ein ernster Vurt-Fall, Sibyl«, befand Tom Dove jetzt. »Dieser Schnupfen…« Er schob sich einen winzigen Bissen Fleisch in den Mund und kaute eine Weile darauf herum. »Dieser Schnupfen kommt von John Barleycorn. Und das ist ein ganz gefährlicher Dämon.«

»Erzähl mir von diesem John Barleycorn«, bat ich. Ich hatte Zero und Dove bereits alles erzählt, woran ich mich von meiner Reise erinnerte. Zero hatte sich in einen passiven, einlullenden Alkoholrausch zurückgezogen, Dove in eine rotzerfüllte Depression.

»Er ist die Schlange, die dich in dem Garten gebissen hat«, erwiderte Dove. »Er kann in vielen Gestalten erscheinen. Und alle sind böse.«

»Laß mich das noch einmal rekapitulieren. Er ist nur ein Vurtgeschöpf, stimmt's? Eine Figur in einer Geschichte. Eine Geschichte, die wir, wir Menschen, uns ausgedacht haben. Wie kann uns eine Geschichte gefährlich werden?«

»Du scheinst noch immer nicht das wahre Wesen des Vurt zu begreifen. Die Geschichten sind jetzt *lebendig*, dank Miss Hobart.«

»Der Erfinderin des Vurt?«

»Der *Entdeckerin* des Vurt. Das ist ein großer Unterschied. Den Vurt gab's schon immer, er wartete nur darauf, von uns entdeckt zu werden. John Barleycorn ist eine der ältesten Geschichten, und auch eine der bekanntesten. Eine der besten. Deshalb hat er auch so viele Namen. Der grüne Mann. Fruchtbarkeit. Das Ding aus dem Sumpf. Der gehörnte Gott. Die Christen haben ihn aufgrund seines heidnischen Abbildes gestohlen und aus ihm den gehörnten Teufel gemacht, Satan, die Schlange, Luzifer. In den alten griechischen Mythen hieß er Hades. Sie haben ihn in die Unterwelt verbannt. Und das nimmt uns dieser John Barleycorn immer noch übel.«

»Aber er ist doch nur eine Vurtfigur, stimmt's? Er ist nicht real. Ich kapier das einfach nicht.«

»Der Vurt will real werden. Er ist ein lebendes System. Er existiert, auch wenn wir nicht davon träumen. Miss Hobart hat dafür gesorgt. John Barleycorn lebt in der Feder namens Juniper Suction. Das ist eine Himmelsfeder. Eine Unterwelt. Ein Ort, an dem wir unsere Erinnerungen aufbewahren, wenn wir sterben. Damit wir über den Tod hinaus leben können, im Vurt. Nur die Toten haben dort Zugang.«

»Aber ich war doch drin.«

»Ja. Für ein paar Augenblicke. Der Shadow ist der Hauch des Todes im Leben. Außerdem bist du gegen die Blumen immun, so daß sie dir dort drin nichts anhaben konnten, Sibyl, und ich schätze, das wissen sie jetzt.«

»Der Pollen ist Persephone? Barleycorns Frau? Sie ist der Schnupfen?«

»Ganz genau. Persephones Mutter ist eine Göttin namens Demeter. Sie ist ein Halbwesen; verbringt ihr Leben auf halbem Weg zwischen der Realität und dem Traum. Ich vermute, sie will, daß Persephone in der realen Welt, in Manchester, spielen darf. Sie will eine eigene Welt für ihre Tochter.«

»Wollen wir das nicht alle?«

»Demeter will ein Reich für ihre Tochter, und die reale Welt steht zur freien Verfügung, besonders seit sie so fließend geworden ist. Ich glaube, daß John Barleycorn diesem Austausch zugestimmt hat, und jetzt benutzt er seine Frau, um in die reale Welt einzudringen. Er will ein Leben über die Geschichte hinaus. Dieser neue Stadtplan, den Columbus herüberholt, der könnte Barleycorns Zugang in diese Welt sein.«

»Das ist doch alles verrückt.«

»Natürlich ist es das. Aber es passiert. Der Vurt bricht in diese Welt ein. Wenn es klappen sollte …«

»Ja?«

»Dann wird der Traum die Herrschaft über uns übernehmen.«

»Ist das die Vision, die Columbus meiner Tochter gezeigt hat?«

»Columbus ist ebenfalls ein Halbwesen. Er lebt teils im Vurt, teils in der realen Welt. Er ist ein Grenzgänger. Der Neffe von Barleycorn. Columbus spielt die Rolle des Hermes aus den alten Mythen. Er ist der Bote, der Gott der Reise. Nach dem, was du mir erzählt hast, nehme ich an, daß er die Tür ist, durch die der Schnupfen hereinkommt.«

»Der Heuschnupfen ist ein neuer Stadtplan?«

»Jedes Pollenkorn ist eine neue Straße. Wenn dieser neue Stadtplan sich durchsetzt, wird es keine Freiheit mehr in der Stadt geben. Die Stadt wird sich verändern und dem Plan anpassen. Die Realität wird sich dem Traum fügen, statt umgekehrt. Wir werden nicht mehr wissen, wo wir sind. Gerade noch wohnt dein bester Freund zwei Minuten entfernt von dir. Im nächsten Moment können daraus zwanzig Meilen werden. Ein Stadtplan des Chaos'. Der Traum wird über diesen neuen Stadtplan in die Welt kommen und die Herrschaft übernehmen. Wir werden wie verirrte Kinder sein.«

»Ich weiß nicht… diese neue Welt sieht wunderschön aus.«

»Natürlich.«

»Belinda hat auf Columbus geschossen. Sie hat ihn verletzt, wodurch sich die Pollenwolke ein bißchen gelichtet hat.«

»Ohne Columbus wissen die Körner nicht, wohin sie reisen sollen.«

»Wenn wir also Columbus töten…«

»Ja, das ist möglich. Aber er wird jetzt auf der Hut sein und mächtige Schutzwälle errichten. Er wird die Black-Mercury-Feder, mit der deine Tochter ihn gefunden hat, beige werden lassen und sich dann im hintersten Winkel des Stadtplans verstecken. Columbus ist sehr schwer zu fassen; wer den Stadtplan macht, weiß nun mal am besten, wo man sich verstecken kann.«

»Kracker?«

»Er ist das schwache Glied in der Kette. Ich vermute, daß er sich auf irgendeinen Handel mit Columbus eingelassen hat. Kracker ist macht- und sexgeil. Er hat zuviel Casanova in sich. Ich denke, der Chef ist übers Ziel hinausgeschossen, und er weiß das auch. Seine Aufgabe bestand darin, Persephone in die Stadt zu geleiten und ihr Schutz zu geben. Und alle Zeugen zu beseitigen. Deshalb wollte er dich und Belinda auch umlegen lassen. Ihr wußtet einfach zuviel.

Deshalb ist er jetzt so scharf darauf, dir und Clegg irgendein Fehlverhalten anzuhängen. Kracker hat versagt, und er hat Angst, daß Persephone sich dafür an ihm rächen wird.«

»Was meinst du, wo Persephone sich aufhält?«

»Keine Ahnung. Irgendwo an einem sicheren Ort. Dafür wird Kracker schon gesorgt haben.«

»Ich begreife das alles nicht, Tom. Das ist einfach zu hoch für mich. Der Mythos bahnt sich einen Weg in diese Welt? Welchen Sinn sollte das denn haben?«

»Vurtwesen scheren sich nicht um Sinn oder Unsinn. Sie sind Traumgeschöpfe. Ihnen geht es nur um Bewegung. Aktion ist alles, Worte sind nichts.«

»Sie wollen meine Tochter töten… o Gott!«

»Sie ist die größte Bedrohung für sie. Besonders jetzt, wo sie in den neuen Stadtplan eingedrungen ist.«

»Wir müssen sie finden, Dove… Clegg… hörst du überhaupt noch zu? Wir müssen Belinda finden, bevor die Vurtgeschöpfe es tun. Wir müssen herauskriegen, wo Gumbo YaYa sie versteckt.«

Clegg hob mühsam seinen Kopf und sah mich mit glasigen Augen an. »Ich glaube nicht, daß ich noch weiter mitmischen kann, Smokey. Der Schnupfen hat mich mächtig erwischt.«

»Zero, du kannst jetzt tun, was du willst. Kracker hat keine Kontrolle mehr über dich.« Clegg verfiel in Schweigen, als ich das sagte. Sein Blick senkte sich auf das Weinglas vor ihm.

Zu jenem Moment bemerkte ich, wie ihn sein Versagen während der letzten Tage schlagartig einholte, wie ihm das ganze Ausmaß seiner Unzulänglichkeit bewußt wurde. Er hatte sein Leben lang seinem Herrn gehorcht, war sogar bereit gewesen, dafür beinahe Unschuldige zu töten. Sein anschließender Versuch, hinter Krackers Rücken zu handeln, hatte nur zu einem weiteren Fehlschlag geführt, und das hatte seinen Willen vollends gebrochen. Jetzt, wo er auf sich allein gestellt war, wußte Zero überhaupt nicht mehr, was er tun sollte.

»Wie steht's mit deinen Ermittlungen in Sachen Gumbo?« fragte ich ihn. »Schon irgend etwas herausgefunden?«

»Nichts.«

»Ach, komm schon! Bist du plötzlich kein Cop mehr?«

»War ich das denn je?«

»Zero?«

»Schon gut, schon gut. Ich habe eine Sondergenehmigung beantragt.«

»Um was zu tun?«

»Um nach Strangeways zu gehen.«

»Und wer ist da?«

»Erinnerst du dich noch an Benny Veil?«

»Frisch mal mein Gedächtnis auf.«

»Er wurde vor zwei Jahren in Strangeways eingelocht, wegen Mordes. Viermal lebenslänglich, nacheinander abzusitzen. Wir wußten, daß Benny früher mal ein Komplize von Gumbo YaYa war, aber er hatte dieses Wissen während des ganzen Prozesses hinter einem undurchdringlichen Kondom-Schleier verborgen. Wir haben zwar alle verfügbaren rechtlichen Hebel in Bewegung gesetzt, um die Erlaubnis für einen Wahrheitsfeder-Trip zu bekommen, aber du weißt ja sicher, was die Behörden von dieser Folter halten.«

»Nicht viel, was?«

»Absolut nichts.«

»Aber nun hoffst du, doch noch mal reinzukommen?«

»Jetzt nicht mehr. Ich habe nämlich mit den Behörden bereits gesprochen.«

»Keine Antwort?«

»Nicht einmal das.«

Wenn jemand erst mal im Strangeways-Traum war, war jeglicher Zugang zu seinem inhaftierten Verstand untersagt. Es hatte da ein paar Jahre zuvor diesbezüglich ein aufsehenerregendes Urteil zur Wahrung der Grundrechte der Gefangenen gegeben; da die Vurtgefängnisse einzig dazu eingerichtet worden waren, um der Überfüllung und Gewalt Abhilfe zu schaffen, die, wie in der Urteilsbegründung zu lesen stand, das direkte Ergebnis staatlicher Unterfinanzierung waren, wurde gesetzlich festgelegt, daß alle Gefangenen Anspruch auf einen friedlichen, ja sogar angenehmen Aufenthalt in Seiner

Majestät Vurt hatten. »Kein unmenschlicher und unangemessener Traum darf der Phantasie eines Häftlings während der Dauer seines Haftschlafs aufgezwungen werden«, lautete das Gesetz. Darüber hinaus wurde festgelegt, daß jeglicher Zugang zum Verstand des Häftlings während der Dauer seiner zu verbüßenden Strafe untersagt war, »selbst wenn es der Strafverfolgung oder der nationalen Sicherheit dienen würde«.

»Uns bleibt also nichts anderes übrig, als in Strangeways einzubrechen«, erklärte Zero.

Augenblicke verstrichen, ohne daß einer von uns beiden sprach.

Zero tauchte aus seinem Rausch auf. »Welche Chance bleibt uns noch, Tom?« lallte er. »Wie sollen wir diesen verdammten Schnupfen aufhalten? Diesen neuen Stadtplan?«

»Ich denke nicht, daß wir das können. Wir müßten dafür an John Barleycorn herankommen.«

»Können wir das schaffen?« fragte ich.

»Nein. Er hat Juniper Suction mit starken Schlössern gesichert. Man muß sterben, um dort hineinzukommen. Es ist wie in den alten Mysterienspielen, Sibyl. Wie beim Heiligen Georg von England. Man muß sterben und dann im Vurt wiedergeboren werden.«

»Soll das heißen, daß wir versagt haben?« fragte Zero.

»Wenn es nur das wäre. Ich habe Angst um Manchester, um die ganze Welt. Um die Realität. Ich fürchte, daß die Tage der Realität gezählt sind.«

»Was?« Zeros Stimme.

»Ich wüßte keinen Weg, um dort hineinzukommen. Die Tür ist verschlossen.«

Um 16 Uhr erhielten wir einen Anruf von Jay Ligule von der Universität Manchester. Er hatte etwas, das er uns unbedingt zeigen wollte. Ich war sofort bereit, Tom Dove ebenfalls. Zero hingegen sagte, daß er sich um wichtigere Angelegenheiten zu kümmern hätte.

Also machten Tom und ich uns allein auf, um Ligule an der Universität zu treffen. Vurt und Shadow. Die Fahrt verlief ohne Probleme; die Leute hatten sich abermals von den Straßen verzogen, nachdem es Gumbo und Belinda nicht gelungen war, die Ursache des Schnupfens zu eliminieren. Ligule war ganz aus dem Häuschen. Er tigerte im Botanischen Institut auf und ab, maskiert bis an die Haarspitzen. Überall um seine Füße herum sprossen seltsam aussehende Blüten.

»Was haben Sie entdeckt?« fragte ich.

»Warten Sie's ab. Ich werde eine Reise mit Ihnen unternehmen.«

Mein zweiter Flug an diesem Tag, diesmal in einem Hubschrauber, der dem Institut gehörte. Das Cockpit war bis in den letzten Winkel mit elektronischen Gerätschaften vollgestopft. Ligule war der Pilot. Tom und ich saßen eingezwängt auf dem Copilotensitz. Seine Vurtpräsenz beunruhigte mich nicht mehr, während wir über der Stadt aufstiegen. Vielleicht war ich von etwas geheilt worden.

»Der beste Weg, globale Pflanzenwanderungen zu studieren, ist, sich über den Dschungel zu erheben«, erklärte Ligule. »Wir benutzen diese Geräte, um die Bewegungen von Arten zu überwachen. Schauen Sie mal nach unten. Was sehen Sie dort?«

Ich spähte über die Seite des Hubschraubers. Manchester lag unter mir wie ein Flickenteppich. Die Pollenwolken waren jetzt deutlich sichtbar, und wir konnten gut beobachten, wie sie rasend schnell und beständig ihre Bahnen veränderten. »Es ist das reinste Chaos«, sagte ich.

Ligule lachte. »So sollte es eigentlich sein. Pollen breiten sich nämlich mit dem Wind aus, und Winde sind natürlich ein chaotisches System. Doch schauen Sie mal genauer hin.« Er reichte Tom und mir je eine Sichtbrille, die an die Analysebanken des Hubschraubers angeschlossen waren. Durch diese Brillen bildete der Pollen klar erkennbare Bewegungsmuster aus.

»Heiliger Vurt!« entfuhr es Tom.

»Ganz genau«, bekräftigte Ligule. »Dieser Pollen gehorcht nicht dem Wind.«

Durch die Brille konnte ich deutlich sehen, daß die Wolken aus goldenen Pollen exakten Linien folgten, und jede Linie entsprach einer Straße von Manchester.

Vor meinen Augen breitete sich der neue Stadtplan aus.

Um 16 Uhr 37 an jenem Nachmittag meldete Zero Clegg sich im Revier zurück. Er marschierte, ohne anzuklopfen, in Krackers Büro und reichte seinem ehemaligen Herrn wortlos seine Kündigung. Um 16 Uhr 40 verließ er das Revier wieder und ging über den Parkplatz zu seinem Auto. Der diensthabende Officer würde sich später daran erinnern, wie langsam sich der berühmte Hundecop bewegte, verglichen mit seinem üblichen entschlossenen Gang. Er schrieb es dem Schnupfen zu.

Kurz bevor Clegg in seinen Wagen einstieg, sah der diensthabende Officer noch, wie er seine Maske abnahm.

Um 17 Uhr 30 war ich wieder daheim in meiner Wohnung, allein. Ligule hatte uns zurück auf die Erde gebracht, und Tom war von dort aus nach Hause gefahren. Es gab nicht mehr viel zu sagen. Der Fall lag außerhalb unserer Möglichkeiten.

Am Vortag waren weitere zehn Dodos von Vigilanten umgebracht worden.

Ich versorgte Juwel, so gut ich konnte, trank noch etwas Wein und fiel dann auf dem Sofa in einen tiefen Schlaf. Und ich hatte Träume, erfüllt von Grün. Nein, nicht wirklich Träume, denn wie hätte ich die haben sollen? Es waren die letzten Nachklänge meines Flugs in den Vurt. Mein Shadow kehrte immer wieder zu jener heißen, feuchten, dunklen Landschaft zurück, und ich konnte nichts dagegen machen. Meine Tochter war in dem Wald gefangen; umschlungen von dicken, schlangengleichen Ranken. Und ich konnte ihr nicht helfen. Muster aus Pollenkörnern zogen durch den Traum, flüchtige Bilder, die ich von Ligules Proben und beim Flug über die Stadt gesammelt hatte. Eine Glocke stimmte in der Dunkelheit Belindas Totengeläut an. Es war das Läuten meines Telefons, das mich aus dem Schlummer riß. Die Zeitansage entzog sich standhaft meinem Blick. Juwel schrie aus seinem Zimmer. Genauso wie das verschwommene 19 Uhr 42, das mich von der Weckeranzeige anschrie. War das immer noch derselbe Samstag? Was konnte denn sonst noch alles während eines einzigen Tages passieren? Ich nahm den Telefonhörer ab. Es war Doves Stimme…

»Es hat Clegg erwischt.«

O Gott!

Rüber zum Manchester Royal Infirmary. Der Fiery Comet ließ den Asphalt qualmen, während ich versuchte, meinen Gedanken davonzurasen.

Zero lag in einem schneeweißen Bett, eine Sauerstoffmaske über seinem Mund. Er sah schön aus, so als würde er nur schlafen, seine Augen blind für diese Welt. Ein Arzt und ein Veterinär wachten an seinem Bett.

»Was tun Sie für ihn?« fragte ich die beiden barsch.

Ihre einzige Antwort war Schweigen.

»Sibyl…«

Dove versuchte, mit mir zu sprechen. Er sah wie Copscheiße aus.

»Was ist passiert?« fragte ich.

»Er hat seine Maske abgenommen.«

»Und…«

»Die Straßenhunde haben ihn erwischt.«

O Scheiße. Scheiße. Warum mußte sein Leben so enden? Er war Zero Clegg. Er war der beste Hundecop, den es je gegeben hatte. Na schön, für die Straßenhunde war er ein verhaßter Verräter. Aber mußten sie ihn deshalb gleich umbringen?

»Er hat sich um 16 Uhr 37 auf dem Revier abgemeldet«, berichtete Dove.

»Und?«

»Er sagte, daß er nach Hause in seinen Zwinger fahren würde.«

»Clegg hätte sein Zuhause niemals einen Zwinger genannt.«

»Sibyl, Clegg hat den Dienst quittiert.«

»Was?«

»Kurz bevor er weggefahren ist, hat er sich die Maske vom Gesicht gerissen.«

»Und niemand hat ihn davon abgehalten?«

»Sibyl… was sollten sie denn tun? Es ist schließlich kein Verbrechen, eine Pollenmaske abzunehmen.«

»Das sollte es aber sein.«

»Wir haben ihn um 19 Uhr gefunden. Jemand hat die Cops angerufen. Anonym. Was sollten wir denn tun, Sibyl? Er hat es selbst herausgefordert.«

»Klar doch.«

»Jones!«

»Ihr habt zugelassen, daß das passiert.«

»Das haben wir nicht. Er wollte es so. Er ist geradewegs nach Bottletown gefahren. Er wußte ganz genau, wo die Straßenhunde wohnen. Wer weiß das besser als Clegg? Niemand. Es sieht so aus, als hätte er nur darauf gewartet, daß irgendein Rudel über ihn herfällt. Du weißt ja, wie sehr sie ihn hassen. Sie haben ihn zu Boden gerissen und in seine Schnauze geniest. Wir sind der Meinung, daß er sterben wollte.«

»Er ist noch nicht tot«, erwiderte ich und drehte mich zu Zeros Bett um.

Er lag ganz regungslos da, atmete Second-Hand-Luft.

»Skinner hat ihm die Lunge ausgepumpt«, erklärte Dove. »Sie haben wirklich alles versucht.«

Ich schaute hinüber zum Arzt und dem Veterinär. Skinner hatte sich inzwischen zu ihnen gesellt, sein Robogesicht zu einem bekümmerten Ausdruck verzogen. »Einen Scheißdreck habt ihr getan, Dove«, fuhr ich ihn an. »Ihr habt zugelassen, daß das passiert.«

»Officer Jones…«

Ich wollte Dove gerade alle möglichen bösen, wütenden Dinge an den Kopf werfen, aber dann ließ mich ein leises Geräusch vom Bett her innehalten. Ich beugte mich ganz dicht über Zero.

»Smokey…« Sein heiseres Knurren.

»Ich bin hier«, antwortete ich. »Smokey ist hier.«

Aber seine Stimme und sein Bellen und sein Fell und seine Augen hatten sich bereits im Nichts verloren.

Nein! Bitte nicht…

Er sackte in meinen Armen zusammen.

Und dann tauchte ich tief ab, machte eine Shadowvisitation. Schwamm verzweifelt hinab in Zeros letzte Gedanken, durch Schichten aus Fell und Knochen, Molekülen und Genen, in der Hoffnung auf Trost.

Suchte…

Stürzte Kopf über Shadow hinab.

…ich treibe durch den Körper eines Hundes… hier unten… so weit unten… ist Zero nur Hund… ganz Hund… eine Welt aus knurrendem Fell… eine Wiese aus Fell… Ich gehe über diese Wiese… ein Stück weiter vorn gräbt ein Hund den Boden auf… seine Vorderpfoten wie Schaufelblätter… ich gehe zu ihm hinüber, rufe seinen Namen… Zero blickt zu mir hoch…

»Smokey? Was machst du denn hier?«

»Ich dachte mir, du möchtest vielleicht reden, Zero.«

Zero ignoriert mich, macht sich wieder ans Graben… es ist jetzt keine Spur von Mensch mehr an ihm… nur die altvertraute Stimme im Körper eines Hundes… »Wo ist er bloß? Ich habe ihn hier irgendwo vergraben…«

Er gibt auf und kehrt dem Loch den Rücken… geht ein Stück weiter… fängt von neuem an zu graben…

»Was hast du mir zu sagen, Zero?«

»Wo ist er nur? Wo?«

»Wonach suchst du denn, Zero?«

»Nach meinem Knochen. Ich habe ihn hier vergraben… vor Jahren… wo ist er nur? Ich kann ihn nicht mehr finden.«

»Zero?«

»Laß mich in Ruhe. Ich muß ihn finden.«

»Du stirbst, Zero.«

Er gibt auf und kehrt auch diesem Loch den Rücken… geht ein Stück weiter… fängt von neuem an… gräbt… und hält dann inne… er sieht mich an… »Was hast du gesagt, Smokey?«

Wie kann ich ihm das antun? Mein Blick ist verschwommen.

»Du stirbst, Zero. Ich führe gerade eine Shadowvisitation durch. Dies sind deine letzten Momente…«

»Meine… letzten… meine letzten Momente?« *Sein Blick wandert verwirrt von mir zu der Wiese aus Fell, zu den Löchern, die er schon gegraben hat, zu den Löchern, die er noch graben wird und dann zurück zu mir.* »Das ist nicht wahr. Ich suche nach meinem vergrabenen Knochen. Wo ist er nur?« *Er fängt wieder an zu graben.* »Ich muß ihn finden.«

»Wer hat das getan?«

Er sieht mich an.

»Uns bleibt nicht viel Zeit, Zero.«

»So heiße ich nicht«, erwidert er.

»Schon gut. Zulu.«

Er stößt ein bellendes Lachen aus, und dann verliert sich seine Stimme im Leeren. Er sah mich durchdringend und tief an. Ich konnte den alten Zero-Zauber in seinen Augen entdecken, verborgen unter Schichten und Aberschichten von Hund.

»Ist es wirklich vorbei, Smokey?«

»So gut wie.«

»Irgendwie ist es schon traurig.«

»Willst du mir nicht sagen, wer dich überfallen hat?«

»Das Rudel war erfüllt von Cophaß. Aber es war nicht ihre Schuld.«

»Erzähl weiter.«

»Es war meine Schuld. Ich wollte, daß es passiert. Wo ist nur dieser Knochen, den ich vergraben habe? Irgendwo hier muß er doch sein.« Sein Blick wanderte über die Wiese aus Fell. »Ach, was soll's, ich vermute, ich werde ihn jetzt wohl nie mehr finden…«

»Wahrscheinlich, Z. Clegg. Warum hast du das getan? Kannst du mir das nicht erklären?«

»Ich habe es für dich getan, Jones. Und für Dove und Belinda und die ganze verfluchte Truppe. Ich dachte, ich würde genau das Richtige machen. Ich dachte, ich hätte die Lösung gefunden…«

»Wie bist du denn nur darauf gekommen?«

»Eine Bemerkung von Dove hat mich darauf gebracht. Er sagte, man müsse sterben, um in die Himmelsfeder zu gelangen. Also habe ich einfach die Maske abgenommen und bin rüber nach Bottletown gefahren, wo ich einen guten Dealer kannte. Keine Namen, in Ordnung? Er war einer meiner Spitzel und hat mir eine Kopie von Juniper Suction verkauft. Ich habe ein Vermögen dafür bezahlt. Als ich aus dem Haus kam, habe ich mir die Feder in den Mund gesteckt, tief in meine Hundekehle. Ein Stück weiter folterte ein Rudel Hundejungs gerade meinen Copwagen. Ich ging zu ihnen, tat so, als würde ich sie festnehmen, stachelte sie so richtig auf. Du kennst mich, Jones, ich wollte immer im Kampf sterben.«

»Es hat nicht geklappt?«

»Es hat immerhin gut genug geklappt, um zu wissen, daß Juniper Suction mich nicht haben will. Ich hab's nicht mal geschafft, mich selbst anständig umzubringen. Scheiße, es tut mir leid, Sib. Es tut mir wirklich leid…«

»Schon in Ordnung, Zulu. Ehrlich. Ich hole dich zurück, das versprech' ich…«

»Ich bin plötzlich so müde. Ich möchte mich am liebsten eine Weile auf diese Wiese legen. Bist du damit einverstanden, Smokey?«

»Nein, bin ich nicht.« Ich durchforstete seine Seele, fand den Knochen tief unter vielen Schichten, entdeckte die genaue Stelle, wo er ihn vergraben hatte. »Der Knochen ist da drüben, Clegg«, sagte ich und zeigte mit dem Finger darauf. Clegg grub an der besagten Stelle. Er fand einen großen, saftigen Knochen, und da lächelte er wieder.

»Ich hab ihn gefunden, Smokey! Ich hab' den Knochen tatsächlich gefunden!«

»Gut gemacht, Clegg. Willst du ihn jetzt fressen?«

Er beißt gierig in den Knochen, knackt ihn mit seinen scharfen Zähnen, um an das Mark zu kommen. Er lutscht es genüßlich heraus, schmiert sich die Lippen damit voll. Ich kann das Funkeln in seine Augen zurückkehren sehen. Ich sage ihm, daß ich jetzt wieder an die Oberfläche auftauchen, aber dort oben auf ihn warten werde.

»Smokey, ich liebe dich«, gesteht er.

Und dann küßt er mich, verschmiert meine Lippen mit Knochenmark, und ich erschaudere unwillkürlich.

»Wenn ich hier jemals lebend herauskomme, Smokey, dann werde ich dich vielleicht heiraten wollen.«

Natürlich bin ich vor diesem Gefühl weggelaufen.

Tauchte Kopf über Shadow auf.

Überließ den Hundemann seinen einsamen Wanderungen.

Aber nachdem ich jenes Feld der vergrabenen Knochen fluchtartig hinter mir gelassen hatte und wieder in dem Krankenzimmer war, konnte ich diese Botschaft dennoch nicht vergessen, trug sie immer noch in mir. Handelte es sich wirklich um eine Liebesbotschaft von Zero?

Wohin war diese Welt nur gekommen?

Ich wies die Ärzte an, Clegg im Auge und die Maske auf seinem Gesicht zu behalten. Er blieb in seinem Koma zurück, und Dove wollte wissen, was los war. Ich sagte ihm, daß Hundecop Zulu Clegg um sein Leben kämpfte.

Dann verließ ich das Krankenzimmer, wanderte durch endlose Korridore hinaus in die dunkle Nacht, während ich für Zeros ehrliche Knochen betete und für all jene, die ihr Leben für einen Traum hingaben. Den Traum von anderen. Den guten Traum davon, möglicherweise dein ein und alles zum Wohle von Freunden und Fremden zu opfern.

O Scheiße. Ich glaube, Clegg hat mir dort im Shadow einen Heiratsantrag gemacht.

Die Nachtluft war durchsetzt mit Pollen, und jedes Korn folgte einer geheimen Straße durch die Stadt. Die schwebenden Linien wurden von den Tränen in meinen Augen verwischt. Zero Clegg, du dummer Kerl. Warum hast du nur so lange damit gewartet?

Das Coprevier. Samstag. Mitternacht. Ein einsamer Cop tippt den Sicherheitscode in die Konsole neben der Tür zur Leichenhalle ein. Wie üblich fühlt er heißes Blut in seinen Penis schießen, als er den süßen Duft spürt, den die dort verwahrten Körper verströmen. Er kämpft mit aller Macht gegen sein Verlangen an. Er hatte dort letzte Nacht seine geheime Lust gestillt, und das war ein überwältigendes Erlebnis gewesen, gefolgt von einem heftigen Anfall körperlicher Schuldgefühle. Und jetzt hatte sich diese taxifahrende Shadowschlampe namens Belinda auf den Stadtplan geschlichen. Sie hatte herausgefunden, was Columbus im Schilde führte. Sie hatte Gumbo YaYa in das Geheimnis eingeweiht, und jetzt sendete dieser Hippie-Sack es quer durch die ganze Stadt. Und dabei war dieser Cop so vorsichtig gewesen. Hatte seine Spuren verwischt. O Scheiße, was soll er nur tun? Besonders, wenn seine neue Geliebte dahinterkommt. Vor dem Mädchen aus Blumen gibt es keine Geheimnisse. Wenn er sich nur nicht auf diesen Handel eingelassen hätte. Aber das Verlangen ist so stark, und das Blut pocht bereits drängend in seinem Penis.

Die Tür der Leichenhalle gleitet mit einem gehauchten Zischen auseinander.

Der Cop tritt hindurch.

Robo-Skinner arbeitet gerade an der Leiche eines neuen Schnupfenopfers. Seine Kamera-Augen tauchen kreiselnd auf, als die Tür sich öffnet. »Chief Kracker, was machen Sie denn hier?«

»Ich… ich wollte nur…« Kracker weiß nicht, was er sagen soll. Skinners Anwesenheit ist ein unerwarteter Störfaktor für sein lustgetriebenes System.

»Ja?« fragt Skinner.

»Ich verfolge einige Spuren bezüglich des Schnupfens.«

»Ich auch. Dieser Junge ist das jüngste Opfer.« Skinner zieht ein Skalpell durch festes Fleisch. »Es gibt da einige interessante Anomalien.«

»Was Sie nicht sagen.«

»Sehen Sie sich das an, Kracker. Die Pollenkörner wachsen in seinen Hoden. Treten Sie näher, schauen Sie es sich ruhig an.«

Kracker tritt näher an den OP-Tisch. Er nimmt sich ein Skalpell vom Instrumententablett.

»Der Pollen verschmilzt mit seinem Sperma«, erklärt Skinner, »es ist wie eine neue –«

Kracker rammt das Skalpell in Skinners Plastikbauch. Die Objektive kreiseln wie verrückt, wie eine Kamera, die an Lichtmangel stirbt.

»Kracker? Was machen Sie –« Skinners Stimme erstirbt zu einem metallischen Krächzen.

Kracker bewegt die Klinge hin und her, bis Kabel und Roboblut aus dem zerfetzten Plastik quellen. Er schlitzt sich durch das Drähtegewirr, bis er tief genug drinnen ist, um Skinners Nervenzentrum zu durchtrennen.

»Ich habe Sie noch nie gemocht, Skinner«, stellt Kracker fest. »Sie Scheißplastikgezücht.«

Skinner fällt in einem Gepolter aus Fleisch und Gerätschaften neben dem OP-Tisch zu Boden.

Kracker wischt das Skalpell an seiner Hose sauber, dann wandert sein Blick hinüber zu dem verschlossenen Schubfach Nummer 257, der Lade, in der seine Geliebte ruht. Er verspürt den übermächtigen Drang, seine Lust mit der ihren zu verschmelzen, sich den gleichen Wonnen hinzugeben wie letzte Nacht. Jede Nacht dasselbe: die Schuldgefühle, der Schmerz und dann die Kapitulation vor einem perversen Verlangen.

Skinner ist bereits vergessen.

Pollen schweben durch die verweste Luft der Leichenhalle.

Der Cop niest und verflucht den Gott, mit dem er sich auf diesen Handel eingelassen hat. Columbus hatte ihm Immunität versprochen. Die ganze Zeit über starren seine wäßrigen Augen wie gebannt auf das Schubfach. Er kann die Hitze spüren, die von der Erde darin ausgeht. Ein letztes Mal versucht er, seiner lüsternen Gier zu trotzen, dann streckt er seine Hand nach dem Schubfach aus und tippt den Sicherheitscode ein, den nur er allein kennt. Fette Bienen schwirren durch die Leichenhalle, begierig auf das, was der Cop gleich enthüllen wird. Das hat alles nichts mit mir zu tun, sagt er sich, während sich das Schubfach öffnet. Er niest abermals. Das ist nur der Ruf der Natur. Wie kann ich der Natur ihren Segen verwehren?

Blütenblätter öffnen sich.

Kracker betrachtet das junge Mädchen, das dort auf einem Bett aus Erde schläft …

Blütenblätter öffnen sich. Ihr Name ist Persephone. Ihr Körper liegt unter Schichten dunkler Erde begraben. Nur ihr Gesicht kann man erkennen. Es ragt aus der obersten Humusschicht. Blumen entwachsen ihrem Mund, ihren Nasenlöchern; jede verlockende Kurve ihres nackten Fleisches erinnert an einen Garten. Sie ist zwar eingepflanzt in nährende Erde, aber in Wahrheit ist ihr Körper überall in der Vegetation von Manchester. Sie ist das gepflegte Rosenbeet in Sibyl Jones' Victoria-Park-Garten. Sie ist die duftende Orchidee, die Belinda aus Persephones Heimat mitgebracht hat. Sie reist durch die Flechten, die an den Mauern von Gumbo YaYas geheimem Palast wuchern. Sie ist in den Blumen zu Hause, die auf Coyotes Grabstein wachsen und sich am Tod nähren, während sie zag-haft nach eigenem Leben streben. Ihr ganzes Bewußtsein ist eins mit allen Pflanzen der Stadt; sie hat sich einen Stadtplan aus Blumen erschaffen, und sie ist jede Straße, jede Wurzel, jeder Weg und jeder Zweig jenes verschlungenen Plans. Eigentlich sollte dies der glück-lichste Moment für Persephone sein. Endlich ist sie ihre Mutter und ihren Ehemann los, hat sich vom Joch der fedrigen Jahreszeiten be-freit. Bislang führte ihre Reise zunächst nach Manchester, dann in den Alexandra Park und von dort in dieses dunkle, feuchte Zuhause. Und von dieser umhegten Dunkelheit aus ist sie wie ein lodern-des florales Feuer durch alle pflanzlichen Bahnen geschossen. Aber diese neue Welt bedrückt sie. Sie kann fühlen, wie sich an den Rändern ihres Stadtplans aus Laub eine Krankheit festsetzt. Eine Fäulnis in den Randbezirken, so als würde sich Mehltau bilden. Die Welt wendet sich gegen sie. Nein, nicht die Welt, die Natur wen-det sich gegen sie. Die ganz gewöhnliche Natur wehrt sich. Die Wirklichkeit. Persephone stirbt hier, ganz langsam, Stück für Stück. Jetzt öffnet sich ihre verdunkelte Welt. Persephone fühlt den Blick ihres Liebhabers auf ihrem Fleisch. Sie öffnet die Knospen für die-sen Besucher. Beginnt tapfer das verführerische Spiel ihrer Blüten-blätter.

Die Art, wie ihr Körper glühende Hitze verströmt, die Art, wie sie ihre eigenen Blütenblätter streichelt, die Finger klebrig von Saft. Die Art, wie die Blütenblätter rubinrot und mit glitzerndem Tau be-netzt sind. Die Art, wie sich die Blütenblätter exakt zusammenfü-gen, sechs an der Zahl. Das Kind Persephone löst eins davon aus dem Blütenkelch und läßt es durch die Luft zu ihrem Mund schweben. Dort ruht es einen Augenblick auf ihrer langen, purpurnen Zunge. Dann schließt sich ihr lieblicher, feuchter Mund. Sie kann fühlen, daß ihr Liebhaber sie beobachtet.

Ein junges Mädchen ißt die Blütenblätter einer schimmernden Blume.

Für Persephone ist es so, als würde die Sonne ihre Kehle hinun-terrinnen. Ihre Finger greifen zwischen ihre Beine, berühren die Stelle unterhalb ihres weichen Bauches, wo sich die Lippen geöffnet haben wie vom Tau benetzte Blütenblätter. Wie ihre Lippen von Samen triefen, wie ihr Liebhaber auf jene naß glänzende Stelle starrt.

Blütenblätter öffnen und schließen sich…

Persephones schlüpfrige Zunge leckt jetzt an einem prallen, saftigen Staubgefäß. Goldene Körner schweben glitzernd durch die Leichenhalle. Persephones lange Zunge taucht wieder auf, die Spitze bedeckt mit Pollen, und reckt sich immer höher, bis sie kurz die Stelle zwischen ihren Augen berührt.

Augen aus grünen Blumen.

Die Zunge hinterläßt einen gelben Fleck auf ihrer Stirn, ein Symbol der Ehe, wie das Essen von Granatapfelkernen. Ihr Ehemann, John Barleycorn, hatte sie Granatapfelkerne schlucken lassen, neun an der Zahl. »Diese Kerne binden dich an mich«, hatte er gesagt. »Auf immer und ewig.« Er hatte in dunklen Worten zu ihr gesprochen, und manchmal konnte er sehr wütend werden, wenn sie sich nicht streng genug an seine Regeln hielt. Aber trotz der Wut und der Angst hatte Persephone doch das Gefühl, ihren Mann mehr zu lieben als ihre Mutter. Und so gehörte es sich ja auch.

Persephone ist erst elf Jahre alt, während sie hier in Krackers Erdbett liegt, aber manchmal kommt es ihr so vor, als wäre sie uralt, eine Greisin, die immer älter wird, eine willige Teilnehmerin an unzähligen Leben und Zyklen. Sie steckt in der Erde von Manchester, ist verbunden mit den Blumen der Stadt, empfängt Liebesbotschaften von allen Blüten und Knospen, während ihre Beine aus der Humusschicht brechen, damit sie sie spreizen kann. Ihre Lippen sind bereit für die Insekten. Beide Lippenpaare, oben und unten, triefen von Nektar. Die Bienen wimmeln über ihren Körper, trunken und träge von dem Duft. Sie schlecken mit ihren Zungen alle Ritzen und Spalten aus, sammeln mit ihren Gliedern Pollen aus Persephones Blütenblätter-Scham. Sie kitzeln. Sie kitzeln und spielen, lutschen und lecken. Laben sich. Persephone ist ganz schwindelig von den Wanderung der Bienen über ihre Haut, über ihr Geschlecht. Sie treibt durch die Gefühle, macht das Sammeln des goldenen Staubs zu einem Festmahl; Nektar für Pollen, Pollen für Nektar. Ein süßer, lustvoller Austausch, naß von den Säften eines jungen Mädchens.

Sollen sie schwirren und fliegen, hinaus in den Stadtplan aus Blumen.

Sie hatte die Wurzeln gekostet, hatte die Beeren gegessen, hatte am Stengel gelutscht... sie war bereit. Sie hatte gespürt, wie der Saft von ihren Lippen sickerte und der Tau ihre Blütenblätter benetzte... sie war bereit. Sie hatte sich wie eine Blume geöffnet, hatte Nektar aus ihrer Gebärmutter fließen lassen und die Bienen damit genährt; sie hatte ihre Zunge in den Pollen getaucht, der dem Garten ihres Körpers entstammte... sie war bereit. Ihre Mutter und ihr Mann hatten es so bestimmt.

Und jetzt starrt der Liebhaber namens Kracker hinab auf die nektartriefende Stelle zwischen ihren Beinen. Persephone winkt verführerisch und lockend mit ihren Blütenblättern, und schon kommt der Mann angeschwirrt wie eine Biene. Der Cop schwitzt und niest. Feuchte Tropfen landen auf Persephones freiliegendem Gesicht. Sie empfängt sie freudig, läßt ihre Blütenblätter den Schweißregen kosten. Sie nährt sich an dem Mann, macht ein Festmahl aus ihm. Sein tropfnasses, allzu menschliches Gesicht zeigt einen besorgten Ausdruck, aber Persephone spürt auch gleichzeitig seine wachsende Erregung; sie weidet sich an seinem Unbehagen. Sie formt ihre Blütenblätter zu Worten, die sein kleines Gehirn verstehen kann.

»Was bedrückt dich, mein Liebster?« fragt Persephone. Zweifel spiegelt sich auf dem hageren Dörrgesicht des Cops, doch er schüttelt nur den Kopf, wieder und wieder, so als wolle er seinen eigenen Wert leugnen. Wie erbärmlich diese Geschöpfe aus Fleisch doch sind, denkt Persephone. Was für eine Schande, daß sie diesen beglücken muß. Aber sie braucht nun einmal seine Kenntnisse. »Du kannst es mir ruhig erzählen. Ich bin doch dein kostbarster Schatz«, formt Persephone mit ihren Blütenblättern. »Du weißt, daß du mir nicht widerstehen kannst. Erzähl deiner Liebsten alles. Vielleicht bin ich dann nett zu dir.«

Es ist ihr zuwider, so zu sprechen. Es erniedrigt sie.

»Sie sind uns auf der Spur, mein Stern«, erklärt Kracker.

»Das weiß ich bereits. Erzähl mir was Neues.«

»Ihr Name ist Belinda«, fährt Kracker fort. »Sie hat sich nach Coyote erkundigt, dem Taxifahrer. Columbus hat ihr gesagt, daß du ihn getötet hast.«

»Kannst du dieses Problem denn nicht aus der Welt schaffen?«

»Ich versuch' es ja, Persephone.« Der Cop niest. »Du hast mir versprochen, daß ich niemals niesen würde.«

»Du darfst jetzt nicht schwach werden. Du willst mich doch nicht enttäuschen, oder?«

»Nein. Niemals.«

»Denk immer an den Pakt, den du mit Columbus geschlossen hast. Du willst doch nicht, daß er böse wird, oder?« Es ist eine einfache Frage, aber sie läßt sie ihre Blütenblätter mit Nachdruck stellen. Es kostet sie große Mühe, das Zittern zu unterdrücken. Sie will nicht, daß der Cop ihre Angst erkennt. Denn zum ersten Mal während ihres Besuchs in dieser Welt ist Persephone beunruhigt. Sie hat das Mädchen namens Belinda im Stadtplan gespürt. Sie hat versucht, mit ihren grünen Trieben in das Mädchen einzudringen, auf der Suche nach einer Identität. War aber nur auf eine Grenze für ihr Wachstum gestoßen. Persephone konnte in jener Besucherin nicht wachsen. Das Mädchen war ein dunkler Fleck auf dem Stadtplan aus Blumen, eine fest geschlossene Knospe, die sich nicht öffnen wollte. Das Mädchen war immun.

»Ich will nicht, daß er böse wird, und ich werde es auch nicht dazu kommen lassen«, versichert Kracker. »Ich erzähle dir nur von meinen Sorgen. Jemand ist uns auf die Schliche gekommen. Persephone, ich habe große Angst. Ich befürchte, daß Belinda über uns Bescheid weiß... über unsere...«

»Ich will, daß du dich um sie kümmerst, mein Liebling.«

»Ich? Ich soll mich um sie kümmern? Ich... wie meinst du das?«

»Entwurzle sie.«

»Bitte, nicht schon wieder. Ich habe es schon einmal versucht. Und versagt. Dann habe ich einen braven Officer auf sie angesetzt. Und selbst jener treue Hund hat es vermasselt.«

»Komm zu mir, mein Liebster. Laß mich dich trösten. Schon

bald werde ich dieser erbärmlichen Stadt meine Macht demonstrieren.«

»Was meinst du damit?«

»Wart's nur ab, mein Gärtner. Ich werde die Leute vor Vergnügen platzen lassen. Morgen werde ich mein neues Zuhause erschaffen. Für die Bewohner dieser Stadt wird es der Schock ihres kleinen, mickrigen Lebens werden. Der Traum wird die Herrschaft über sie übernehmen, und diese Belinda wird uns schon bald nicht mehr in die Quere kommen, vertrau mir. Ich werde sie mit meinen Blumen aufspüren. Und dann wirst du tun, was du tun mußt, denn ich kann ihr nichts anhaben. Das gleiche gilt für ihre Mutter, Sibyl Jones. Du mußt sie beide töten. Ich werde keinen weiteren Fehlschlag dulden, hast du gehört?«

»Ich habe dich gehört.«

»Sag mir, was du gehört hast, mein Liebster.«

»Du wirst keinen weiteren Fehlschlag dulden.«

»Was mußt du tun?«

»Ich muß Sibyl und Belinda töten?«

»Du mußt ihre Geschichte beenden.«

»Ich muß ihre Geschichte beenden.«

»Und dann werden wir wieder sicher sein… um uns unserem Vergnügen hinzugeben. Komm jetzt her, koste mein Verlangen nach dir.«

Blütenblätter öffnen und schließen sich…

Kracker klettert in das Schubfach. Er kann nicht anders. Seine duftende Geliebte öffnet sich ihm. Ihr Oberbauch hebt sich aus der Erde. Eine Blume wächst aus ihrer Scheide. Ihre sich öffnenden und schließenden Blütenblätter sind rosa und feucht. Ihre Narbe spreizt sich für ihn. Kracker legt seinen hageren Leib auf ihren Körper, dringt mit seinem Penis in die enge Öffnung ein. Persephones Blütenblätter umklammern seinen Schwanz, öffnen sich, schließen sich… ein erdiger, natürlicher Rhythmus, der den Saft aus dem Stengel lockt. Kracker ist im Himmel.

Der Himmel erblüht schweißnaß.

Südfriedhof. Samstag. Mitternacht. Coyotes Grab. Dunkelheit haucht durch die Bäume. Das Grabmal des Hundefahrers ist gänzlich mit Blumen überwuchert. Die Blumen haben sich des Abbilds bemächtigt, formen es aus Blütenblättern nach. Die Erde ist reich an Nährstoffen von einer kompostierenden Leiche.

Eine Orchidee, die Belinda dort als Gabe zurückgelassen hat.

Ein neuer Stengel bricht aus der Erde des Grabs. Er erblüht augenblicklich zu einer leuchtenden Blume. Milchweiße Blütenblätter mit dunkelbraunen Flecken.

Eine Dalmatinerblume.

Möge die Straße mit dir sein.

Sonntag
7. Mai

Dunkles Licht scheint durch ein Kellerfenster auf Bürgersteighöhe, wird von Marmorsäulen, die im fahlen Wasser verwurzelt sind, reflektiert und schwebt dann bebend über Wasser. Schatten tanzen um den schwimmenden Umriß einer jungen Frau, deren nackter, von Straßen überzogener Leib die flackernden Lichtfragmente aufnimmt und sie in die sanften Bewegungen glitzernder Federn verwandelt. Wie von unterirdischen Flügeln.

Der unterirdische Swimmingpool in Slavery House, Gumbos Palast, aufgeräumt und renoviert von Illegalen. Es ist früh, früh am Morgen, Sonntag, das ganze Haus schläft noch, bis auf diese einsame Schwimmerin.

Schatten tanzen dort, und Belinda treibt zwischen ihnen hindurch.

Das Geburtstagsmädchen.

3 Uhr 50 in der Früh. Sonntag morgen. Ich werde vom Telefon aus einem unruhigen Schlaf gerissen. Doves Stimme am anderen Ende der Leitung…

»Komm aufs Revier, Sibyl.«

»Du weißt, daß ich dort Hausverbot habe. Was ist denn los?«

»Kracker ist verschwunden. Komm einfach her.«

Ich kümmere mich hastig um Juwels Bedürfnisse und eile dann hinunter zum Comet.

Kracker parkt vor Sibyl Jones' Haus und genehmigt sich kleine Schlucke Boomer, nur um den nötigen Mumm in die Knochen zu bekommen. Nach den vorherigen fehlgeschlagenen Versuchen, Persephone zu befriedigen, braucht er jetzt jeden Auftrieb, den er kriegen kann.

Wie weit muß ich noch gehen? fragt er sich. Bis es kein Zurück mehr gibt, Keks, lautet die Antwort. Er zieht seine Waffe aus dem Cophalfter.

Der Pollen treibt durch die Dunkelheit, golden und rund.

In Sibyls Haus geht ein Licht an.

»Mhm-hm.«

Die Haustür öffnet sich, und Sibyl Jones marschiert die Auffahrt hinunter zu ihrem Wagen. Kracker beobachtet das Ganze von der anderen Straßenseite aus. »Scheiße. Wo will sie denn jetzt bloß hin?« murmelt er. »So früh am Morgen?« Der gute Cop hebt seine Waffe und lauscht dem leisen Surren, als die automatische Zielpeilung die Frau ins Visier nimmt. Krackers Finger setzen an, den Abzug zu drücken, doch dann entspannen sie sich wieder.

»Scheiße!«

Er schafft es einfach nicht. Noch nicht, jedenfalls. Er sieht in ihr immer noch den Cop und die Frau, die er seit Jahren kennt.

Es ist leichter, Fremde zu töten.

Kracker beschließt, zuerst den anderen Weg zu gehen, den, der ihn zu Belinda führt.

Tom Dove brachte mich hinunter in die Leichenhalle, wo Robo-Skinner zusammengesackt herumlag wie ein toter Schrotthaufen.

»Was ist mit ihm passiert?«

»Jemand hat mit einer Klinge seine Schaltkreise bearbeitet«, erklärte Dove mir.

»Kracker?«

»Die Vermutung liegt nah.«

»Warum?«

»Vielleicht, weil er irgend etwas gesehen hat. Kannst du mir folgen?«

»Ich versuche es.«

»Skinner hat seinen Kopf über die Schlafengehzeit hinaus laufen lassen. Er war ein guter Robocop.«

»Die Aufzeichnungen sind immer noch da drin?«

»Laß uns mal nachsehen.«

Wir öffneten also Skinners Kopf und fanden dort den Film und die Aufzeichnung. Das Videobild ergab nichts, aber die Tonspur war ein Volltreffer. Die Qualität war zwar schlecht, und man konnte aus dem statischen Rauschen in Skinners sterbenden Kopf nur gedämpfte Bruchstücke heraushören. Aber Krackers Stimme war dort eindeutig festgehalten. Es klang so, als würde er mit sich selbst reden. An einer Stelle nannte Kracker die andere Person Persephone.

»Er hat sich hier mit dem Blumenmädchen getroffen?«

»Vielleicht ist sie zu Besuch gekommen«, erwiderte Dove. »Hör weiter zu.«

Es war jetzt offensichtlich, daß Skinner das Ende seiner Bandspur erreichte. Krackers Stimme wurde verschwommen und leise, während die Roboschaltkreise die letzten Funken sprühten. Das letzte, was wir ihn sagen hörten, war: »Ich muß Sibyl und Belinda töten.« Kracker klang dabei wie ein Roboter, der einem Befehl gehorchte.

Ich wußte nicht, was ich sagen sollte.

»Ich denke, das Mädchen hat ihm erzählt, wo Gumbo lebt.«

»Wie kann sie das wissen?«

»Ich nehme an, daß sie sich durch die Blumen von Manchester bewegt.«

Skinners letzte Information erstarb im Knistern und Zischen verschmorender Drähte.

»Was kann ich tun, Tom?«

»Finde Belinda, bevor Kracker es tut.«

Wir fuhren hinüber zum Strangeways-Federgefängnis. Ein einzelner Wärter schob die Nachtschicht, ein nichtiger Roborentner namens Bob Clutch. »Was ist los?« fragte er, den Mund voll von Schinkenspeck und Rührei. Ich nannte ihm den Copcode des Tages und stellte Tom Dove als Tommy Veil vor, den lang verschollenen Bruder eines gewissen Benny Veil, der derzeit das volle Kissen schob. »Das volle Kissen« war der Straßenslang für lebenslänglich im Vurtgefängnis. »Es ist keine Besuchszeit«, spuckte Clutch zusammen mit zerkauten Fleischstreifen aus. Also erzählte ich ihm von der dringenden Bitte der Rathaus-Behörden, im Veil-Fall die üblichen

Rechte außer Kraft zu setzen. Clutch hörte auf zu kauen, während seine Schweinsaugen von mir zu Tom Dove huschten. »Das muß ich erstmal überprüfen«, sagte er und griff nach seiner Copfeder. Also tat ich etwas, was ich seit meiner Kindheit nicht mehr getan hatte; ich entsandte meinen Shadow in den des Wärters und brachte ihn dazu, mir zu glauben. Ich zwang die Außerkraftsetzung in sein Gehirn. Das verstieß natürlich gegen alle Shadowgesetze, aber selbst ein guter Cop muß gelegentlich mal aus der Reihe tanzen. Clutchs Gesicht erschlaffte einen Moment lang. »Ja, das geht in Ordnung«, plapperte er. »Ich werde Ihnen den Weg zeigen.«

Und so stiegen wir hinab, Tom und Clutch und ich, vorbei an Reihen und Aberreihen von versiegelten Schubfächern, während die kalte Luft in den Gängen gegen die Hitze draußen wütete. In jedem Schubfach lag ein schlafender Häftling. Die vollen Kissen waren im hintersten Winkel des Gefängnisses untergebracht, und Bob Clutch führte uns dorthin, vorbei an einer Wand voller Schalthebel und Knöpfe, mit denen die Wärter die Lebenserhaltungssysteme der Häftlinge steuerten, während diese in Federträumen wandelten. Schließlich fand er das Schubfach mit der Aufschrift Benjamin Veil und zog es auf, so daß wir die schlafende Beinahe-Leiche sehen konnten. Veils Gesicht war schmerzverzerrt. Aus seinem Mund ragte eine schwarze Feder. Ich zog sie zwischen den Lippen des Häftlings heraus, dann drehte ich mich zum Wärter um. »Was geht hier vor?« Clutchs Gesicht war ein ängstliches Zucken von Fleisch, bis er sich endlich wieder unter Kontrolle hatte.

»Keine Ahnung«, murmelte er.

»Das hier ist eine schwarze Feder.«

»Ich hab diese Feder noch nie zuvor gesehen. Keine Ahnung, wer sie ihm in den Mund gesteckt hat.«

Es war eine allgemein bekannte Tatsache, daß die Wärter manchmal die Federn im Mund der Häftlinge austauschten, von den offiziellen blauen, sanften Flügen zu dunklen, tödlichen. Sie machten das bei Kinderschändern, Copkillern, Obrigkeitsfeinden und allen anderen Schwerverbrechern. Sie tauschten die blaue Feder gegen eine schwarze aus, was bedeutete, daß die Insassen in ihrem Haftschlaf ewige Alpträume durchleiden mußten. Tom Dove setzte einen angemessenen Gesichtsausdruck familiärer Sorge auf, und ich steuerte meine überzeugendste Zurschaustellung von hochdekoriertem Copwissen bei.

Clutch machte sich eilig auf die Suche nach einer angenehmen blauen als Ersatz für die schwarze Feder, und sobald er weg war, fragte ich Tom Dove, ob er für die Federvisitation bereit wäre. Sein Blick wurde bereits glasig, so als wäre er schon auf jenem Vurttrip. »Halt, Tom«, forderte ich. »Laß es uns so legal wie möglich machen.« Also kam er wieder runter und wartete dann, bis Clutch mit einer netten blauen Feder und überschwenglichen Entschuldigungen für das Versehen zurückgehetzt kam. Clutch gab die Feder »Tommy Veil«, der sie sich kurz in den Mund steckte und sie dann an den Wärter zurückreichte, damit dieser sie zwischen die Lippen des Häftlings zwängen konnte. Benny Veils Gesicht schmolz zu einem Lächeln, als die neue Feder ihre Träume entfaltete, während Tom Dove bereits hinabschwebte und denselben Traum wie der Gefangene träumte. Ich war mittlerweile ein altgedienter Experte darin, meinen Rauch mit dem Traum zu teilen, also tauchten wir gemeinsam in jene Zelle ab, Tom und ich, Vurt und Shadow, auf Spurensuche....

...wir fielen hinab in Seligkeit und Zahlen... Zahlen und Seligkeit... die Zahlen waren stärker als die Seligkeit, so daß die ganze Welt wie eine mathematische Gleichung anmutete... die Seligkeit stammte von der gerade eingeführten Feder... sie war erfüllt von träger Ekstase, eine lange, genüßliche Parade von Zärtlichkeit... die Zahlen waren Masken über gewissen Teilen des Traums... Schlösser an fedrigen Türen... Tom zog mich hinab in die Zahlen, versuchte einen Durchbruch... doch die Zahlen rotteten sich zusammen wie eine Straßenmeute, versperrten uns den Weg... ein Schleier aus Zahlen, durch den wir nicht reisen konnten... Tom Dove kam nur mühsam voran, aber ich rammte meinen Shadow in die Gleichung, ließ Rauch durch die Symbole streichen... ich setzte alles ein, was ich hatte... meine ganze Kraft... ich fühlte mich schwach und mißbraucht, bis sich plötzlich ein kleiner Spalt zwischen einer Eins und einer Sieben auftat, und durch diesen Spalt ließ ich meine Rauchfinger schnellen... Benny Veils Gesicht tauchte träge und schimpfend auf... Wer zum Henker seid ihr?...

Wir sind Cops...

Scheiße, das hier verstößt gegen das Gesetz...

Mord auch, Benny...

Verpißt euch aus meinem Traum...

Genießt du diesen Traum, Benny?

Um Klassen besser als die letzte Strafe. Das war ein ganz mieser Schwarzer. Himmel! Hat sich angefühlt, als würde ich in Stücke gerissen und wieder zusammengenäht. Die Scheiße sollte bis in alle Ewigkeit so weitergehen. War nett von euch Cops, dem Wärter in meinem Namen Bescheid zu stoßen. He, diese blaue Feder ist echt nett...

Du kannst den Alptraum zurückbekommen, Benny... jederzeit...

Lady-Cop, bitte...

Hör mal gut zu, wir wollen die Adresse von Gumbo YaYa...

Er bringt mich um, wenn ich die verrate...

Was kann er dir denn jetzt noch anhaben?...

Ich habe in seinem Auftrag getötet, und dann hat er mich in dieses Kondom aus Zahlen eingepackt, damit ich ihn nicht verpfeifen kann...

Was kann er dir jetzt noch anhaben? Du bist hier sicher vor ihm. Überleg's dir...

Schweigen von Bobby Veil, während er die Sache abwägte...

Okay, ihr kriegt die Adresse, aber nur, wenn ihr mir Verschonung von dieser schwarzen Feder garantiert. Laßt mich in Frieden schlafen...

So soll es sein...

Okay, hier ist die Adresse, Slavery House, Strawberry Fields.

Das ist alles?

Alles, was ich weiß.

Ich konnte fühlen, wie Tom Dove zum Raussprung ansetzte.

Einen Moment noch, Tom. Ich kann noch immer etwas spüren.

Sibyl, wir haben doch bekommen, was wir wollten.

Noch nicht ganz. Er hat immer noch ein paar Geheimnisse.

Ich tauchte abermals in Benny Veils Zahlen hinab, folgte den Kurven hinunter bis zur Wurzel. Fand dort Krackers Namen inmitten der Algebra. Ein Register der Verbrechen, die Benny für den Chief begangen und dann hinter schwarzen Netzen verborgen hatte.

Armes Schwein.

Tom und ich kehrten mit dem Aufenthaltsort von Gumbo und einer Bestätigung von Krackers Schuld nach Strangeways zurück. Wir wiesen Bob Clutch an, daß er von nun an immer die offizielle blaue Feder in Bennys Mund lassen solle, sonst würden wir die Behörden informieren. Clutch betrachtete kurz seine erbärmliche Lage, sah keinen Ausweg und brach dann in einen Regen aus Tränen und Rotz aus, während der Schnupfen ihn übermannte.

Als wir wieder im Comet saßen, loggte sich Tom Dove in den Xcap-Stadtplan ein und erhielt eine Negativ-Antwort bezüglich Strawberry Fields. Keine Straße dieses Namens bekannt.

»Was jetzt?« fragte ich.

Vor uns fuhr ein Copwagen Streife. Tom forderte mich auf, die Sirene einzuschalten. Der Streifenwagen hielt am Bordstein. Tom stieg aus dem Comet aus und ging hinüber. Er präsentierte seinen Copcode. »Wie heißen Sie, Constable?«

»PC Brethington«, erwiderte der Fahrer.

»Ich möchte mir mal Ihre Feder borgen.«

»Kein Problem, Officer Dove«, erwiderte der Streifencop. »Was machen Sie denn hier draußen auf der Straße? Wird Ihnen die Vurtwelt zu langweilig?« Er lachte.

Tom ignorierte ihn. Er schob sich die Copfeder in den Rachen und rief Columbus über den Stadtplan-Äther an.

Was, zum Henker, wollen Sie?

Columbus schien wegen irgend etwas vergrätzt, und das zauberte ein Lächeln auf Toms Gesicht. »Ähm… es tut mir wirklich leid, Sie zu stören, Columbus«, sagte er mit verstelltem Baß.

Was wollen Sie, PC… PC Brethington, richtig?

»So ist es, Columbus. Ich hatte gehofft, Sie könnten mir bei einer Lokalisierung helfen.«

Sie reden noch mit mir?

»Aber immer doch. Sie sind schließlich der König der Taxis.«

Hören Sie denn nicht Gumbo Yaya?

»Dieser Piratenmist kann mir gestohlen bleiben.«

Er verbreitet abscheuliche Gerüchte über mich.

»Wenn dieser Sack den Mund aufmacht, kommt doch nur ein Furz heraus. Columbus, Baby, wie steht's mit dieser Lokalisierung? Strawberry Fields? Da läuft irgendeine Scheiße, und ich kann mich nicht mehr erinnern, ob ich jetzt rechts oder links abbiegen muß.«

Es gibt keine Strasse namens Strawberry Fields.

»Verfluchter Hund, muß wohl wieder so ein blöder Telefonstreich gewesen sein.«

Moment, PC Brethington. Irgendwie kommt mir der Name bekannt vor, ich rufe mal kurz den Stadtplan auf… Hab's schon gefunden. Strawberry Fields ist eine neue Strasse.

»Wie neu?«

Neun Jahre neu.

»Neun Jahre. Das ist aber nicht sonderlich neu.«

Ist es nicht? Es schwang ein leichtes Zittern in Columbus' Stimme mit, ein Beben des Zweifels.

»Gibt es ein Slavery House in Strawberry Fields?«

Lassen Sie mich nachsehen… Nein, nichts zu finden. Das Haus gibt es nicht.

»Was genau ist denn in Strawberry Fields?«

Lassen Sie mich nachsehen… Es gibt keinerlei Gebäude in Strawberry Fields.

»Haben Sie irgend etwas über Slavery House?«

Lassen Sie mich… Ja, ich habe hier ein Slavery House im Industriegebiet Ardwick gelistet… Hat aber nichts mit Strawberry Fields zu tun, und es ist niemand als Bewohner eingetragen. Worum geht es denn, PC Brethington?

»Ich vermute, wir sind einer blöden Finte aufgesessen, Columbus. Vielleicht hat es irgendein Sack auf mich abgesehen.«

Tom trennte die Verbindung und kam zu meinem Wagen zurück.

»Fahren wir, Jones. Industriegebiet Ardwick.«

»Denkst du, das war klug, Tom?«

»Ich schätze, uns bleiben ein paar Minuten.«

Ich startete den Fiery Comet.

Belinda treibt auf unterirdischem Wasser, ihr nacktes Fleisch gänzlich bedeckt von tätowierten Straßen. Nur ihr Gesicht ist noch frei vom Stadtplan. Sie ist gerade damit fertig, sich den Schädel und ihre Scham zu rasieren, um damit ihren ehemaligen, unberührten Zustand wiederherzustellen. Eine Tube Rasiervaz und ein Jillette Ladyblade liegen am Beckenrand. Daneben steht ein Glas, jüngst noch mit Chrism-Orange gefüllt, doch nunmehr leer, und wiederum daneben liegt ihre Schultertasche; in den Tiefen der Tasche schlummert die Flasche Boomer, die sie Country Joe abgenommen hat. Belinda ist jetzt ein schwimmender Stadtplan, während sie sich in immer tiefere Wogen der Verzweiflung treiben läßt. Letzte Nacht war Belinda von Wanita-Wanita im Magic Bus rüber nach Alderley Edge gefahren worden. Dort hatte sie Karo abgeholt, noch immer ein wenig zerkratzt und verbeult von seinem Black-Mercury-Abenteuer. Belinda hatte wie betäubt hinter dem Lenkrad gesessen, als sie ihn zurück über die Grenze fuhr, aber Gumbos Eingabe des Holprigen Wegs hatte funktioniert; Belinda wurde von den zahllosen Xcabs, denen sie auf der Fahrt begegnet war, total ignoriert. Sie nahmen sie nicht einmal wahr. Belinda war eine verborgene Fahrerin. Gumbo war wütend, weil sie auf Columbus geschossen hatte. Er sagte, daß diese Kugeln sie eines Tages noch sehr teuer zu stehen kommen würden. Gleichzeit war er völlig aus dem Häuschen über Belindas Geschichte von dem Paradies im Vurt. »Die Wissenschaft entdeckt den Garten Eden!« hatte er ausgerufen. Belindas nächste Sendung ist für 7 Uhr angesetzt. Wie kann sie widerstehen? Belinda ist keine Gefangene des Gumbos, sondern eine Gefangene ihrer selbst. Und sie ist müde. Sie hat Coyotes Mörder gefunden, aber sie konnte ihn nicht zur Rechenschaft ziehen. Gumbo hatte jeden Äther der Stadt nach einer Spur des jungen Mädchens namens Persephone durchforstet, aber nichts gefunden. Und selbst Kugeln hatten sich im Angesicht des Vurt als machtlos erwiesen. Wie also soll sich ein nichtsnutziges Dodomädchen gegen den Traum behaupten? Und da war Belinda der Gedanke gekommen, auf den Abgrund zuzutreiben. Der Gedanke, sich in den Abgrund treiben zu lassen, hinab in einen Traum zu stürzen, aus dem es kein Erwachen mehr gab.

Kracker ist auf dem Weg zu dem geheimen Zuhause des Gumbo-Hippies. Persephone hatte die Adresse durch den Blumenstadtplan herausgefunden, hat ihn über die grünen Straßen dorthin geführt. Seine Mission ist klar. Persephone hat Belinda Jones zum Opfer erklärt, deshalb muß er dieses Mädchen jetzt entwurzeln. Beim ersten Versuch hatte er versagt, aber jetzt steht sein Befehl in leuchtenden Blumen geschrieben. Er muß dieses Mädchen töten.

Die Finger seiner linken Hand zucken immer wieder spielerisch zum Knauf der Copknarre in seiner Jackentasche, während sich seine rechte Hand um das Steuern kümmert.

5 Uhr 30. Irgendwo auf der Hyde Road.

Kracker biegt nach rechts in einen schmierigen, überwucherten Pfad Richtung Industriegebiet Ardwick. Er parkt seinen Wagen an irgendeiner Stelle namens Wigley Street. Vor ihm rostet ein verödetes Netzwerk von Rangiergleisen unter einer blutroten Morgensonne. Jenseits der Gleise ragen die dicht gedrängt stehenden Gebäude des Industriegebiets Ardwick in die Höhe. Eine Atmosphäre der Trostlosigkeit liegt über den verfallenen Fabriken und den verlassenen Lagerhäusern. Krackers Schuhe kleben am Pflaster. An seinem Revers trägt er eine seiner kostbaren Blumen. Er hat diese Blüte von Persephones Haut gepflückt, und er stellt sich jetzt vor, der Duft würde ihn leiten; Persephone ist in der Blume, sie weist ihm den Weg. Die Copknarre ruht in seiner Tasche, während ihm die imaginäre Kugel schier das Gehirn wegbläst. Vor ihm erhebt sich der riesige Klotz von Slavery House, alle Mauern und Fenster bedeckt von der Königin aller Blumen in ihrer ganzen Pracht und Herrlichkeit. Es gibt keinen Weg in das Gebäude, alle Türen sind vakuumversiegelt. Kracker hört Geräusche vom anderen Ende der Gasse, in der er steht. Er geht die Längswand des Gebäudes entlang zu einem hofähnlichen Platz an der Vorderseite. Auf diesem Platz hat sich ein raubtiergleiches Rudel von Hundezigeunern zusammengerottet. Kracker gewinnt den Eindruck, daß sie nicht freundlich auf den Besuch eines Cops reagieren würden. Dieser Auftrag wird langsam aber sicher zu einer Katastrophe. Doch da spürt er Persephones Drängen in seiner Seele; ein Teil des Polizeichefs war immer offen für die

Liebkosungen des Blütenblättermädchens. Die Blume an seinem Revers tropft nektarsüß, zieht ihn weiter. Persephone führt ihn auf diesem Wege zu einer fest verriegelten Tür in der Gasse.

Und hier wartet Kracker.

Columbus hat die Stadt um sich herum ausgebreitet, ausgehend vom Zentrum seines Gehirns. Das ist sein Taxistall, sein Manchester, aber während der letzten Stunden hatte Columbus Probleme bekommen. Zuerst einmal steckte da jene Realitätskugel von Belinda in seinem Herzen. Das war zwar nur ein bloßes Ärgernis, mehr nicht, dennoch konnte er diese Störung momentan nicht gebrauchen. Denn alles, was ihn schwächte, schwächte auch den Stadtplan. Und zweitens schien sich aufgrund dieses Dreckskerls Gumbo und seines Geredes plötzlich die ganze Stadt gegen ihn zu wenden. Natürlich standen die Xcabbers noch immer treu hinter ihm, aber die Leute schienen nicht mehr mit ihnen fahren zu wollen. Nun, das würde sich schon wieder ändern, sobald der neue Stadtplan da war; dann waren die Leute gezwungen, sich Taxis zu nehmen, und Columbus würde sich eine goldene Nase verdienen. Er läßt seinen Blick über den Stadtplan schweifen und entdeckt Kracker, den Chief der Cops, der gerade durch Ardwick schleicht, sein Copäther auf Tarnmodus gestellt. Was führte dieser Versager jetzt schon wieder im Schilde? Er sollte doch auf Persephone aufpassen und endlich das flüchtige Taxi einfangen. Columbus sind die Hände gebunden, solange dieses Taxi nicht zurück ist. Auf dem Stadtplan sieht er auch den Vurtcop namens Tom Dove. Er ist in Begleitung von Shadowcop Jones, der Frau, die gestern ihre Nase in Columbus' Angelegenheiten gesteckt hat. Was war bloß los mit Kracker, hatte er denn keine Kontrolle mehr über seine Spielfiguren? Wurde der Chief der Vision untreu? Jones und Dove sitzen im selben Fahrzeug, unterwegs Richtung Ardwick. Was geht da vor? Columbus gibt die Fahrtrouten von Kracker und Dove ein und erhält ihr gemeinsames Ziel: Slavery House. Dieser Cop, wie hieß er noch gleich, PC Brethington, der hatte doch vor ein paar Minuten auch nach Slavery House gefragt. Und nach dieser neuen Straße namens Strawberry Fields. Wieso sollte das Gemeindeamt vor neun Jahren eine neue Straße in das System einbauen und sie dann leerstehen lassen? Keine Häuser, kein Strom, kein Wasser, kein Garnichts. Aufgrund dieser Zweifel zoomt Columbus noch einmal über Strawberry Fields. Findet nichts; diese Straße ist die reine Wüste. Columbus ruft über den Äther die Behörden an, wird zu einem David Gledders in der Stadtplanungsabteilung durchgestellt. Gledders ist anfänglich sehr abweisend gegenüber Columbus, grollt wegen all der schlimmen Dinge, die er über ihn gehört hat. Columbus entsendet eine sengende Flamme über die Feder zum Rathaus.

»Scheiße! Was soll das?« kreischt Gledders. »Das tut weh.«

Es kann noch schlimmer werden, mein Lieber.

»Was wollen Sie?«

Columbus weist David an, eine neue Straße zu überprüfen, die vor neun Jahren gebaut worden ist, Name Strawberry Fields.

»Sie meinen, wie in dem Beatles-Lied? Ich *liebe* die Beatles!«

Kriege ich jetzt wohl eine Antwort, Schwachkopf?

Dave findet nur eine Negativ-Antwort in seinen Dateien; keine Straße dieses Namens wurde je registriert. Columbus bedankt sich bei ihm und zoomt dann abermals nach Strawberry Fields. Irgendetwas nagt an den Rändern des Stadtplans. Aber Columbus kommt einfach nicht dahinter, was es ist. Er ruft alle neuen Straßen auf, die seit Strawberry gebaut wurden, und erhält die Antwort, daß sie alle mittlerweile mit Gebäuden und Geschäftshäusern bestückt sind. Die einzige andere freie Straße ist Holpriger Weg, gerade erst gestern angelegt. Dann geht er zurück zur Strawberry und aktiviert den Supernahzoom; das raubt dem Xcab-System Speicherplatz, aber damit werden sich die Fahrer abfinden müssen. Strawberry Fields taucht in Nahaufnahme vor seinem Taxiauge auf. Columbus lebt jetzt im Innern der Zahlen, aus denen die Straße besteht. Ein Schatten fällt auf ihn, eine düstere Ahnung am Rand der Formel. Er kann in seinem Kopf die gesamte leere Straße abfahren. Ein kleiner Teil der Zahlen ist etwas verschwommen, unscharf. Deshalb geht Columbus näher heran, zieht weitere Energie vom Xcab-System ab, und entdeckt einen winzigen dunklen Fleck auf dem Stadtplan. Er zoomt noch näher heran, aber der Knoten will sich ihm einfach nicht öffnen; die Dunkelheit scheint von einer Art Kondombarriere umgeben zu sein. Columbus kommt jedenfalls nicht an das Wissen heran. Das beunruhigt ihn zutiefst; bis zu diesem Moment hatte er den gesamten Stadtplan als sein Eigentum betrachtet. Er versucht abermals, die Barriere zu durchdringen. Nichts. Leere. Dunkelheit. In der Zwischenzeit verlangen die Taxis lautstark nach mehr Energie. Zentrale weist sie an, für eine Weile die Ruhe zu bewahren, während er dem Problem weiter zu Leibe rückt. Er zoomt wieder zurück zur Strawberry, wählt das nächstgelegene freie Taxi, registriert unter dem Namen Golden Hind, und schickt es zu einer imaginären Fahrgastabholung in Strawberry Fields. Das Taxi braucht fünfzehn Sekunden, um dorthin zu fahren und sich dann wieder über den Äther zu melden: »Da ist nichts, Zentrale. Hier gibt's nur Wiesen und Brachland. Es existiert keine Straße dieses Namens. Wo hast du mich da hingeschickt?« Columbus weist den Fahrer an, sich nicht von der Stelle zu rühren, während er abermals zu der vermaledeiten Straße zoomt. Strawberry Fields ist auf dem Stadtplan als eine Abzweigung der Moor Road gelistet, die wiederum in Ramsbottom liegt, einem gottverlassenen Kaff im nördlichen Grenzland. Columbus gibt dem Fahrer die genauen Koordinaten für Strawberry Fields, dann weist er ihn an, die Strecke abzufahren. »Ich sage doch, hier ist nur Gras«, erwidert der Fahrer. »Erwartest du etwa, daß ich auf *Gras* fahren soll?« Tu es einfach, entgegnet Columbus, dann beobachtet er den Stadtplan, während das Xcab langsam die nicht existente Straße namens Strawberry Fields entlangschleicht. Schließlich erreicht das Taxi den dunklen Schatten, wo die Zahlen unscharf werden, und verschwindet urplötzlich. Columbus bricht in Panik aus, ruft den Fahrer über den Äther, erhält aber keine Antwort. Columbus fragt sich immer noch, was er tun soll, als das Taxi unvermittelt auf der anderen Seite der verschwommenen Unschärfe wieder auftaucht und die entsetzte Stimme des Fahrers quäkend über das System schreit: »Mein Gott, Zentrale! Was war denn das? Alles wurde plötzlich schwarz. Ich habe dich gerufen, aber keine Antwort bekommen. Der gesamte beschissene Stadtplan war nicht mehr da!« Columbus weist den Fahrer an, die Ruhe zu wahren, zu wenden und dann abermals in die Dunkelheit zu steuern. Der Fahrer sträubt sich zwar, aber Zentrale erinnert ihn an den Treueeid der Xcabs: zu fahren, wohin immer der Stadtplan sie führt. UND DIESMAL, befielt Columbus, FEUERST DU AUS ALLEN ROHREN. »Was?« TU ES. Das Taxi fährt also wieder in den dunklen Fleck auf dem Stadtplan hinein, und Columbus kann nichts weiter tun, als nervöse Sekunden zu warten, bis plötzlich Flammen aus dem dunklen Knotenpunkt schießen. Zentrale gibt die Flugbahn jedes austretenden Geschosses ein und stellt fest, daß alle leicht von ihrer ursprünglichen, schnurgeraden Bahn abgelenkt worden sind. Columbus bewegt sich durch die Formel, gibt die Daten für die planmäßige und die abgelenkte Bahn ein. Der Zahlenknoten löst sich auf. ERWISCHT! Columbus fragt nach dem Namen des Xcabs an jener Position und erhält diese Antwort: GOMALDGICEN HIBUNDS. Columbus setzt einen Filter für den Namen, nimmt die Worte Golden Hind heraus und sieht sich an, was übrig bleibt. Magic Bus. Heiliges Taxi! Das war doch der Name von Gumbo YaYas Fahrzeug, über das er so oft in seiner Sendung quasselte. Und der Magic Bus fraß das Wissen von Zentrale, das konnte er jetzt fühlen. Der Eindringling sog den Äther des Xcab-Systems in sich auf. Columbus wählt die leere Straße aus und drückt dann die Löschtaste in seinem Kopf. Zu seiner Überraschung verschwindet die Straße jedoch nicht, sondern bewegt sich statt dessen über den Stadtplan, bis sie das Industriegebiet Ardwick erreicht. Dort angekommen, streckt sich die Straße neben dem urplötzlich so beliebten Slavery House aus und verschwindet dann. Der Magic Bus parkt nun vor dem Slavery House, eben jenem Haus, nach dem die Cops sich vorhin erkundigt hatten. DORT LEBT ALSO GUMBO YAYA. Dann reist Zentrale über den Stadtplan, bis er Holpriger Weg findet, den jüngsten Zugang im Netzwerk. Dort findet er einen weiteren dunklen Fleck. Columbus ruft erneut David im Rathaus an, erhält »keine derartige Eingabe« als Antwort und macht sich dann auf die Suche nach dem, was sich hinter diesem illegalen Kondom verbirgt. Diesmal braucht er nur fünf Sekunden, bis das System den Namen Karosse auswirft.

Er führt die gleiche Auswählen-und-Löschen-Bewegung wie bei Strawberry durch, und dann schaut er zu, wie der Holprige Weg über den Stadtplan wandert, bis er ebenfalls beim Slavery House ankommt. Karosse parkt direkt neben dem Magic Bus. JETZT HAB ICH DICH, FLÜCHTIGES TAXI!

Der Kreis ist geschlossen.

6 Uhr 19.

Der Pollenstand erreicht 2000.

Columbus ruft den Knopf mit der Bezeichnung BARLEYCORNS BLUMENSTADTPLAN in seinem Xcab-Gehirn auf und drückt ihn.

Aktivierung eingeleitet…

Überall auf den Straßen sogen die Leute, an denen wir vorbeikamen, den Pollen tief in ihre Nasen und verbreiteten dann Botschaften der Freude. Ich sah küssende Liebespaare. Niemand hatte sich während der vergangenen Tage geküßt, denn alle hatten das Schlimmste befürchtet; ein zärtliches Aneinanderreiben der Masken war der einzige Zuneigungsbeweis gewesen. Jetzt dagegen gaben sich die jungen Leute wieder freudig dem Zungenspiel hin, ließen Leidenschaft aus Trotz entstehen. Ich bog in die Ashton Old Road ein, und zu unserer Linken zogen die dreckigen Paläste ausgestorbener Industrieunternehmen vorbei. Auf den Dächern der verlassenen Gebäude, inmitten der Blumen, die dort wuchsen, tanzten Leute. Niesten ausgelassen. Die ersten Strahlen der Morgensonne brachen sich in allen Farben des Regenbogens in dem Hagelsturm aus Rotz, der herabprasselte…

HAAAAAAAAAA…

HAAAAAAAAAAAAAAAAAAAAA…

HAAAAAAAAAAAAAAAAAAAAAAAAAAAAAAA…

Die Luft zog sich zu einer angespannten Sekunde des Wartens zusammen. Naß und schlüpfrig war dieser Moment, und die Sonne hing wie eine riesige Kugel aus goldenen Pollen über dem Horizont.

Die Ruhe vor dem…

Und während Tom Dove und ich die Old Road Richtung Ardwick und Gumbos geheimen Palast entlangfuhren, hörte ich das Luftholen von Millionen Lungen. Und dann die Explosion. Das Sturmgewitter aus Schleim.

Sturm...

Die Uhr an meinem Armaturenbrett zeigte 6 Uhr 19. Der Pollenstand lag bei 1999. Ein weiteres Klicken, als die Anzeige umsprang, und dann urplötzlich eine gigantische Explosion. Die Sonne pulsierte. Der Comet geriet ins Schleudern.

»Was zum Henker...?« Toms Stimme.

Niesbombe.

HAAAAAAAAAAAAAAAAAAAAAATSSSSSSSSSSCCHHHIIIIIIIIII!!!!!!!

Fünf- und zehn- und fünfzigfach.

Coyote hört das große Niesen. Er liegt zwar zwei Meter unter der Erde, aber es erreicht ihn trotzdem, reißt ihn aus seinem grünschwarzen Schlaf. Ein Schnodderregen prasselt auf sein Grab und seinen Grabstein. Die gedämpfte Explosion läßt die Würmer und Wurzeln um ihn herum beben. Coyote ist die Wurzel. Es muß wieder die Jahreszeit sein, die Jahreszeit der Fruchtbarkeit. Coyote erhebt sich. Das Niesen setzt ihn in Bewegung. Er formt sein Gehirn aus einem Ganglion knorriger Wurzeln, die sich verflechten und ihren Saft fließen lassen, bis die Synapsen von dem Energieschub erblühen.

Es ist aber nicht nur das Niesen, das ihn antreibt. Da ist noch etwas anderes, das ihn weckt. Eine verborgene Präsenz.

Er weiß nicht, was er ist oder wo er ist, nicht einmal *warum* er ist. Er weiß nur, daß er irgendwie aus dieser Holzkiste herauskommen muß.

Das ist leicht.

Er verbindet seine Zellen mit denen des Sargs, läßt die Ulme sprießen wie eine Blume. Er *ist* eine Blume. Er muß an die Luft, ans Sonnenlicht. Er muß wachsen.

Coyotes Stengel bohrt sich durch die Erde, bis er aus der obersten Humusschicht stößt. Nur das fahle Funkeln der verhangenen Sonne und ein Nieselregen aus Rotz von der Stadt heißen ihn willkommen.

Das wird reichen. Er nimmt sie gierig in sich auf, fühlt, wie seine gefleckten Blütenblätter sich dem Licht öffnen. Das seltsamste Verlangen, das Coyote je verspürt hat, überkommt ihn: das Verlangen nach einer Biene. Jemand, der Pollen von seinem Fell, seinen Blütenblättern sammelt. Blütenblätter? Fell? Er hat keine Ahnung, was er ist. Blütenblätter und Fell. Das wird reichen.

Immer mehr seiner Stengel brechen aus dem Boden. Sie formen sich zu grünen Beinen. Blumen sprießen aus den Stengeln, schwarze und weiße Blütenblätter, die sich vereinen und die Gestalt von Coyotes früherem Körper annehmen. Das Muster ist irgendwo in seinem floralen Gehirn verankert; er bildet aus den Blütenblättern eine perfekte Kopie dessen, was er einst war. Sein Körper ist ein Kompositum aus Flora und Fauna; Blumen und Hundefleisch. Und Menschlichkeit. Irgendwo in jenem Strauß findet sich ein winziger Rest Mensch. Coyote richtet seine Aufmerksamkeit auf dieses Überbleibsel. Das ist es, was er werden muß.

Die Blumen zerren an ihm. *Tanzen… tanzen.* Er erinnert sich vage an die Zunge eines Fahrgasts, seine letzte Fuhre. Erinnert sich daran, wie sie ihn hinab in diese Welt aus Grün befördert hat. Jetzt ist er wieder frei, aber er kann noch immer ihre Finger in seinem Verstand fühlen. Er ist aus dem gleichen Stoff wie sie gemacht. Sie will ihn besitzen.

Nein, nicht sie. Jemand, der so ist wie sie.

Coyote wehrt sich gegen die Blume. Erkennt aber, daß es zwecklos ist.

Er weiß nicht, was er da macht oder warum er es macht. Nicht einmal, *wie* er es macht. Weiß nur, daß er es machen muß. Er ist ein Hund, eine Pflanze, ein Mensch. Er ist alles, was er je gekannt hat, und ein Stadtplan dessen, was er werden muß.

Die Macht der Wurzel packt ihn. Er gräbt tief in sich selbst, findet dort die Worte *Little Sir John*.

Wer, zum Henker, ist das?

Rette meine Frau.

Diese Worte kommen von der tiefsten Wurzel.

Leck mich.

Coyote entwurzelt sich selbst; ein schwarzweiß gefleckter Pflanzenhund, der die holprigen Wege eines Friedhofs entlangtakst. Jetzt erkennt er, wo er ist; sein Stadtplan tritt in Aktion. Südfriedhof. Der Stadtplan verändert sich mit jedem Zentimeter, den Coyote wächst. Das ist schon in Ordnung, er kann sich den Veränderungen anpassen. Er bewegt seinen blumigen Kopf ganz leicht nach links, sucht auf dem neuen Stadtplan den Ort heraus, zu dem er reisen muß. Manchester-Zentrum. Warum?

Boda.

Der Wind weht das Wort zu ihm, getragen von Blütenblättern. Boda? Wer war das noch gleich? Seine letzte… letzte was? Letzte Hummel? Letzte läufige Hündin? Letzte Taxifuhre? Letzte Freundin? Er wird sich jetzt auf den urin-markierten Weg machen. Er braucht das Sonnenlicht; es ist sein Fleisch und seine Fuhre. Er weiß, daß er furchteinflößend ist, der erste seiner Art. Ein neuer Weg des Seins. Aber für den Moment genügt es, sich einfach nur fortzubewegen.

Wachstumsmuster.

Dalmatinerblüten.

Diese Boda-Fuhre ist das Sonnenlicht.

BELINDA, MAN HOLT MICH ZURÜCK. Diese Worte dringen über den Shadow zu Belinda, während sie in dem Marmorswimmingpool treibt.

Karos Worte.

BELINDA, MAN HOLT MICH ZURÜCK. COLUMBUS HAT MICH GEFUNDEN. BELINDA, ICH LIEBE DICH.

Karos Worte, seine letzten Worte.

Genau in diesem Moment explodiert die Niesbombe. 6 Uhr 19. Die Blume, die Belinda aus dem Vurt mitgebracht hat, treibt auf dem Wasser zwischen ihren Beinen. Plötzlich kräuseln sich Wellen auf dem Wasser, lecken Belindas Schenkel hinauf und ziehen sich dann wieder zurück, um mit ihren langsameren Nachfolgern zu verschmelzen. Belinda beobachtet fasziniert die entstehenden chaotischen Muster, findet, daß sie Ähnlichkeit mit den Erdbebenaufnahmen haben, die sie im Fernsehen gesehen hat. Aber das hier ist

Manchester, nicht TokioCo oder San FrancisCo. Sie schaute sich nervös um, aber der Rest des unterirdischen Tempels ist vollkommen regungslos. Dann hört sie den Knall der Explosion, den weit entfernten Donnerhall von leisen Kanonenschüssen. Der Rotz prasselt gegen das Souterrainfenster.

Klatsch! Klatsch! Klatsch!

Aufschläge...

Patsch... glitsch... glitsch...

Die prasselnden Geschosse machen einen Heidenlärm an der Scheibe, und Belinda schlägt ihre eigenen verängstigten Wellen im Wasser, als sie auf den Lärm reagiert. Sie schaut zum Fenster, um zu sehen, was da los ist, aber im selben Moment trifft eine weitere Rotzsalve das Ziel, und plötzlich bekommt Belinda es mit der Angst zu tun. Putz fällt von der Decke. Sie muß aus diesem Swimmingpool heraus. Das Fenster ist mit Schleim bedeckt; das Marmorbecken erstickt vor pelziger Dunkelheit. Von draußen dringen gedämpfte Schreie herein. Belinda fühlt sich ziemlich verlassen in dieser Dunkelheit. Was ist los?

Belinda sinkt zurück in den Pool. Sie schließt die Augen und läßt sich träge rückwärts treiben, bis ihr Verstand wieder in den sanften Wogen ertrinkt. Es ist so verlockend, sich dem wäßrigen Schlaf hinzugeben. Die geraubte Orchidee stubst gegen ihre Schenkel, und Belinda erlaubt ihr einen zarten Blütenblätterkuß.

Die Blume beobachtet dich, Belinda.

Die Gedanken treiben...

Frei wie ein Maverick...

I won't shed no tears. Come the morning, Joe, I'll be running clear.

Ihre liebliche Stimme hallt im Marmorgewölbe wider. Dieses Lied von Vieh und Gras und Blumen und Duft. Sirenen heulen durch den Morgen. Notfallmaßnahmen. Die Stadt stirbt. Will sie tatsächlich, daß die Stadt gerettet wird? Kümmert es sie wirklich noch? Ist Coyote nicht tot und begraben? Sie kann ihn nicht wieder zum Leben erwecken. Sie kann nicht einmal seinen Tod rächen.

Es stellt sich ganz schleichend ein...

Welchen Sinn hat ihr Leben ohne die Coyote-Hoffnung überhaupt noch?

Belinda, du hast diesen Typ ja nicht einmal richtig gekannt…

Sie hört nicht darauf.

Gift tropft träge herab. Belinda denkt zurück, tritt abermals durch den Wonderwall… dieser Schritt, durch den sie ihre Sterblichkeit akzeptiert hatte…

Weiter zurück…

Küchenszene. Prätaxi. Belinda lauschend am Kopf der Treppe…

Ihr Vater und ihre Mutter sitzen streitend am Tisch. Vater wirft Mutter schlimme Dinge an den Kopf, beschimpft sie mit Zombie-worten, nennt sie eine Grabhure. Mutter schlägt zurück, tituliert ihn als Fleisch, bloßes Fleisch, reines Fleisch. »Ihr Kerle wollt doch immer nur noch mehr Reinheit, weil ihr Verwirrung nicht ertragen könnt.« Die Worte der Mutter.

»Dieses Mädchen ist der Tod.« Die Worte des Vaters.

Dieses Mädchen, damit ist sie gemeint… Belinda. Belinda ist der Tod. Und das ist zuviel für sie. Sie geht die Treppe hinunter, schlägt Vater mit der Faust ins Gesicht. Die Zeit kriecht träge dahin, während der Geschlagene auf den Fußboden sackt.

Der Jähzorn dieses Augenblicks. Der Tag, an dem sie aufgehört hatte dazuzugehören. Zu einer Familie zu gehören. Eine Zeit zu flie-hen, wegzulaufen, am Rand des Lebens zu wandeln. Neun Jahre lang waren die Xcabs ihre Familie gewesen. Jetzt war auch das vorbei. Sie hatte keinen Platz mehr auf dieser Welt.

Gift tropft träge herab…

Vielleicht ist es an der Zeit. Der Abgrund lockt. Denn war der Shadow nicht im Grunde nur der Hauch des Todes im Leben? Viel-leicht ist es an der Zeit, diesen Kreis zu schließen.

Belinda wirft einen Blick zu ihrer Schultertasche, die am Becken-rand liegt, dann wendet sie ihre Augen wieder ab, um kurz darauf er-neut hinzuschauen. Schließlich greift sie hinüber und öffnet den Verschluß. Macht die Tasche auf. Dunkle Tiefen. Sie holt die Flasche heraus, jenes Geschenk, das sie Country Joe gestohlen hat.

Boomer.

Belinda, meine Tochter…

Du schraubst die kleine Flasche auf, gießt einen Schluck von der

Flüssigkeit in das schmutzige Glas und machst dann nachdrücklich den Deckel zu, steckst die Flasche zurück in die Tasche. *Einen Schluck für ein bißchen Spaß, zwei für die große Sause.* Du greifst abermals in die Tasche, schenkst dir einen weiteren Schluck ein. Schraubst die Flasche zu, steckst sie zurück in die Tasche. *Einen Schluck für ein bißchen Spaß, zwei für die große Sause. Drei für einen sauberen, geilen Tod.* Du greifst in die Tasche, schraubst die Flasche auf, schenkst dir einen dritten Schluck ein. Schließt die Flasche. Schenkst dir einen vierten, dann einen fünften Schluck ein. Und hältst dann die Flasche über das Glas, bis die Flasche leer ist. Das sollte reichen.

Es kommt ganz schleichend, wie die Dinge es immer tun.

Ein sauberer, geiler Tod.

Ist es das, wonach du dich sehnst?

Dein Körper ist so schön, meine Tochter. Blasse, weiße Haut, bedeckt mit einem verschlungenen Stadtplan von Manchester. Alle Straßen und Namen stehen auf den Kurven geschrieben. Du tauchst tiefer ins Wasser ein. Manchester taucht tiefer ins Wasser ein. Du genießt ein paar Minuten lang die Wärme des Pools, dann greifst du zum Glas. »Ich denke, ich komme jetzt zu dir, Coyote.« Du sagst es laut zu den Schatten und den Nebelschwaden, die vom Wasser aufsteigen.

Und dann führst du das Glas an deine Lippen, Belinda. Trinkst einen Schluck…

Die Uhr an meinem Armaturenbrett zeigte 6 Uhr 19. Der Pollenstand lag bei 1999. Ein weiteres Klicken, als die Anzeige umsprang, und dann urplötzlich eine gigantische Explosion. Der Comet geriet ins Schleudern.

»Was zum Henker…?« Toms Stimme.

Niesbombe.

HAAAAAAAAAAAAAAAAAAAASTSSSSSSSSSSSCCHHHHHIIIIIIIIIII!!!!!!!

Fünf- und zehn- und fünfzigfach.

Das Königreich Rotz wurde schneuzend geboren. Ein nasales Hiroshima. Alle Bürger jener Stadt schleuderten den Schnodder aus ihren explodierenden Nasenlöchern. Ohne Masken und ohne Gnade. Rotz regnete auf meine Scheiben herab. Ashton Old Road. Die Wucht des Niesens ließ meinen Wagen nach vorn schießen, ließ die Nadel über den Tacho wandern, bis ich die erlaubte Höchstgeschwindigkeit überschritt.

Patsch! Patsch! Patsch!

Der Fiery Comet war über und über mit Nasenscheiße bedeckt. Ich konnte nicht mehr durch die Fenster sehen.

»Wo, zum Henker, sind wir?« brüllte ich.

»Es ist soweit«, stellte Tom Dove fest.

»Was passiert hier?«

»Das ist der neue Stadtplan.«

»Aber wir sind fast da. Wir sind doch schon so gut wie in Ardwick.«

»Ich denke nicht, daß wir…«

Ich riß das Lenkrad scharf nach rechts um eine Kurve.

Und war in Namchester, vor Festung Eins.

»Was?«

»Scheiße.«

»Wie sind wir denn *hier* gelandet?«

»Es passiert, Sibyl. Der neue Stadtplan bricht in die Realität ein.«

Vor uns waren zwei Wagen in einen Frontalzusammenstoß von Metall und Fleisch verwickelt. Leute schrien und purzelten aus ihren Fahrzeugen.

»Ich kann förmlich hören, wie Columbus sich ins Fäustchen lacht«, sagte Tom, als ich den Comet in einem großen Bogen um die Autowracks zog.

Eine Sekunde verstrich.

Und dann waren wir wieder vor meinem Haus in Victoria Park.

Benommen steuerte ich den Wagen weiter, suchte verzweifelt den Weg zurück nach Ardwick.

Eine Sekunde…

Und dann waren wir in Whalley Range, vor dem Haus meiner Tochter. Auch hier hatten sich Autos ineinander verkeilt. Verkehrspolizisten liefen umher, um den Fahrzeuginsassen zu helfen.

»Es bringt nichts, Tom«, meinte ich. »Wir haben versagt.«

»Nein. Es gibt noch einen Weg«, erwiderte er. »Es muß einen Weg geben. Wir sind jetzt im Vurtstadtplan. Das hier ist alles eine Geschichte. Fahr weiter.«

»Tom, die Sache gefällt mir nicht.«

»Fahr einfach nur.«

Und dann waren wir in Bottletown, und das Glas zersplitterte unter unseren Rädern, bildete einen Regenbogen aus Scherben. Ich hielt den Wagen an. Schreie schollen aus den glitzernden Häusern. »Das führt doch nirgendwo hin, Tom.«

»Wir sind in einem Traum, das ist alles. Wir sind in einer Geschichte.«

»Und welche Geschichte ist das?«

»Vergiß Entfernung und Richtung. Wir müssen die narrative Verbindung finden.«

»Das ist mir zu hoch.«

»Du schaffst es schon. Benutz einfach deinen Shadow.«

»Mein Shadow fühlt sich wie ein Labyrinth an.«

»Es ist John Barleycorns Geschichte, Sibyl. Begreifst du denn nicht? Was ist das letzte, was Barleycorn will?«

»Tom, du redest wirres Zeug.«

»Was ist das einzige auf der Welt, wovor er sich fürchtet? Denk nach. Er ist ein Mann, der nur in einer Geschichte lebt.«

»Die Immunen…«

»Die Dodos. Sie sind die einzigen, die er nicht infizieren, in denen er nicht *lebendig* sein kann. Und Barleycorn will eins mehr als alles andere – er will leben. Die Dodos sind seine größte Angst. Deshalb hat er in die Schnupfensymptome den Zwang, die Dodos zu töten, eingebaut. Das letzte, was er in dieser Geschichte, die er für uns vorbereitet hat, haben will, ist, daß die Dodos sich zusammenrotten. Er tut alles in seiner Macht Stehende, um zu verhindern, daß du und deine Tochter zusammenfinden.«

»Was bedeutet…«

»Da ist irgend etwas mit eurem Zusammentreffen… Du und deine Tochter… ich weiß es auch nicht… Barleycorn sieht eine potentielle Gefahr darin. Sibyl, ich glaube, wir haben seine Achillesferse gefunden.«

»Aber was sollen wir nun tun, Tom? Er kontrolliert die Geschichte. Es führt kein Weg zu ihm.«

Durch die vollgerotzte Windschutzscheibe sah ich einen einzelnen Wagen in eine Mauer krachen. Die Fahrerin taumelte aus dem Fahrzeug und hielt sich mit beiden Händen den Kopf.

»Heiliger Vurt!« Tom schlug mit den Händen auf das Armaturenbrett.

»Was ist denn los?« fragte ich.

»Gott, ich bin so blöd! Barleycorn kann *dir* nichts anhaben, Sibyl. Er bedient sich meiner.« Und mit diesen Worten öffnete Tom Dove die Tür des Comet und stieg aus.

»Tom? Wo willst du hin.«

»Es hängt jetzt alles von dir ab, Sibyl.«

»Tom?«

»Fahr weiter.«

Ich schaute ihm hinterher, während er hinüberging, um der verletzten Frau zu helfen, und dann schaltete ich meinen Verstand vollständig aus und überließ dem Shadow die Kontrolle. Augenblicklich erwachte in meinem Rauch ein winziges Licht zum Leben. So als wäre der Rauch ein sich ständig verändernder Stadtplan und das Licht wäre meine Liebe. Du mußt immer dem Feuer folgen. Und dann hatte ich eine Vision, wie alle Dodos von Manchester von einem verborgenen Plan angetrieben wurden. Die Zeit war gekommen zurückzuschlagen. Selbst meine Tochter… endlich eine Rolle, eine Aufgabe…

Ich startete den Comet und nahm dann die dritte Abzweigung auf der linken Seite.

Eine Sekunde verstrich…

Und dann war ich im Industriegebiet Ardwick.

Kracker begreift die nasale Explosion als ein willkommenes Zeichen. Dämonenrotz füllt die Gasse, und das Gebäude bebt von der Druckwelle. Von drinnen wie draußen schallen Schreie zu ihm herüber. Persephone hat ihm den einzig wahren Weg gezeigt und ihn vor der Explosion gewarnt. 6 Uhr 19. Der neue Stadtplan. Pollenstand 2000. Der blumige Weg ist von Schmerzen gesäumt, aber es ist der Weg, dem er folgen wird, an die Blütenblätter des jungen Mädchens geklammert, wann immer sie ihn ließ. Persephone ist so lieb zu ihm gewesen, so verlockend für einen Mann, in dessen Adern statt normalem Blut Fruchtbarkeit 10 floß, wie konnte er ihren Wonnen widerstehen?

Blütenblätter öffnen und schließen sich; sein langer Weg zum Erfolg.

Er tritt vor, um sich das Massaker vor Gumbos Gebäude anzusehen. Das Lager ist verwüstet; Rüden und Hündinnen in den verschiedensten Kreuzungen laufen durcheinander, einige, um den Verletzten am Boden zu helfen, andere, um Deckung zu suchen. Schreie und Flüche hallen durch die sengende Hitze. Eine Schwarze mit Afrofrisur beugt sich fürsorglich über eins der Opfer. Ein Mann mit langen, strähnigen Haaren und Pumphosen wandert irre lachend und mit ausgebreiteten Armen durch das Chaos. Kracker nimmt an, daß das der alte Hippie Gumbo sein muß, der nach dem Zusammenbruch seine Seele zu läutern sucht.

Kracker tritt zurück in die Gasse, geleitet von Persephones Blume.

Die Wucht der Rotzexplosion hat die Seitentür zertrümmert. Kracker zerrt die zersplitterten Holzlatten beiseite, dann schleicht er leise hinab in einen weitläufigen, unterirdischen Raum, an dessen schattenverhangenen Marmorwänden sich das reflektierte Glitzern von Wasser bricht.

Das Wasser füllt einen Swimmingpool, und in dem Pool treibt eine junge Frau, zwischen deren Beinen eine abgeschnittene Blume von verführerischer Farbe auf den sanften Wogen dümpelt. Persephone höchstpersönlich tanzt auf dem Wasser zwischen Belindas Beinen, deshalb hat sie ihn so weit, so nah heranführen können.

Belinda…

Das Ziel dieses Tages. Das gute Ziel. Diesmal wird er die Sache beenden.

Kracker steigt hinab in die Schatten…

Belinda hat das Glas mit Gift an ihren Lippen. Zwei Fünftel des Boomers sind mittlerweile geschluckt. Ein trunkenes Gefühl wohliger Seligkeit. Der Rausch ebnet dir den Weg, schürt das Verlangen, es zu Ende zu bringen, den ganzen Trip zu leeren.

Der Tod ist sehr geduldig. Es kümmert ihn nicht, wenn es einen Moment länger dauert, die Entscheidung zu fällen. Das Glas schmiegt sich an deinen Mund. Einige Tropfen berühren deine Zunge. Sie kitzeln.

Kitzeln und brennen.

Ein Geräusch vom anderen Ende des Pools…

Scheiße!

Belinda lauscht, sucht diesen Besucher, wer immer es sein mag, durch pure Willenskraft zu vertreiben. Ist es Gumbo oder Wanita? Können sie denn nicht sehen, daß dieses Mädchen gerade versucht, sich umzubringen? Denken sie vielleicht, daß das so leicht sei?

»Wer ist da?« ruft Belinda.

»Die Cops«, antwortet eine Stimme. »Mach jetzt bloß nichts Unüberlegtes.«

Belinda wartet fünf Sekunden. Und dann…

»Was wollen Sie?« Sie erspäht durch die Schatten eine hagere, zitternde Gestalt…

»Du brauchst dir keine Sorgen mehr zu machen, Belinda. Wir wissen, wer deinen Hundefreund ermordet hat. Wir wissen, daß du es nicht warst.«

Sieben Sekunden. Die Stimme klingt irgendwie vertraut.

»Ich weiß auch, wer ihn ermordet hat«, sagt Belinda. »Persephone hat es getan, mit Columbus' Hilfe.«

»Du bist ein sehr schlaues Mädchen«, erwidert die Stimme. »Ich werde dich töten müssen.«

Unsere vielfältigen Leben bewegen sich aufeinander zu. Meine Tochter treibt nackt und von Straßen überzogen im Pool. Kracker, der Polizeichef, tritt ins Licht, schwitzend und nässend wie eine Wunde. Er hockt sich an den Beckenrand, läßt seine Schuhe ins Wasser baumeln. Persephones Blume streichelt mit ihren Blütenblättern Belindas Schenkel. Das halb getrunkene Glas Boomer steht wieder neben dem Pool. Die Copknarre wartet verborgen in Krakkers Tasche. Alle Handlungselemente sind jetzt an ihrem Platz. Auch ich strebe dem Schauplatz entgegen. Genauso wie Columbus, der in seinem neuen Stadtplan schwelgt. Jenes unterirdische Schwimmbecken, dieses glitzernde Loch mit meiner Tochter im Mittelpunkt, ist wie ein Magnet inmitten der Schatten und des Marmors. Seltsame Sehnsüchte umgeben sie von allen Seiten, rücken immer enger zusammen, wie die weit entfernt voneinander liegenden Straßen, die sich auf dem neuen Stadtplan überlagern.

Die Außenwelt ist noch immer grün-verdunkelt von Schleimtropfen. Drinnen bewegen sich fahl flackernde Schemen, die das rotzverschmierte Fenster, die einzige Lichtquelle, wirft.

»Ich kenne Sie«, sagt meine Tochter. »Ihr Name ist Fahrgast Deville.«

»Jetzt nicht mehr, jetzt nicht mehr.« Kracker schmunzelt. »Das war nur Tarnung. Mein Name ist Kracker, der Polizeichef.« Seine Zielpeilung nimmt zärtlich ihren zitternden Stadtplan aus Haut ins Visier; sie bringt den Casanova zwischen seinen Lenden in Wallung. Er kann seinen Blick nicht von der schwimmenden Blume zwischen den Beinen des Mädchens losreißen, von der Blume, die ihn so weit gebracht hat. Er ist eifersüchtig auf die Blume, die sich ihr Vergnügen anderweitig sucht, und er kann spüren, wie Persephones Blick von den Flechten an den uralten Marmorwänden dieses Kerkers aus über seinen Körper wandert. Um den Auftrag seiner Geliebten auszuführen, braucht er nichts weiter zu tun, als eine Kugel in den Körper des Zielobjekts zu jagen. Aber er fürchtet den Tod, seinen eigenen ebenso wie den anderer. Er hat natürlich schon Verbrecher getötet, hatte sie mit Freuden umgelegt, aber eine Unschuldige, eine Leidende wie er selbst? Wie soll er das übers Herz bringen?

»Was müssen Sie tun?« fragt Belinda.

»Ich muß dich töten.«

Belinda starrt ihn an.

»Das wäre mir sehr lieb«, sagt sie.

»Was?«

»Die Sache ist ganz einfach. Ich möchte, daß Sie mich töten.«

»Aber warum?« Die Hitze läßt den Schweiß aus seinen Drüsen strömen.

»Es scheint mir der richtige Schritt zu sein.« Belindas Verstand ist jetzt klar und entschlossen.

Diese Bitte wirft Kracker völlig aus der Bahn. Sie macht ihn total fertig. Er ist ein einfacher Mann, mit einfachen Bedürfnissen. Er holt die Waffe aus seiner Tasche, doch sie verheddert sich im Stoff, so daß er mit der anderen Hand hinübergreifen muß, um sie loszumachen. Dann hat er einige Mühe damit, den Hahn zu spannen. »Bitte… es tut mir leid«, murmelt er. »Es tut mir leid… ich scheine es irgendwie nicht… Jetzt aber! Ich hab's doch noch geschafft.« Endlich ist die Waffe entsichert und gespannt. Seine Ungeschicklichkeit schenkt ihm das Gefühl, ein ganz normaler Mensch zu sein. Und diese Normalität gibt ihm Mut. Er muß sich nicht länger beweisen. Vielleicht kann er Persephone diesmal tatsächlich zufriedenstellen. Er hält die Waffe vor sich ausgestreckt, so weit sein Arm reicht. Der Lauf zittert.

Belinda lächelt. »Werden Sie es schaffen?« fragt sie.

»Ich… ich kann es versuchen.«

»Dann tun Sie es. Zielen Sie gut.«

Sei ein Mann. Sei endlich ein Mann. Genau das sagte das Mädchen zu ihm. Trotz der Furchtbarkeit 10 in seinem Blut, sei endlich ein Mann. Er nimmt die linke Hand zur Hilfe, um seine rechte am Knauf ruhig zu halten. Sie zittert dennoch weiter.

»Du machst dich über mich lustig«, sagt er.

»Nein. Ich will Ihnen nur helfen. Es ist doch das, was wir beide wollen, oder nicht?«

Belinda hat das Glas Boomer vom Beckenrand genommen und hält es vor ihrem Gesicht hoch. »Das hier ist Boomer. Kennen Sie Boomer?« Kracker nickt. »Haben Sie es schon mal genommen?« Kracker bejaht diese Frage. »Sie kennen also die Regeln?« Kracker kennt sie, aber Belinda wiederholt sie trotzdem noch einmal für ihn: »Ein Schluck für ein bißchen Spaß, zwei für die große Sause. Drei für einen sauberen, geilen Tod.«

»Willst du dich umbringen?«

»Wenn Sie es nicht schaffen.«

»Bitte…«

»Es sind über fünf Schlücke in diesem Glas, und ich habe bereits zwei getrunken. Ich fühle mich im Moment sehr gut, sehr sexy. Wollen Sie mich denn nicht?«

Die Waffe bewegt sich durch das Dämmerlicht, versucht, sie anzuvisieren. Aber Kracker kann sein Ziel nicht finden. Dieses Mädchen ist ihm unheimlich. »Bitte… ich…«, stammelt er und nestelt nervös an seiner Waffe. »Ich denke, du solltest nicht…«

Belinda stippt ihre Zunge in das Gift. Sie läßt den Boomer für den Bruchteil eines Bruchteils einer Sekunde ihre Nervenenden verbrennen.

»Nicht…«

Belinda kippt das Glas, bis der Boomer gegen ihre Lippen schwappt. »Das ist doch das, was Sie wollen, oder?«

»Nein!« schreit die Copstimme. Er springt vom Beckenrand auf. »Nein… ja… ich… Scheiße! Bitte… es läuft alles verkehrt. Ich wollte doch nur… niemand sollte sterben. Niemand…« Kracker kann Persephone in seinem Kopf schreien hören. »Bitte«, sagt er. »Tu das nicht.«

»Es ist das, was wir beide wollen.« Belindas Shadow war noch nie so fließend.

Kracker schwitzt. Niest. Aber er hat jetzt sein Ziel gefunden, hat den nötigen Ansporn. Hält die Waffe fest und stockstill in seinen verschränkten Fingern. Wenn er diesen Kreis doch nur durchbrechen könnte – seine Finger und der Knauf und der Abzug und die junge Haut dieses Mädchens. Vielleicht wäre er dann all seine Sorgen los. Persephones Duft schreit ihn an. Ihr Gestank erfüllt den Keller. Er muß nichts weiter tun, als den Abzug zu drücken, um diese Geschichte endlich abzuschließen. Belinda preßt den Rand des Glases fester gegen ihre Lippen. Kracker springt in den Pool, taucht mit einem satten Klatscher ein und watet dann gegen den bleiernen Widerstand des Wassers zu Belinda.

»Bitte, Belinda… bring dich nicht um!«

Ich steuerte meinen Comet in diese verworrene Geschichte. 6 Uhr 22. Selbst die Zeit wurde unter dem neuen Stadtplan fließend. Keine der alten Regeln galt noch. Der Stadtplan war voll von Straßen, die ins Leere führten oder vor unvermittelten Hindernissen endeten. Fünfundzwanzig Autounfälle gab es an jenem Tag, heraufbeschworen von den neuen, verschlungenen Wurzeln der Stadt. Aber mir konnte das alles jetzt nichts mehr anhaben; ich fuhr auf Shadow.

Ein Sandweg, der zwischen Fabriken entlangführte. Rechts und links war alles still und regungslos, gespenstisch und verlassen, doch als ich mich dem Zentrum jener verlorenen Industriestadt näherte, war mir so, als würde ich in Babylon einfahren. Eine schreiende Frau lief auf den Comet zu, ihre Kleider zerfetzt und ihr Gesicht rotzverschmiert. Ich riß das Lenkrad herum, um einen Zusammenstoß zu vermeiden, und die Frau prallte von der linken Seite der Motorhaube ab. Sie stürzte auf den Sandweg und blieb einen Moment lang liegen, aber ich konnte den Wagen nicht anhalten. Denk an deine Tochter, daß war meine einzige Maxime. Die arme Frau rappelte sich wieder hoch. Ich fuhr weiter, bis ich den Comet auf einen weitläufigen freien Platz manövriert hatte, der an allen vier Seiten von Lagerhäusern und Schuppen begrenzt wurde. Auf dem Platz hatten Zigeunerhunde ihr Lager aufgeschlagen, ein chaotisches Durcheinander aus Knochenhaufen, Eisenskulpturen und Zeltzwingern. Das ganze Gelände war mit einer Schicht aus Nasensaft bedeckt, und auf dem Boden lagen dicht an dicht Körper, einige wanden sich, viele andere waren so regungslos wie der Tod. Eine Schwarze mit einer überstilisierten Afrofrisur versorgte einige der Opfer des Bebens. Das mußte Wanita-Wanita sein. Ich parkte den Fiery Comet und ging zu ihr hinüber. Sie hielt gerade einem Leidenden ein Glas mit irgendeiner Flüssigkeit hin. Der Hundemann weigerte sich jedoch zu schlucken, also trank Wanita selbst und beugte ihren Kopf dann hinab, um den Hund zu küssen und das heilende Gebräu von ihrem Mund in den seinen zu spucken. Ich zog meine Waffe aus dem Halfter, aber im Angesicht dieses Akts der Nächstenliebe lag sie bleischwer in meinen Fingern. »Wanita-Wanita?« fragte ich. Sie schaute zu mir hoch, ihre Augen erfüllt von Resignation. Sie sah die Waffe in meinen Händen und erkannte mich als das, was ich war: ein Dreckscop, alles, wogegen sie ihr ganzes Leben lang gewettert hatte. Ich sah den Kampfgeist in ihren Augen erlöschen. Sie schaute hinüber zu einem Lagerhaus, wo ein Xcab und ein bunt bemalter Transporter namens Magic Bus standen. Über dem Eingang waren die Worte *Slavery House* teilweise verdeckt von Blumen, so daß die Aufschrift jetzt *S ave y ou* zu lauten schien. Das ganze Gebäude war von einem grünen Netz aus Blüten überwuchert. Eine Antennenfeder flatterte vom Dach, und ich konnte Belindas Shadow im Innern des Lagerhauses spüren, im Kampf gegen die Versuchung.

Die Zeit strebte ihrer Erfüllung entgegen, und die Morgenluft war zentimeterdick von gelber Hitze und Pollen und Rotz.

Ich drückte mit dem Finger den Knopf der Gegensprechanlage an der Tür. Eine metallische Hundestimme meldete sich. »Wer ist?«

»Die Cops«, sagte ich. »Aufmachen!« Die beiden Türflügel öffneten sich wie eine zögernde Geliebte, und dann stand ich in der Eingangshalle von Slavery House. Zorn zog mich voran. Ich konnte Belindas Shadow unter meinen Füßen spüren. Irgend etwas passierte mit ihr. Hinter dem Empfangstresen kauerte ein maskierter Robohund mit schütterem Haar, in den Pfoten eine Ausgabe von *Nude Bitch Digest*. »Was wollen?« knurrte der Hund.

»Den Schlüssel zum Keller bitte«, erwiderte ich und hielt ihm meine Marke unter die Nase.

»Wir nicht Keller.«

Ich rammte meine Waffe in das Gesicht des Hundes: »Sollen wir zusammen einen graben, Köter?« Der Hundewachmann ließ hechelnd seine lange rosa Zunge heraushängen, auf der Suche nach guter Luft. Er schaute hinüber zu einer Tür unter der Treppe. Seine linke Pfote griff nach einem Schlüssel, der an einem numerierten Brett hinter ihm hing. »Hier ist«, knurrte er. Sobald die Waffe sich von ihrem Ziel gelöst hatte, rannte der Robohund auf allen vieren zur Tür hinaus. Der pelzige Luftzug wehte seinen stinkenden Atem an mir vorbei, während ich den Schlüssel in eine Tür unter der Treppe steckte, immer noch der Spur von Belinda folgend.

Eine Stimme von unten, leise und verschwitzt: »Wer ist da an der Tür?«

»Niemand«, rief ich. »Nur deine schlimmsten Ängste.«

»Ach ja? Und wer soll das sein?«

»Ein Shadowcop namens Sibyl Jones.«

»Scheiße!«

»Genügt das?«

»Verflucht!«

Panik von unten.

Ich hetzte die dunkle Stiege hinunter, nahm immer zwei Stufen, drei Stufen auf einmal.

Radiowellen…

Farben in der schwarzen Luft, während Botschaften entsandt wurden. Fiebrige Düfte auf Reisen. Kratzgeräusche und Atemlaute. Lichtreflexe von blauen Sendelämpchen. Irisierende purpurne Federn, die auf den Panikwellen schwebten. Dunkle Aromen. Honigsüße. Honigsüße und Angst. Ich stürzte in diese Farben. Kabel und Funken. Ein Sixties-Beat aus dem Radio. Mein Blickfeld verlor sich in der Dunkelheit, und der Gumbo-Hippie höchstpersönlich erhob sich aus der Feder.

»Du bist festgenomen, Gumbo«, sagte ich zu ihm.

»Wer will mich festnehmen?« entgegnete er. »Du bist ganz allein, Coplady.«

»Wo ist Belinda?«

»Wer weiß?« Dann kam er auf mich zu, und sein langes, zotteliges Haar schwang bei jedem Schritt hin und her. »Wen kümmert das noch? Siehst du denn nicht, daß die ganze beschissene Welt zerstört ist? Was wollt ihr Cops dagegen unternehmen, na? Wollt ihr etwa einen Traum festnehmen?« Gumbo fing an zu lachen. »Die Realität ist am Arsch.«

»Die Welt ist mir im Moment völlig egal. Ich will meine Tochter wiederhaben.«

»Das kann ich nicht zulassen.«

»Wo liegt dein Problem, Gumbo? Wenn wirklich alles vorbei ist, wogegen kämpfst du dann noch?«

»Ich bin ein Mann der Liebe, nicht des Kampfes, und diese neue Welt braucht immer noch einen zuverlässigen Scheißdetektor.«

»Ich bin immer noch ein Cop, und du verstößt immer noch gegen die Rundfunkübertragungsgesetze.«

»Ich werde dich in die leeren Weiten des statischen Rauschens schicken.« Er hielt ein elektronisches Messer in den Händen, das an seine Geräte angeschlossen war. Feuer züngelte von der Klinge. Ich preßte meine Waffe gegen seine Stirn, aber der Pirat zuckte mit keiner Wimper. Belinda schrie über den Shadow nach mir, und ich versuchte, ihre Peilung aufzunehmen. Gumbo stieß zu.

Ein brennender Schmerz in meinem Bauch.

Ich schwang meine Waffe und streifte mit dem Schlag den Kopf des Hippies. Das einzige Ergebnis war, daß sich die Klinge leicht in der Wunde drehte; ich konnte spüren, wie Federwellen aus dem Werkzeug in mich eindrangen. Es fühlte sich so an, als würde etwas zu mir sprechen, ganz tief in mir. So als wäre ich von federigen Stimmen erfüllt. Der Abgrund des Chaos'. Ich feuerte eine Copkugel in das Herz von Gumbos Anlage, und der Schmerz ließ etwas nach. Gumbo stürzte zu seinen Schaltkreisen und Apparaten, kreischte die sterbenden Lichter an. Wie ein Wahnsinniger bearbeitete er die Knöpfe und Tasten, aber er kam zu spät, die Federn wurden bereits beige. Gumbo brüllte über den sterbenden Äther, verkündete der Welt, daß sein Kampf weiterging, daß er immer noch bereit war, alles für die Leute des Traums zu tun. »Hier ist der Gumbo. Ich rufe die ganze Welt. Die Cops sind mir auf den Fersen. Glaubt nicht, was sie euch weismachen wollen. Wir können uns immer noch auf dem Stadtplan zurechtfinden. Dieser alte Hippie wird nie aufhören, an euch zu glauben…«

Ich legte Gumbo Handschellen an und kettete ihn an ein Stahlgestell auf dem Fußboden. Dann eilte ich so schnell, wie es mir die Wunde in meinem Bauch erlaubte, durch die unterirdischen Korridore, jagte dem Shadow meiner Tochter und dem reflektierten Glitzern von Wasser an einer Marmorwand nach.

Es ging durch ein Labyrinth aus Stein, bis schließlich eine verschlossene Tür vor mir auftauchte. Ich entdeckte Belindas Shadow dahinter, durchzogen von Schmerz, und außerdem den eines Fremden – feuerrot, gefärbt von Wut und Angst. Männlicher Rauch. Seine Absicht: der widerstrebende Drang zu töten. Der Name des Shadows: Kracker. Ich holte meine Tube TürVaz heraus, drückte etwas davon in das Schloß und probierte dann meinen Copschlüssel. Der Schließmechanismus ächzte und bewegte sich etwas, aber das Schloß wollte immer noch nicht aufgehen. Mehr Vaz, dieser alles schmierende Nothelfer, und dann ein gut gezielter Tritt. Die Tür öffnete sich krachend.

Stufen, die nach unten führten. Mein Ruf: »Polizei! Niemand rührt sich von der Stelle!« Die Shadows der Liebe zerrissen. Zorn. Schreie. *Bitte*… Fluchen. *Allmächtiger!* Ein plötzlicher Schub in Krackers Shadow, als er sich seinem Höhepunkt näherte. Das Trappeln meiner Füße auf dem Gang.

Ich stürzte in das folgende Bild: Meine Tochter trieb nackt in einem Becken aus zitterndem Wasser und trank gierig aus einem Weinglas, während der Polizeichef auf sie zuwatete, die Copwaffe ausgestreckt in seiner Hand. Die Shadows tanzten vor Angst und Freude. Einen kurzen Augenblick lang fühlte ich die wohlige Glückseligkeit meiner Tochter, dann erreichte mich der Schmerz. Ich wußte nicht, was ich tun sollte, außer zu brüllen: »Hände hoch!« Ich führte mich auf wie ein Seifenoperncop. Wirklich professionell! Kracker bewegte sich weiter durch das Wasser auf Belinda zu. Schatten tropften von seinem hageren Körper. Diese Waffe würde ein großes Loch reißen…

Ich tat es. Ich erledigte den Job. Meinen einzig wahren Copjob. Ich schoß auf meinen Boß.

Im letzten Moment gewann der Kodex die Oberhand, und ich verzog den Schuß. Krackers Waffenarm faltete sich dennoch flügelgleich zusammen und wurde dann unter dem hageren Leib begraben, als der Polizeichef bäuchlings in die blutigen Wogen stürzte. Der Kopf meiner Tochter tauchte ab. Das Glas dümpelte auf der Oberfläche, füllte sich mit Wasser und folgte ihr dann hinab. Ich sprang in den Pool, um Belindas Stadtplankörper an mich zu reißen, zurück an die Oberfläche zu kommen…

»Belinda…«

Keine Antwort. Ihre Augen waren glasig vor Verzückung, ihr Blick in ferne Weiten gerichtet. Kracker trieb am Beckenrand und gab hilflose Laute von sich, während seine Beine das Wasser zu Wellen aufpeitschten und seine Arme das Naß rot färbten.

Ich riß meinen Kopf mit einem Ruck herum. »Halten Sie die Klappe!« donnerte ich. »Sie sind festgenommen, Kracker.« Krakkers Augen voller Panik, sein Shadow ein loderndes Feuer. Er konnte nicht aufhören zu zucken, schlug scharlachrote Wellen, während sich Worte einen Weg aus seinem erschlafften Mund bahnten…

»Es war Boomer«, hauchte er. »Boomer. Sie hat Boomer genommen. Zuviel Boomer. Ich habe versucht…«

»Ist das wahr?« Ich hatte mich wieder zu Belinda umgedreht, starrte auf das sinkende Glas.

»Ich wollte sie aufhalten«, beteuerte Kracker. »Das war alles. Es tut mir leid, Jones. Es tut mir wirklich leid. Columbus hat mich dazu gezwungen. Er hat mich erpreßt… meine Verbrechen… meine kleinen Verbrechen… was sollte ich tun?«

Alles war mit einem Mal ganz ruhig, wie eine schlechte Erinnerung, die gerade erst passierte. Alles kämpfte sich dem Leben entgegen. Und alles verlor.

Verlor den Kampf…

Meine Tochter in meinen Armen, während ich sie fest umklammerte, ihrem regungslosen Fleisch durch schiere Willenskraft Leben einzuhauchen suchte. Ihre Augenlider flatterten kurz, dann schlossen sie sich. Und dann trieb ihr Shadow davon, verlor sich im Wasser, im blutroten Wasser. Ich hob Belinda auf meine Arme, so, wie ich es getan hatte, wenn sie als Kind im Garten hingefallen war. Kracker kämpfte sich an die Oberfläche hoch, umklammerte mit der gesunden Hand seinen Arm, brüllte mich an…

»Was ist mit mir! Was ist mit mir!«

Ich trug Belinda aus dem Keller, fort von jenem kläglichen Betteln, hinaus aus dem Lagerhaus. Ihr Körper… der Atemhauch eines Gespensts. Das Leben meiner Tochter trieb in trägen Wellen davon.

Coyotes lange Beine traben die Princess Road entlang auf Manchester-Zentrum zu. Der Schnupfen macht ihm nicht mehr zu schaffen. Der Stadtplan verändert sich beständig, während er läuft, aber das ist kein Problem für seine erblühende Seele. Er kommt sich selbst wie eine Straße vor, wie ein Teil dieser neuen Welt. Coyote *ist* eine Blume: Die Straße öffnet sich ihm wie ein aufgehender Blütenkelch. So hatte er sich das Reisen immer erträumt. Aber trotzdem fehlt da noch etwas, irgendein Fahrzeug für sein Verlangen. Der Geruch von Platt Fields Park ist so stark, daß seine Hinterstengel sich unwillkürlich stärker an das Pflaster klammern. Die Blumen wachsen auf ihn zu. Coyote bewegt sich durch ihren Duft, stimmt mit ein in die süße Botschaft ihrer Kelche. Und da geht ihm ein Licht auf. *So muß es nicht sein; ich kann mich frei bewegen. Die Blume in mir wächst immer noch, lernt immer noch. Es ist so leicht. So leicht. Ich kann für alle unsichtbar sein. Ich kann einfach… na ja… einfach nur wachsen…*

Und so hüllt Coyote sich in den neuen Blumenstadtplan von Manchester, bewegt seine Muster von Stiel zu Stiel. Er lebt in der Vegetation, erschafft sich aus der Flora, der er auf seinem Weg begegnet, immer wieder von neuem, wie die wechselnden Jahreszeiten. Das ist die abgefahrenste Reise, die er je gemacht hat. Coyote Blumenhund zaubert sich selbst aus den Blütenblättern und dem Laub und den Dornen hervor, verwandelt sie in eine schwarz-weiße Dalmatinerpflanze. Der Little-Sir-John-Same wächst noch immer in seinem Körper, nährt sich am Saft; Coyote kann ihn dort spüren. Während seiner ganzen langen, wachsenden Reise versucht der Mann in der Wurzel, Coyote von seinem Weg abzubringen und umzuleiten. Doch Coyote ignoriert ihn oder versucht es zumindest; aber er schafft es nur, ihn in den tiefsten Stengel zu verbannen.

Die Stadt öffnet sich jetzt bereitwillig Coyotes Mustern.

Wie sich alles verändert hat. Er erinnert sich an die Welt als einen dunklen Ort feuchter Sehnsüchte; jetzt ist sie erstickt von Flora. Coyote kann durch die grünen Adern von Manchester überall hin reisen. Blumenkaskaden ergießen sich von allen Gebäuden, Ranken winden sich an den Laternenpfählen hoch. Ein rosafarbener Regen fällt auf den Albert Square, strahlend beleuchtet von den Lasern auf dem Dach des Rathauses. Die Stadt ist verlassen, als würde sie unter Quarantäne stehen. Es sind Streifenwagen unterwegs, aber die muten wie verlorene Seelen an, während sie durch die Straßen kreischen und den Morgen mit dem Geheul ihrer Sirenen verzieren. Ein paar vereinzelte Xcabs hier und dort; sie scheinen die einzigen Fahrzeuge zu sein, die tatsächlich vorwärts kommen. Coyote läßt sich in einen kleinen Busch an der Seite des Albert Square wachsen. Von dort bewegt er sich weiter durch die Flechten, die das Pflaster überwuchern, durch das Moos an den Wänden, durch den Pollen selbst, der durch die Luft über Manchester treibt. Auf diesem Weg gelangt er bis zur Rückseite des Copreviers Bottle Street, wo die beschlagnahmten Wagen stehen, eingezäumt hinter Maschendraht, wie Fossilien.

Hier findet Coyote seine erste Liebe. Sein Yang.

Das schwarze Taxi.

Und da fällt ihm alles wieder ein; wo er hergekommen ist und wohin er gehen muß.

Er sieht ein Licht in einem der Räume an der Rückseite des Reviers brennen, ein einsamer Cop sitzt an einem Schreibtisch. Coyote läßt seine Essenz durch die Saftbahnen einer Weide fließen, deren Äste über das abgeschlossene Tor des eingezäunten Parkplatzes hängen, landet auf dem Betonboden auf der anderen Seite und formt seine Stengel zu kräftigen, schnellen Beinen, die ihn zu der Wachstube tragen. Er weiß mittlerweile, daß er jede Gestalt annehmen kann, die er will; er kann sich eine Maske aus Blumen erschaffen. Er weiß, daß er wie ein Cop aussehen muß. Coyote reckt ein einzelnes Auge auf einem grünen Stiel hoch, bis er über den Fenstersims spähen kann. Von dort aus beobachtet er den Cop einen Moment lang und erkennt dann, wer er werden muß. Er klopft mit einem Zweig seines Körpers gegen die Scheibe. Der Cop blickt von seinem Taschenbuch hoch. Er hat Stöpsel in seinen Nasenlöchern, aber seine Pollenmaske liegt auf dem Schreibtisch. Es dauert keine zwei Sekunden, bis Coyote ein neues Gesicht gewachsen ist. Dann hämmert er mit einem seiner Äste gegen die Tür der Wachstube, läßt es wie etwas Dringendes klingen. Der Cop legt seufzend sein

Buch beiseite, steht vom Schreibtisch auf, geht hinüber zur Tür, öffnet sie. »Was wollen Sie?« fragt er den Cop, der im Schatten seiner Tür steht. »Brauchen Sie einen Wagen? Was ist? Hat jemand sein Strafmandat bezahlt?« Der Cop an der Tür antwortet nicht. Sein Gesicht ist in der Dunkelheit verborgen. »Los, spucken Sie's aus, Kumpel. In der Stadt ist der Teufel los, und ich bin mitten in einer Sexszene.« Die Gestalt an der Tür tritt ins Licht vor, bringt ihr Gesicht ins Bild. »Allmächtiger Gott!« entfährt es dem Wachcop. »Nein, nein! O Gott, nein!« Dann verstummt er röchelnd. Er greift nach der Waffe in seinem Halfter…

Coyote tritt in die Wachstube.

Der Cop hat mit einem Mal ein Gefühl, als würde er in einen schlechten Spiegel fallen. Er schreit, und seine Waffe rutscht ihm aus den Fingern, glitschig von dem plötzlichen Schweißausbruch. »Wer sind Sie?« bringt er mühsam heraus.

»Ich bin du, wer sonst?« erwidert Coyote.

Coyote hat aus seinen Blütenblättern eine perfekte Nachbildung des Copgesichts geformt.

Der Cop kann den Anblick nicht verkraften.

»Scheiße!« Seine einzige Reaktion. »Lassen Sie mich in Ruhe!« Er weicht zurück…

Coyote läßt einen starken, astgleichen Arm vorschnellen und schlägt dem Cop ein paarmal ins Gesicht, bis dieser bewußtlos zu Boden sinkt. Dann läßt der Taxiblumenhund seine Copgestalt fahren. Er ist jetzt wieder nur er selbst, treibt aus, wächst. Seine zweiggleichen Klauen greifen nach einem Schlüsselbund, der an einem Stahlhaken hängt. Darauf hatte er es abgesehen. Er eilt zurück zum Tor, probiert nacheinander alle Schlüssel durch, bis er den richtigen findet. Er löst die beiden Torflügel aus ihrer innigen Verbindung. Dann stakst er stolz zurück zu seinem schwarzen Taxi, das schon auf ihn wartet.

Schwarzes Taxi!

Er streicht mit seinen Blättern über den zerkratzten Lack des Taxis, läßt Musik aus der Berührung erklingen. Es ist wie ein zärtliches Vorspiel. Und dann bildet Coyote einen Zweig in die erinnerte

Form seines Taxischlüssels aus, dreht ihn im Schloß, öffnet die Tür, steigt ein.

Er ist zu Hause.

Der Zweig kopiert perfekt die exakte Form des Zündschlüssels. Er tritt die Kupplung, läßt den Motor an. Saft durchströmt ihn. Benzin. Das Taxi röhrt willig und bereit. Coyote tritt das Gaspedal durch, bis die Stadt nur noch ein vorbeiwirbelnder Strudel aus Blumen ist. Coyote stimmt ein Jubelgeheul an, während er die Straße in Flüssigkeit verwandelt, damit er die Kehle der Stadt hinunterrinnen kann. Zu Boda, wo immer sie auch sein mag. Seine letzte Chance auf Liebe. Sein Yin. Er wird sie finden, und wenn dafür der Rest seines Lebens, seines zweiten Lebens, draufgeht.

Streng dich an, Taxiblume.

Ich drückte meine Belinda ganz fest an mich, so als könnte ich neues Leben in sie hineinzwingen. Ich trug sie durch die Dunkelheit zum Licht. Flüssiger Rauch tropfte herab, Atem, der durch meine Finger rann. Kahle Krankenhauswände. Manchester Royal Infirmary. Die Reise zum Krankenhaus war eine Alptraumfahrt über verschlungene Straßen gewesen, vorbei an verunglückten Autos, den Opfern des neuen Stadtplans. Nur meinem Shadowgespür für die sich entwickelnde Geschichte war es zu verdanken, daß ich es bis hierher geschafft hatte. Jemand in Weiß nahm mir meine Tochter weg. Mein zweites Kind… War es mein Schicksal, alle meine Kinder zu verlieren? War ich für immer die Mutter des Todes? Ich verweigerte meinem Herz den abermaligen Verlust meiner Tochter. Ein Schmerz nistete in meinem Bauch. Ich schaute Belinda hinterher, bis das allgegenwärtige Weiß sie verschluckte, dann brach ich auf dem Fußboden des Krankenhauses zusammen. Dunkelheit senkte sich in Schwaden aus Rauch auf mich herab…

Aufwachen. Ein anderer Raum, eine andere Welt…

Belinda. Ein Bett. Apparate. Doch es war nur wenig von ihr übrig. So wenig.

Ein Arzt suchte tief in Belindas Fleisch nach Botschaften; irgendeinem kleinen, verborgenen Moment von Leben. Er hatte bereits den Schlitz in meinem Bauch geschlossen, den ich von Gumbo YaYa hatte einstecken müssen. Es war sowieso nur eine unbedeutende Wunde, verglichen damit, daß jetzt einzig und allein das Leben meiner Tochter zählte.

Es blieb nichts weiter zu tun oder zu sagen, außer den reglosen Körper meiner Tochter so fest zu halten, daß ihr Fleisch wie beim Akt des Atmens zusammengepreßt wurde. Es war nur eine Illusion. Belinda starb; ich konnte ihren Shadow nicht mehr fühlen. Alles war verloren; ich, die Welt, mein Fall. Die Apparate entsandten eine traurige, getragene Botschaft.

Mein Kind...

Ich zog die Decke zurück, legte ihr Koma bloß...

»Helfen Sie ihr! Bitte helfen Sie ihr!«

»Wir tun, was wir können, Officer Jones.« Die kalte Stimme eines Arztes. Ich riß das Bettzeug vom Bett meiner Tochter...

Umarmte sie.

Umarmte sie zu Tode.

Tochter... Tochter...

»Retten Sie sie.« Ich hatte mein Gesicht zu dem Arzt gewandt, der an den Apparaten herumfingerte. »Bitte, retten Sie sie.«

»Officer Jones...«

Ich schüttelte sie. Schüttelte Belinda.

»Ich habe sie getötet. Es war meine Schuld. Ich habe den Shadow mißverstanden. Das ist... o Gott... das ist mir noch nie passiert... Bitte. Bitte retten Sie sie.«

Der Arzt sah mich teilnahmslos an.

Ich schüttelte und fluchte.

Keine Reaktion. Ich klammerte mich an Belinda. Klammerte mich an Luft.

Die Apparate verstummten. Meine Tochter starb...

»Es ist vorbei.« Die Worte des Arztes.

Bitte, nein...

Ich tauchte tief hinab. Tiefer als je zuvor.

Belinda... Belinda... Belinda...

Mein Shadow brach in Belindas Körper ein, suchte nach der Wurzel. Ich reiste durch einen ausgestorbenen Stadtteil. Ihren stadtplanlosen, shadowlosen Leib. Ich sah ein Nest von Boomerschlangen, die sich um ihr Herz wanden.

Belinda… Belinda…

Dies ist der Moment… der schlimmste Moment meiner Geschichte…

Ich lasse das nicht zu!

Ich entsandte meinen Shadow in sie, zwang ihn tief in die Adern, das Herz, das Gehirn, die Haut. Jeden Winkel von ihr.

Komm schon. Tue es! Zeig wenigstens einmal Liebe, verflucht noch mal…

Eine kleine Regung… ihre Brust…

Bitte…

Ich trieb durch Schichten von Muskelfleisch, in der Hoffnung auf eine letzte, nachhängende Spur von Rauch. Fand nur totes Fleisch, ein stehengebliebenes Herz, ein vertrocknendes Gehirn. Belindas Verstand machte dem Gespenst Platz. Keine Hoffnung. Keine Hoffnung…

Ich zwängte mich noch tiefer in sie, gab ihr meinen Shadow, zerschnitt auch den letzten Knoten mit meiner Liebe. Mein Shadow verließ mich, hinterließ ein Loch in meiner Seele.

Das ist für dich, du undankbares Flittchen! Alles Gute zum Geburtstag!

Belinda atmete wieder…

Shadowdämmerung.

An jenem Tag starb ein junges Mädchen in meinen Armen.

Und atmete dann wieder. Es war ein schwacher Atem, aber der beste, den ich je gefühlt hatte. Sie atmete wieder. *Belinda, nimm dir dieses Geschenk zu Herzen. Bitte lebe! Bitte lebe, du dumme verkorkste Kämpferin.* Sie schlug die Augen auf. Ich fühlte aus ihrem Innern heraus, wie sie sich öffneten. Ich hatte jetzt keinen Rauch mehr, hatte alles hingegeben, aber Belinda öffnete wieder ihre Augen. Das war es wert gewesen. Ich wußte, daß es das wert war.

Mein Körper war ausgelaugt, shadowlos; ich fühlte mich wie hohles Fleisch. Belinda stieß mich von sich weg, neugeboren. »Mutter!« rief sie aus.

Mein Name. Ihr Name.

Mein Shadow war in ihren Körper eingegangen, als Ersatz für das, was sie verloren hatte. Ich war jetzt meine eigene Tochter, lebte wie ein Geist in ihrer Haut. Belinda wußte nicht, mit wem sie sprechen sollte – mit sich selbst oder ihrer Mutter. Wir waren ein und dasselbe, und reden war überflüssig.

In der realen Welt hatte Belinda sich aus ihrem Koma aufgerichtet, einen Schrei ausgestoßen, meinen Namen gerufen und war dann wieder auf das Bett zurückgesunken.

Die reale Welt? Wie sah die denn jetzt aus? Mein kalter Leib, der auf einem harten Plastikstuhl hockte? Ein Krankenhaus irgendwo in Manchester? Meine Tochter, die um ein zweites Leben kämpfte? Ist das real? Ich konnte mir nicht mehr die Energie abringen, mich darum zu scheren. Ich sah das alles mit ausgetrockneten Augen und einem rumorenden Bauch; mein Gehirn registrierte die Reaktion der Patientin als Folge davon, daß das Körpersystem wieder ins Leben zurückgezwungen worden war. Mein eigener Körper war jetzt kalt und ritualisiert, ohne jede emotionale Reaktion auf Sinneseindrücke. Der Arzt hatte das Krankenzimmer verlassen, überzeugt davon, daß dies ein hoffnungsloser Fall wäre. Vielleicht hatte er recht. Ich bewegte mich da wirklich auf dünnem Rauch durch das aufgewärmte Innere meiner Tochter.

»O Scheiße«, fluchte Belinda, direkt durch das Fleisch. »Du bist in mir drin.«

Ich bin in dir, Tochter. Ihre Erinnerungen durchfluteten meinen Shadow; ich nahm sie als meine eigenen an. Ihr Selbstmordbad… Himmel, es machte mich total fertig. Wie konnte sie sich nur das Leben nehmen wollen? Waren ihr meine Gene nicht gut genug? War ich denn wirklich eine so schlechte Mutter?

»Was machst du da?« schrie Belinda und versuchte, mich wegzustoßen, aus ihrem Körper heraus.

Ich rette dein Leben, du blöde Kuh. Was sollte das mit dieser Boomer-Dosis? Macht es dir Spaß, zu sterben?

»Verschwinde aus meinem Körper.«

Wir stecken hier zusammen drin. Keine Geheimnisse mehr…

»Warum hast du das getan?« Ich konnte spüren, wie der Körper meiner Tochter versuchte, mich mit pressenden Bewegungen der Muskeln abzustoßen. Aber ich ließ nicht los. Klammerte mich an…

Liebe? Vielleicht Liebe. Ich kann's nicht sagen. Gilt das als Antwort?

Belindas Körper umschloß meinen Shadow wie Frost. »Ich will das nicht«, sagte sie. »Ich will keine Liebe.«

Denkst du vielleicht, du hast eine Wahl?

Ich sah die Welt mit den Augen meiner Tochter. Ein kleines Krankenhauszimmer. Eine einsame Frau saß am Bett ihres Kindes, und in ihren Augen war eine schreckliche Leere. Belinda erzählte mir über den Shadow von ihrer verlorenen Liebe zu dem Taxihund und von ihren Fehlschlägen und vom Verlust ihres Xcabs Karosse. Und davon, wie ihr alles zuviel geworden war, wie die Verbitterung ihr Leben unerträglich gemacht hatte. Im Gegenzug erzählte ich ihr all meine Geheimnisse und daß ich alles in meiner Macht Stehende getan hatte, um ihr wieder Leben zu geben. Es gab keine Geheimnisse mehr zwischen uns. Nun, vielleicht das eine noch. *Ich bin nicht stolz darauf, dich verloren zu haben*, sagte ich ihr.

»Das will ich auch nicht hoffen. Aber ich bin stolz darauf, dich verloren zu haben.«

Warum tust du mir das an?

»Warum nicht?« Sie zuckte mit den Achseln. Ich *fühlte* ihr Achselzucken von innen.

Du wärst jetzt tot, wenn ich nicht hier wäre.

»Ich wollte sterben«, entgegnete Belinda, kalt wie der Tod. »Ich bin sowieso tot. Hältst du das hier etwa für Leben?«

Mein Gott!

»Was hast du jetzt vor, Sibyl? Was ist ein Shadowcop ohne Shadow? Ich denke, du bist erledigt.«

Ich habe dein Leben gerettet…

»Vielen Dank auch, du Parasit.«

Wollen wir es nicht Symbiose nennen?

»Leck mich.«

Mußt du denn immer solche Ausdrücke benutzen?

»O Sibyl, wie mütterlich du doch bist. Ich bin sicher, du könntest mich davon abhalten. Du bist ja jetzt schließlich meine Seele, oder nicht? Glaubst du wirklich, ich will mit der Seele von einem anderen leben? Selbst wenn's die meiner Mutter ist?«

Ich gebe dir alles.

»Du hast einen Schutzschild errichtet.«

Ich finde nicht, daß wir …

»Du zeigst mir nicht die ganze Geschichte.«

Ich will dir nicht weh tun.

»Was kann denn noch schlimmer sein als das hier? Spuck's schon aus.«

Jetzt ist nicht die Zeit dafür.

»Hilf mir, bitte, Mutter.«

Und diese Bitte machte mich schwach. Ein schwarzer Vorhang begann zu wallen, sich zu lüften.

Die Wahrheit war, daß ich Juwel und seine Geschichte so lange vor Belinda verborgen gehalten hatte, warum sollte ich ihr dieses Leid jetzt offenbaren? Sie wußte nichts von ihrem älteren Bruder. Die Enthüllung würde nur Schmerz bringen. Vielleicht sehnte sich meine Tochter ja nach Schmerz? Sie stieß etwas Gefühl in meinen Shadow, und ich fand Andeutungen von Liebe darin, so als wären wir jetzt ein und dasselbe und als sei Belinda nun bereit, alles zu akzeptieren. Belinda war ein Taxi, das ohne ihren jüngsten Fahrgast sterben würde.

Also senkte ich die Schutzschilde. Die Gedanken bewegten sich einen Moment lang träge umher, dann erwachten sie zu Wissen.

Unsere Gefühle verschmolzen.

Es ist das Juwel, das Unterpfand meiner Liebe, Belinda.

Belindas Verstand stürzte sich auf die Geschichte. »Erzähl mir von dem Juwel.«

Das Juwel ist der Name meines Sohns. Es war der kostbarste, strahlendste Name, der mir einfiel.

»Ich bin dein einziges Kind.«

Bist du nicht. Es gibt noch ein zweites.

»Was?«

Sein Name ist Juwel. Er ist ein Jahr älter als du. Ich habe ihn von einem einmaligen Liebhaber bekommen.

»Warum hast du das vor mir verheimlicht?«

Ich habe mich geschämt. Juwels Vater war Matrose auf dem New Manchester Ship Canal. Er befuhr die unechten Wogen des Flusses und die unechten Wogen meines Herzens. Meines Körpers. Ich war sein Ankerplatz. Der Matrose war mein erster Liebhaber. Ich wußte nicht, wie ich reagieren sollte, außer schwanger zu werden. Mein Bauch hat meinen Shadow verraten.

»Wie war das… das Baby… wie sah es aus?«

Es war abscheulich. Es war ein Monstrum, eine halbtote Kreatur.

»Ein Zombie?«

Ja. Nenn ihn so, wenn du willst. Aber er konnte träumen! Wie hätte ich dieses Kind verstoßen können? Ich habe ihn in deinem alten Zimmer untergebracht.

»Wurde er denn nicht von den Behörden ausgewiesen?«

Das wurde er. Aber er kam zu mir zurück. Er ist sehr gerissen, sehr liebevoll. Er ist per Anhalter zurückgekehrt. Hat mich wiedergefunden.

»Ich hasse dich.«

Juwel ist wunderschön, wenn auch nur in meinen Augen, und ich liebe ihn von ganzem Herzen. Er ist nur einen halben Meter groß.

»Mein Gott! Wie widerlich.«

Und dreißig Zentimeter breit. Voll ausgewachsen.

»Scheiße.«

»*Ich habe ihn aus meinem Innern geboren, Belinda. Er gehört mir. Niemand wird ihn mir wegnehmen. Er liegt im Sterben… der Schnupfen hat ihn erwischt. Wenn mir etwas zustoßen sollte… dann mußt du dich um Juwel kümmern. Er ist dein Bruder. Das verstehst du doch?*«

»Was hast du vor, Sibyl? Jetzt, wo du keinen Shadow mehr hast?«

Mein Shadow gehört nun dir, meine geliebte Tochter.

»Scheiße!«

Belinda! Würdest du bitte aufhören, solche Ausdrücke zu benutzen! Bitte… es tut mir leid. Es ist nur so, daß…

»Klar. Du bist meine Mutter.«

Ja. O Gott, es ist so lange her …

»Laß mich in Ruhe.«

Das ist jetzt nicht mehr möglich, mein Kind.

Die mannigfaltigen Pfade, die wir beschritten haben, um an diesem Moment anzugelangen: ich selbst in zwei Hälften gespalten, ein Teil in Belinda, ihr toter Körper animiert von meinem Shadow, der andere Teil in meiner ausgehöhlten fleischlichen Hülle. Es kam mir vor wie eine Auktion, mein Körper ging an das höchste Gebot. Und das ist der Grund, weshalb ich so viel von der Geschichte meines Kindes kenne. Weil ich ihre Erinnerungen übernommen, sie mir zu eigen gemacht habe.

Und so kam es, daß ich den Leib meiner Tochter verließ und dort mein Flüstern zurückließ, um ihr Leben zu geben. Es war kein Leben nach dem Tod, sondern nur der Tod, der sich am Leben festklammerte. War das ein Verbrechen? Mein anderes Ich, mein Unter-Ich, beugte sich über Belindas Körper, sah, wie der Atem zu ihr zurückkehrte. Ich rief den Arzt, der so aussah, als hätte er gerade Gott in seinen Geräten geschaut; Lichtwellen kehrten auf die Monitore zurück. Tom folgte ihm dicht auf. »Sibyl, ist mit dir alles in Ordnung?« fragte er.

»Tom, du hast es durch den Stadtplan geschafft.« Ich war dankbar, daß er hier war, aber es gab dringendere Dinge, um die ich mich kümmern mußte.

»Ich habe ein Taxi genommen. Sie durchstreifen immer noch die Stadt. Aber die Fahrer sind stocksauer, Sibyl. Roberman hat mich hergefahren. Er ist bereit …«

»Tom, ich bin beschäftigt.« Ich drängte mich an ihm vorbei aus der Tür.

»Sibyl, ich habe mir Sorgen gemacht. Man hat mir gesagt, Belinda wäre tot.«

Sollen sie sich doch alle wundern.

Ich war nicht stolz auf das, was ich getan hatte. Ich war auch nicht glücklich oder froh darüber. Ich war tot. Ich hatte getan, was Belinda vorgehabt hatte. Ich hatte mich umgebracht. Mehr oder weniger jedenfalls. Spielte es eine Rolle? Mein Shadow hatte mich verlassen. Was war ich jetzt? Ein Vakuum in einer Hülle aus ausgetrockneter Haut. Ich konnte nichts Gutes und Schönes mehr empfinden, bis auf das sanfte Streicheln meines Shadows, das Belinda am Leben erhielt.

Ich bewegte mich wie eine eiskalte Robofrau. Mein Körper trieb durch die Gänge des Krankenhauses, ein Passagier jedes Traums, der mich haben wollte. Tom Dove folgte mir in Zeros Krankenzimmer. Zeros reglose Gestalt war an Apparate angeschlossen, wurde nur noch mechanisch am Leben erhalten. Ich kannte dieses Gefühl jetzt. Ich strich mit meiner Geisterhand über seine Stirn und flüsterte, daß ich ihn ewig lieben würde.

»Roberman hat mich zu Gumbos Palast gefahren«, sagte Tom. »Wir haben den Gumbo und Kracker dort eingesammelt. Sie sind beide festgenommen. Willst du den Boß sehen?« Dann eine emotionslose Reise in Krackers Zimmer, wo der Chief verbunden und betäubt in seinem Bett lag. Ich spuckte hämisch in sein kreideweißes Gesicht. »Kracker hat alles gestanden, Jones«, fuhr Tom Dove fort. »Er hat sich auf einen schlechten Handel mit John Barleycorn eingelassen. Columbus war der Vermittler. Der Boß hat eine geheime Vergangenheit als Verbrecher. Columbus wußte darüber Bescheid. Als Gegenleistung für sein Schweigen hat Kracker sich bereit erklärt, Barleycorns Frau ein Heim zu bieten. Ihr Name ist Persephone. Sie ist die Saat des Schnupfens. Kracker hat sie mit einem Streifenwagen am Alexandra Park abgeholt, nachdem sie Coyote umgebracht hatte. Kracker brachte sie nach Hause, und nun rate mal, wo das ist? Auf dem Revier. Das Blumenmädchen ist in der Leichenhalle untergebracht, Fach 257. Offenkundig hat sie eine Tasche voll Erde aus der Himmelsfeder mitgebracht. Kracker vermutet, daß sie ohne diese Erde nicht leben kann, nicht lange jedenfalls, und das ist die Schwachstelle des Plans.«

Ich brauchte frische Luft. Tom Dove blieb mir dicht auf den Fersen; während ich nach draußen eilte, fragte er mich abermals, ob mit mir alles in Ordnung wäre. Ich schwieg und stieg in den Comet. »Ich habe schon auf dem Revier Bescheid gesagt, Sibyl«, sagte Tom, während er auf dem Beifahrersitz Platz nahm. »Vielleicht ist es schon zu spät.« O Gott, es ist immer zu spät. Aber dann begegnete uns auf der Oxford Road ein schwarzes Taxi. Ich erhaschte einen flüchtigen Blick auf den schwarz-weiß gefleckten Hundefahrer hinter dem Lenkrad. Ich sah einen Geist. Tom hantierte an seiner Waffe herum, daher verpaßte er die Erscheinung. Ich habe ihm nichts davon erzählt, aber innerlich verfolgte ich die ersten flüchtigen Spuren eines Plans. Ich fuhr auf Autopilot, meine Hände bewegten das Lenkrad wie ein Paar Handschuhe, während mein wahres Ich, mein Shadow, im Innern von Belinda ruhte, die ihrerseits in ihrem Bett lag. Doch nach der Erscheinung von Coyote war ich motiviert, angespornt. Wenn ich nur alle Steinchen zusammenfügen konnte, dann hatten wir vielleicht doch noch eine reelle Chance, uns gegen den Vurt zur Wehr zu setzen, und ich könnte mein Juwel am Leben erhalten.

Cops drängten sich vor der Tür der Leichenhalle, alle voll geladen und in den verschiedensten Machoposen, aber ich konnte über ihren Pollenmasken die Anspannung auf ihren Stirnen sehen, den Schweiß der Nervosität. Der Korridor knisterte förmlich vor Angst. Diese Sache mit dem neuen Stadtplan hatte sie alle völlig aus der Bahn geworden. Unablässig kamen Meldungen über Autounfälle herein. Es gab bereits ein Dutzend bestätigte Tote, die Opfer von Karambolagen. Die Xcabs fuhren zwar noch, aber niemand mochte sich mehr von ihnen chauffieren lassen. Columbus war über den Taxiäther nicht erreichbar. Die Cops wußten nicht mehr, was sie tun sollten. Einige von ihnen hatten schon den Dienst quittiert. Tom Dove übernahm das Kommando, und ich war ihm dankbar dafür; mein Körper war viel zu leer für einen physischen Kampf. Er zog den Riemen seiner Maske fester, dann gab er den Sicherheitscode für den Verriegelungsmechanismus an der Leichenhallentür ein, und ich folgte ihm in den Raum, umringt von den anderen Cops. Im Raum wimmelte es von Pollen, körnerrunde Organismen, die umherschwammen, als würde ihnen die Welt gehören. Nasse Flechten wucherten an den Wänden. Wasser tropfte von der Decke. Dove ging zum Fach 257. Der Geruch von Fruchtbarkeit waberte um das Schubfach.

»Das ist Krackers Schlupfloch, Dove«, sagte ich. »Wir brauchen die Codenummer.«

»Keine Sorge, Jones. Ich schaff' das schon.«

»Irgendein Vurttrick?«

»Viel einfacher. Ich habe ihn solange gefoltert, bis er mir die Nummer verraten hat.« Tom Dove grinste mich an, dann gab er den Code ein und trat einen Schritt zurück.

Zwei Sekunden…

Die Lade glitt mit einem leisen Seufzen auf Schulterhöhe heraus, und aus ihrem Schlund quoll der Gestank eines fauligen Garten Edens. Die Fleshcops wichen vor dem Geruch zurück. Tom aktivierte seine Waffe und trat an das Fach.

»Sei vorsichtig, Tom«, bat ich.

»Ach, komm schon, Sibyl«, erwiderte er. »Ich bin schließlich Tom Dove, der beste Vurtcop der Stadt. Gebt ihr mir Rückendeckung?«

Zustimmendes Nicken von der Maskenparade. Die Copwaffe fest mit beiden Händen umfaßt, spähte Tom Dove über den Rand des Fachs.

Da erscholl ein Schrei.

Tom! Zurück!

Es erscholl ein Schrei, als ob alle Blumen der Welt eine nach der anderen ausgerissen würden, und ein langer, dicker Pflanzentrieb schnellte aus dem Schubfach. Er ringelte sich einen Moment lang hoch aufgerichtet in der Luft, dann schoß er vorwärts und bohrte sein spitz zulaufendes Ende tief in Tom Doves linkes Auge.

Ich feuerte sechs Kugeln in den dicken Stengel, mein persönlicher Beitrag zu dem Geschoßhagel der anderen Cops. Der Raum füllte sich mit Rauch und Pulvergestank. Der Stengel zerbarst, und tausend schwarze Blütenblätter schwebten durch die fast unnatürlich tiefe Stille, die einsetzte, nachdem die Waffen verstummt waren. Konfetti bei einer Beerdigung. Tom Dove lag auf dem Boden, sein Gesicht blutüberströmt. Hinter mir schrie ein Cop. Ein anderer rief nach einem Arzt, während ich mich neben Tom kniete. Ich nahm seinen Kopf in meine Arme. »Tom… ich bin hier… sag doch etwas…«

Er murmelte irgendeine Antwort.

»Was? Tom? Was war das?«

»Roberman…«

»Was?«

»Roberman… Xcabber… er will uns bei der Suche nach Columbus helfen… der Stadtplan…«

»Tom, ein Arzt ist schon unterwegs.«

»Finde Columbus… töte ihn… halt den Stadtplan auf…«

»Ich gehe noch tiefer, Tom. Zur Quelle.«

»Deine Tochter…«

»Belinda geht es gut, Tom. Keine Sorge. Wir sind jetzt zusammen. Wir sind alles, was Barleycorn fürchtet, erinnerst du dich noch?«

»Tu es für mich…« Und mit diesen Worten schloß er seine Augen. Sein Körper in meinen Armen wurde mit einem Mal bleischwer.

»War nett, mit dir zu arbeiten, Tom Dove.«

Ich stand auf. Der Arzt kam herein, zwei Sekunden zu spät. Ich ging hinüber zum Schubfach. In der Erde war ein mädchenförmiger Abdruck. Die Fleshcops standen nur entsetzt und verängstigt herum. Einer von ihnen kotzte. Ein anderer fragte mich, ob das Blumenmädchen jetzt tot wäre. Ich zerrte ihn ganz dicht heran, so daß sein Kopf über dem Rand des Schubfachs hing. »Ich will, daß jede verdammte verfügbare Chemikalie auf diese Erde gekippt wird. Ertränkt sie in Unkrautvernichter!« Der Fleshcop quiekte ängstlich. »Haben Sie kapiert?« Er quiekte abermals.

Draußen.

Der treue alte Fiery Comet wartete auf meine Liebkosungen. Es hatte angefangen zu regnen, und während ich den Motor anließ, fielen weiche Wassertropfen auf die Fenster des Wagens. Ich vermute, Persephone beobachtete alles von den Höhen ihrer blühenden Efeuranken aus und lachte sich ins Fäustchen, während sich ihre Saat über die Straßen verteilte. Ich würde diesem Lachen ein Ende setzen. Eine verwischte Landschaft aus bunten Farbschemen teilte sich vor mir, während ich den Comet durch den Stadtplan steuerte. Eine Sekunde verstrich, und dann hielt ich vor einem Hotel namens

Olympia in Manchester-Zentrum. Das Hotel hatte siebenundzwanzig Stockwerke. Ich nahm mir ein Zimmer im einundzwanzigsten, nannte mich für das Anmeldebuch Jane Smith. Über den Zimmerservice bestellte ich eine Flasche Bombay-Ruby-Gin. Und eine große Flasche legalen Boomer. Ich versicherte dem Portier, daß das nicht alles für mich allein war, keine Sorge, ich erwarte Gäste. Eine säuerliche Robohündin brachte mit das Ganze aufs Zimmer. Ich gab ihr als Trinkgeld meine Copwaffe, deren Macht und Präsenz mir einfach zu übermächtig geworden war. Was hatte ich vor, wollte ich etwa jemanden töten? »Legen Sie einen Bösewicht damit um«, trug ich der Robohündin auf. Sie ging mit einem verschmitzten Grinsen davon. Wieder allein, trank ich drei Schluck Bombay pur aus einem Hotelglas. Dann öffnete ich das Fenster und schaute hinaus auf die Stadt. Meine sterbende Stadt. Manchester. Millionen von Blumen wuchsen dort, ein Garten im Himmel. Dichte, gelbe Nebelschwaden waberten durch die Luft.

Ich legte mich auf das dreckige Bett und fiel in einen tiefen Schlaf. Ich würde für diese Schlacht all meine Kraft brauchen.

Traumlos.

Als ich aufwachte, zeigte der Hotelwecker leuchtend 23 Uhr 9. Ich hatte alles erledigt, was ich auf dieser Welt erledigen konnte. Mein Leben gehörte jetzt Belinda. Sie würde sich um Juwel kümmern müssen. Ich kippte einen kräftigen Schuß Gin in das Glas und fügte dann fünf Schluck Boomer hinzu, fand weit entfernt, in Belindas Verstand, ihr kleines Gedicht: *Ein Schluck für ein bißchen Spaß, zwei für die große Sause. Drei für einen sauberen, geilen Tod. Fünf für den totalen Abgang.*

Ich trank den Bombay-Cocktail auf ex.

Ein plötzlicher Hammerschlag auf den Kopf, dann verwandelten sich die Gefühle in Finger der Glückseligkeit. Ich wurde gestreichelt. Meine Scheide war naß. *Das* war wirklich schon lange nicht mehr vorgekommen. *He, irgendwie gefällt mir das.* Und dann der unvermittelte schwarze Gedanke daran, was ich getan hatte. *Was soll das werden, Sexy, willst du deine Tochter kopieren? Findest du denn keinen eigenen Weg, um abzutreten? Schäm dich.*

Der Boomer zog mich mit seinen Liebkosungen hinab.

Ich vermute, da hast du wohl recht.

Beschwingte Schritte, wie ein Tänzer, aus dem Fenster hinaus auf den Sims der Träume. Und als ich in den Abgrund blickte, überkam mich plötzlich ein Gefühl: ein ungutes, verrücktes Gefühl, das ich nicht unterdrücken konnte. Die Sehnsucht zu springen. Manchester verführte meine Seele mit einem erregenden Vorspiel. Ich gab mich hin, ließ mich fallen.

Blumen am Mauerwerk, während ich durch die Nachtluft hinabstürzte. Verwischte Farben. Der Fall wurde eingehüllt in Pollen, und ich fühlte, wie er an meiner Schwerkraft zerrte. Es war ein langer, träger Sturz in Gold. Das Pflaster kam mir entgegen, empfing diesen traurigen, willigen Hotelaussteiger.

Ich fiel und fiel, wie eine faulige Frucht von einem Ast. Das Pflaster war weich von Blumen. Aber zum Glück nicht weich genug.

Der Tod hieß mich willkommen.

Diese Geschichte wird von einer Toten erzählt. Kein Leben nach dem Tod; nur der Tod, der sich am Leben festklammert. So kam es, daß ich aus meinem pyhsischen Tod in Belindas Körper aufwachte. Belinda erwachte mit mir. Ich konnte fühlen, wie sich ihre Finger in das heiße, feuchte Bettzeug krallten. Ihre Stimme schrie meinen Shadow nieder: »Was tust du da?«

Der 7. Mai kroch über die Datumsscheide, wurde zum 8. *Ssschh. Sssschh. Sei still mein Kind…*

»Was ist mit deinem Körper passiert?«

Der Boomer hat ihn sich genommen.

»Scheiße! Warum!«

Es war gut genug für dich…

»Das ist Ewigkeiten her. Damals war ich schwach.«

Und jetzt bist du stark. Ich bin in dir.

»Ich will dich aber nicht in mir haben. Ich habe dir schon gesagt, daß…«

Du hast keine Wahl mehr, Tochter. Ich bin jetzt deine Mutter.

»Verpiß dich.«

Es wartet Arbeit auf uns, Belinda. Wir müssen gegen John Barleycorn antreten. Nur wir beide können es schaffen. Frag mich nicht wie, denn ich habe keine Ahnung, noch nicht jedenfalls. Ich weiß nur, daß wir zusammensein müssen. Bist du bereit?

»Ich will nicht mit dir zusammensein!« rief Belinda. Eine Nachtschwester kam ins Zimmer geeilt, und ich dachte, sie würde fragen, was los sei. Statt dessen teilte sie uns mit, daß unten auf dem Parkplatz ein Taxi auf Belinda Jones warten würde. Belinda sah mich an; ich sah sie an. Es war ein Spiegel, der in einen Spiegel blickte; eine Unendlichkeit verwirrter Blicke. »Vielleicht ist es Roberman«, vermutete Belinda.

Vielleicht.

Aber ich wußte, daß dem nicht so war.

Die Schwester hörte natürlich kein Wort dieser rauchigen Unterhaltung. Sie konnte mich nicht im Innern der Patientin leben sehen. »Hat er Ihnen einen Namen genannt?« fragte Belinda die Schwester. Die Schwester erwiderte, nein, einen Namen habe er nicht angegeben, nur die Anweisung, daß Belinda »gefälligst ihren Hintern herunter zum Taxi schaffen soll, sonst bekommt sie eine fette, pelzige Pfote zu spüren.«

»Das ist Roberman«, erklärte Belinda.

»Natürlich dürfen Sie gehen«, fügte die Schwester hinzu. »Sie müssen nur die Formulare unterschreiben. Die Geräte sagen, daß es Ihnen ausgezeichnet geht.« Das war mein Werk, und darauf konnte ich wirklich stolz sein.

»Dann wollen wir mal!« sagte Belinda zur Schwester und folgte ihr hinunter ins Erdgeschoß, wo meine Tochter die benötigten Formulare unterschrieb. Dann traten wir beide hinaus in die pollengeschwängerte Luft. Wolken goldener Körner trieben durch unser Blickfeld, versuchten, sich in unseren Nasenlöchern zu vergnügen, aber fanden dort nur ein kaltes Bett. »Hier ist kein Xcab«, sagte meine Tochter zu mir, aber ich *erlaubte* ihren Augen, sich ein Stück nach links zu wenden, wo im Schatten einer Ulme ein dunkler Umriß wartete. Wellen der Ungläubigkeit stiegen in unserem gemeinsamen Shadow auf. Unter dem Baum parkte ein altmodisches schwarzes Taxi. Eine schwarz-weiße Pfote winkte aus dem Fenster. Ich fühlte, wie Belinda überrascht der Atem stockte. »Mutter, das ist Coyote! Wie kann das sein? Coyote ist doch tot.«

Genau wie ich, erinnerst du dich?

»Du wußtest es? Du wußtest, daß er zu mir zurückkommen würde?«

Ich habe es gehofft.

Coyote stieg aus dem schwarzen Taxi. Er lächelte. Es war ein überwältigender Anblick.

Willst du ihn denn nicht endlich küssen, Belinda? Er wartet.

Belinda lief hinüber zum schwarzen Taxi, wo Coyote sie in einem wirbelnden Freudentanz in die Luft hob. Belinda nannte ihn einen Hundesohn. Coyote nannte sie die heimtückische Diebin eines Hundemann-Herzens, und dann lachten die beiden. Ich kam nicht umhin, meinen Shadow an ihrer Ausgelassenheit teilhaben zu lassen. Sie küßten sich. Ich fühlte den Kuß von innen. Er dauerte anderthalb Minuten.

»Coyote! Scheiße!« rief Belinda aus. »Wie hat du es nur geschafft zurückzukommen?«

»Genau wie Lassie, Boda, weißt du nicht?« entgegnete der Taxihund.

»Ich heiße jetzt Belinda. Wer ist Lassie?«

»Du hast noch nie den Lassie-Vurt eingeschmissen, Mädchen? Ach, natürlich nicht. Lassie ist eine tapfere Vurthundeheldin, die Verbrecher jagt. Die Zeit vergeht. Der ursprüngliche Star stirbt. Und wird ersetzt. Kein Problem. Sie klonen einfach einen Vurtzwilling. Wie durch Zauberhand. Mit mir ist es genau dasselbe. Was du hier vor dir siehst, Belinda… ist Coyote Zwei. Die Fortsetzung. Ist das jetzt dein neuer Name? Belinda? Ich vermute, du hast ihn geändert. Mit Coyote ist es das gleiche. Er ist jetzt ein Pflanzenhund. Und, Mann, kann ich wachsen, oder was?«

»Du kannst dieser Tage echt gut reden, Coyote.«

»Klar doch. Ich bin eben pflanzenberedt. Willst du 'ne kleine Spritztour mit mir machen?«

»Ja, bitte«, erwiderte Belinda.

»Rüber nach Bottletown, um meinen Sprößling zu besuchen.«

»Karletta? Geht klar, aber anschließend möchte ich, daß du mit mir rauf ins Limbus-Moor fährst. Ähm… nach Blackstone Edge.« Ich konnte Belindas Unbehagen spüren, als sie diese Worte hervorbrachte, denn das war ich, ihre Mutter, die da *durch* ihren Körper sprach. »Dorthin, wo du Persephone abgeholt hast, Coy? Ähm… könntest du das tun?«

»Coyote kann jetzt jede Reise machen, aber was ist der Zweck dieser Fahrt?«

»Ich möchte mir das Mondlicht anschauen, Coyote. Ich möchte, daß du mich im Moor liebst.« Das war jetzt wirklich ein Schock für Belinda, und selbst Coyote wurde von ihrer Direktheit aus der Bahn geworfen.

»O Mann!« heulte Coyote. »Ich bin ganz heiß auf diese Fahrt. Das wird ein Irrsinnstrip.«

Ich hatte das Gefühl, daß sich meine Geschichte zusammenfügte. Wenn Coyote jetzt tatsächlich ein Teil der Pflanzenwelt war, dann konnte er uns in seinem neuen Seinszustand möglicherweise zu Barleycorn führen. Aber für den Moment mußte ich die Sache ganz ruhig angehen, die Unterhaltung am Laufen halten, nur für den Fall, daß Belinda noch Zweifel hatte.

Laß es uns tun, Belinda. Drängend.

»Ich bin bereit. Ähm… ich hätte da noch etwas Gepäck, Coyote.« Abermals waren es meine Worte, nicht ihre; sie sprach sie nur aus.

»Pack das Gepäck in den Kofferraum, Belinda. Kein Problem.«

»Ähm… das Gepäck ist nicht hier. Noch nicht. Wir müssen es erst holen.« Belindas Stimme zitterte.

»Geht klar. Woher?«

»Victoria Park.« Meine Stimme im Mund meiner Tochter.

»Kein Problem. Auf dem neuen Stadtplan ist das nur einen Hundeatemhauch entfernt.«

Belinda stieg auf den Rücksitz von Coyotes schwarzem Taxi, schleifte meinen Shadow mit. Sie machte es sich auf den Lederpolstern bequem und wies Coyote an, richtig Gas zu geben.

Mitternacht.

»Auf geht's, Zuckerpuppe!« heulte Coyote, dann führte er sein Taxi in einen rasanten Oxford-Road-Exodus. »Jaaaaaaaauuuuuh! Genau wie Lassie, Babe! Bist du dabei?«

Wir waren dabei.

Montag
8. Mai

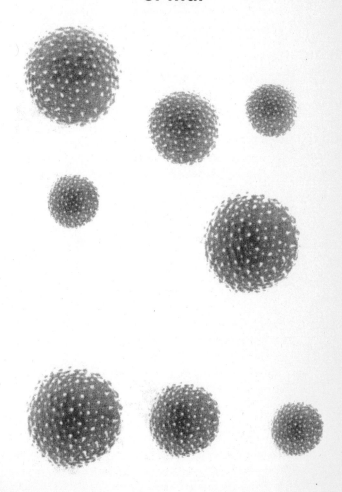

Erste Fuhre, Victoria Park. Coyote war ein echtes Naturtalent, meisterte den neuen Stadtplan ohne jede Hilfe von mir, so als hätte er seine eigene Geschichte am Laufen. Eine, die glücklicherweise beinhaltete, Belinda endlich heimzubringen. Ich schubste sie die Treppe zu ihrem alten Zimmer hinauf. Zum alten Kinderbett in der Mitte des alten Zimmers. *Hier ist Juwel zu Hause. Dein Bruder. Nur zu. Mach es auf.* Belinda wollte eine Million Meilen weit fortlaufen, aber ich zwang sie, genau hinzuschauen. *Sieh dir deinen Halbbruder an.* Belinda sog scharf die Luft ein, schreckte vor dem Anblick zurück. Ich wich mit ihr zurück, doch dann zwang ich sie, abermals hinzuschauen, diesmal noch genauer. Ich konnte sehen, wie Juwel schwach in seinem Bettchen pulsierte, ausgehungert nach Nahrung. Belinda stieß einen angewiderten Laut aus.

Eins von Juwels Augen war mit einer dicken Hautschicht zugewachsen, seine Nase nach links verbogen. Der Mund war ein kleines Loch in einem verkrüppelten Gesicht. Er hatte eine geschwollene Zunge. Seine Arme endeten in überlangen Fingern, die wie Klauen anmuteten, die Beine waren zwei Stümpfe. Auf dem Rücken hatte er einen Buckel, der Bauch war ein schwabbeliger Ballon, die Brust ein eng geschnürtes Bündel aus verwachsenen Rippen. Auf seinem Kopf sprossen zwei oder drei silberne Haare, und sein Hals war eine Speckrolle.

So schlimm ist es nicht. Man gewöhnt sich daran.

»Das weiß ich. Ich habe schon mal mit Zombies gesprochen. Das ist es nicht…«

Ich weiß. Dies ist dein Bruder. Juwel… ich möchte dir deine Schwester vorstellen.

»Warum nehmen wir ihn überhaupt mit?« fragte Belinda mich.

Weil er einer von uns ist. Den Halbtoten. Ich erkläre es dir, wenn wir im Moor sind.

Wieder auf der Reise…

Zweite Fuhre, mitten ins Herz von Bottletown. Es war eine Zeit der Zusammenkunft. Coyote parkte auf einem Scherbenteppich, wies uns an, im Wagen zu bleiben, und verschwand dann zwischen den Bäumen.

Wo geht er hin?

»Er besucht seine Tochter, Dummchen.«

Oh.

Danach warteten wir schweigend, ich tief eingenistet in Belinda, bis Coyote ins Taxi zurückkehrte.

»Wie ist es gelaufen, Babe?« fragte Belinda.

»Erste Sahne«, antwortete Coyote. »Ich habe mit einem Zweig ans Fenster geklopft. Sie kam ran und hat mich begrüßt.«

»Karletta?«

»Klar. Eine süße Kleine. Ich schenkte ihr mein schönstes Lächeln aus Blütenblättern. Sie trug einen schlimmen Schnupfen in sich.«

»Das tut mir leid für sie.«

»Wir fahren der Liebe entgegen, Babe.«

»Das hoffe ich.«

Das Taxi glühte vor Freude. Wir sausten bis zum Morgen dahin, holten die Sonne ein, als sie über den Bäumen aufging. Es war wie ein Volltreffer beim Trampen; sauberer Fahrer, klasse Auto, gleiches Ziel. Das Zollhaus am Nordtor war verlassen, alle City Guards längst verschwunden, jetzt wo der neue Stadtplan Einzug gehalten hatte.

Dritte Fuhre.

Raus ins Limbusland. Blackstone Edge. Ich als Shadowfahrgast in Belinda. Belinda als Fahrgast im schwarzen Taxi von Coyote Hund. Juwel in seiner Kiste auf dem Sitz neben uns. Zusätzliches Gepäck. Fahrgäste in Fahrgästen. Leben nach dem Tod. Der Tag breitete sich aus, und die Farben der Morgendämmerung fuhren per Anhalter mit uns nach Hause ins Tageslicht. Das Moor hechelte Nebel, seinen gespenstischen Atemhauch.

»Woher wußtest du, wo wir waren, Coyote?« fragte Belinda. Himmel, wie ich diesen Plural liebte.

»Ich hab beim Xcab-Taxistand vorbeigeschaut. Da war so ein Plastik-und-Fell-Junge. Einer der letzten, die noch Dienst schoben. Er hat mir die Adresse gegeben.«

»Schon klar. Sein Name ist Roberman.«

»Guter Hund, dieser Fahrer.«

Coyote trieb sein schwarzes Taxi in den Hypermodus, ließ die Bäume am Wegrand verschwimmen. Wir brausten dahin, brachen alle Regeln, und ich genoß es. Es fühlte sich toll an, in meiner Tochter zu sein, so als würde ich dorthin *gehören*. So als hätte ich es schon vor Jahren tun sollen. Und mit einem erfahrenen Liebhaberhund am Steuer, der uns der Wonne entgegenchauffierte, und auch mit Juwel, der endlich dabei war. Mit dieser Mannschaft an Bord, wie konnte da etwas schiefgehen? John Barleycorn würde seinen Übergriff auf meine Familie und meine Stadt noch sehr bereuen. Ich klammerte mich glücklich an die Innenseite von Belindas Körper und pries Coyote dafür, daß er meiner Tochter die Hoffnung zurückgegeben hatte. Und dafür, daß er sie dazu brachte, mich zu akzeptieren. Ich spürte, wie ihr Verstand glühte. Diese Liebe war einfach zu gut, um sie sich entgehen zu lassen, und ich war der Mechanismus, der Belinda dorthin führte. Hör zu, es machte mir überhaupt nichts aus, lediglich ein Mechanismus zu sein. Ich malte *Träume* in ihr. Aber ich mußte vorsichtig sein; ich wollte sie schließlich nicht mit dem verschrecken, was ich gleich fragen würde.

Coyote sagte gerade: »Coyote und die Blumenwelt. Es gibt zwischen uns keinen Unterschied mehr. Ich bin ein Hund. Ich bin eine Pflanze. Ich bin ein Mensch. Nicht viel Hund. Nicht viel Mensch. Aber da ist jede Menge Pflanze an Bord. Fühlst du, wie ich wachse?«

»Ich fühle es«, bestätigte Belinda.

»Das ist die pure Leidenschaft, Babe.«

Coyote fuhr uns zu einem öden Landstrich jenseits eines Pubs und einer Farm, wo ein einsamer Telefonmast seine Leitung in die Erde einspeiste. Vor uns ragte der wispernde Leichnam einer Eiche auf. Man konnte Zombies hören, die fauchend und grunzend durch das morgendliche Unkraut kleckerten. Über dem Horizont war noch ein schmaler Schmierstreifen der Dämmerung auszumachen. Coyote stieg aus dem Taxi und öffnete uns die Tür. Ließ uns frei. Ein

ölig glänzender Halblebendiger kam über die tote Erde auf uns zuge-
schlurft, seine Kralle gierig schimmernd ausgestreckt. Coyote ergriff
die verwachsene Klaue mit seiner Pfote und schüttelte sie herzhaft.
Der Zombie lächelte ihn an und landete dann plötzlich mit einem
satten Bauchklatscher auf dem Boden. Die Erde um uns herum war
mit zwanzig oder mehr dieser weichen, aufgeblähten Kreaturen
übersät. Zombies. Sie atmeten und bewegten sich sehr langsam,
während ihre Fühler in komplexen Mustern wedelten, als würden
sie sprechen.

Und dann trat Coyote ganz dicht an uns heran, und seine großen braunen Augen starrten tief in die unseren. »Ich habe dich
aus einem ganz bestimmten Grund hierher gebracht, Belinda«, flüsterte er. »Das hat vor allem mit Liebe zu tun, klar. Aber da ist
noch etwas… jemand anders hat mich diese Stelle wählen lassen.« Sein geflecktes Fell war ein sich beständig veränderndes
Arrangement aus Blättern und Blumen. Er war wirklich wunderschön. »Hier habe ich Persephone abgeholt.« Coyote hielt seine
Hand vor Belindas Gesicht. Ich konnte nur durch die Augen meiner Tochter zuschauen, wie Coyote seine Finger in Stengel, in Blü-
tenstiele verwandelte. Jeder Fingerspitze entsprang eine Rose. Er
brach alle Blüten mit seiner anderen Hand und drückte den Strauß
in Belindas Hand. Dann breitete er seine Wurzeln über und unter
dieser verdorrten Erde aus, bis dort ein Beet aus weichem Gras und
Blumen erblühte. Ein privater Garten inmitten des Limbus'. Coyote
lächelte und fragte dann: »Willst du jetzt ein bißchen Liebe, Mädchen?«

Ich drückte Belindas Shadow so lange, bis sie dieser Einladung bereitwillig nachgab. Es brauchte nicht viel Drücken.

Dort unten zwischen den Blättern und den Blüten, dort unten
zwischen den Blumen und den Gräsern liebten wir ihn. Coyote
führte uns den holprigen Weg unseres Verlangens hinab und zog uns
dann in das wogende Gras, auf daß wir darin ertranken. Er war schon
ein beachtlicher Hundeliebhaber, dieser Coyote, bildete seinen Pe-
nis-Stengel in genau der richtigen Form aus, um uns die größte Lust
zu bereiten. Ich war mehr als befriedigt darüber, wie sehr die Lei-

denschaft ihn über sich hinauswachsen ließ. Belinda ebenfalls. Jede von uns schrie vor Lust. Der nackte Hautatlas meiner Tochter. Manchester bebte vor Erregung. Vielleicht war das jetzt der einzige Stadtplan, der noch die alten Wege zeigte. Coyote strich mit seinen Ästen über unsere Straßen. Die Lampe des frühen Morgens tauchte uns in ein weiches Licht. Zombies patschten durch das Gras, rieben ihre weichen Tentakel an unseren nackten Körpern. Wir hatten Coyote noch nicht erzählt, daß ich in Belinda lebte, aber vielleicht hatte er es schon von selbst erraten. Vielleicht war da ein Blick in Belindas Augen, als sie kam. Für einen Moment, einen flüchtigen Moment, fühlte ich mich selbst pflanzengleich, während Coyote vorsichtig eine seiner gelben Rosen in Belindas Mund schob. Ein Dorn bohrte sich in ihre Unterlippe; ein Blutstropfen rann ihre Wange hinab. Coyote nahm die Blume wieder fort, leckte das Blut ab und begann dann zu weinen. Ich wollte ihn gerade fragen, was die Ursache dieser Tränen war, aber in genau diesem Moment kam er, dieser geliebte Liebhaber, er kam in uns, spritzte Pollen und Sperma in unsere Gebärmutter.

Aussaat.

Und wir nahmen seine Saat dankbar auf. Verschluckten sie. Blumen in unserer Haut, unserem Gehirn. Wir drückten jenen Hund an unsere nassen Brüste. Die Zeit selbst war schlüpfrig, triefnaß. Coyote brach ein Stück Obst von seinem Körper, steckte es Belinda in den Mund. Es schmeckte wie das Paradies, reif und naß, ein saftiger Bissen Ebenholz und Grün. Es weckte einen Geschmack auf Belindas Zunge und ein Bild in ihrem Kopf. Dieselbe Welt, die ich so flüchtig in den Opfern und in den fedrigen Armen von Tom Dove erblickt hatte. Da wußte ich, daß Coyote unser Überbringer in die Welt des Traums sein würde.

Laß uns diese Gabe annehmen.

Wir lagen nackt und erschöpft in dem taubenetzten Garten. Unter uns und weit im Süden schwitzte Manchester unter einer dunstverhangenen Sonne.

»Wir haben unsere Stadt verloren«, sagte Belinda.

»Sie hat sich verändert«, erwiderte Coyote. »Wir hatten Glück.«

»Glück in der Liebe?«

»Glück im Tod. Nicht viele werden ihren Weg durch den neuen Stadtplan finden.«

»Sie tun mir leid.«

»Mitleid ist gut.«

Die Zeit war gekommen. Ich benutzte Belindas Stimme, um den Plan zu erläutern. Sie gab mir bereitwillig Zugriff darauf. »Coyote, hier spricht Sibyl Jones«, begann ich. »Ich bin Belindas Mutter. Ich lebe im Körper meiner Tochter. Ich werde dir das jetzt nicht erklären, für den Moment muß genügen, daß ich, genauso wie du, gestorben bin und dann wiedergeboren wurde. Unser Feind heißt John Barleycorn. Er lebt in einer Vurtwelt namens Juniper Suction. Aus diesem Reich kommt der Schnupfen. Juniper Suction ist eine Himmelsfeder. Um in eine Himmelsfeder hineinzugelangen, muß man sterben und wiedergeboren werden. Wie es dir geschehen ist, und wie es mir geschehen ist. Und wie es auch Belinda geschehen ist. Das Gepäck, das wir bei uns haben, heißt Juwel. Er ist mein erstes Kind, ein Zombie. Der Tod ist ihm allgegenwärtig. Was ich sagen will, ist folgendes: Wir wurden alle vom Tod berührt und haben überlebt. Ich denke, daß wir jetzt John Barleycorn in Juniper Suction aufsuchen können. Wirst du uns dorthin bringen, Coyote, in deinem schwarzen Taxi, denn du bist jetzt ein Teil von Barleycorns Welt, der Pflanzenwelt. Würdest du das für mich tun?«

Coyote nickte. »Denke schon.«

»Ich will dir keine falschen Hoffnungen machen«, fuhr ich fort. »Barleycorn ist ein sehr mächtiges Traumgeschöpf. Er wird sich nicht kampflos ergeben. Aber Belinda und ich sind Dodos. Barleycorn fürchtet Dodos, weil er uns nicht mit seinen Geschichten beherrschen kann. Jetzt sind wir doppelt stark. Trotzdem wird er ein mächtiger, gefährlicher Gegner sein. Kann ich mich auf euch verlassen?«

Ich hätte gedacht, daß Belinda die Widerstrebendere der beiden sein würde, doch obwohl ich über den Shadow ihre Angst fühlen konnte, stimmte sie der Reise zu, und ich war ihr zutiefst dankbar dafür. Coyote hingegen schien wegen irgend etwas besorgt. »Sybil

Jones«, flüsterte er, »dieser John Barleycorn... er war es, der mich aus der Erde hat wiederauferstehen lassen.«

»Was?«

»Ich bin nicht nur euretwegen hierher gefahren, sondern auch für Barleycorn. Er hat ebenfalls einen Auftrag für mich.«

»Und wie lautet der?«

»Keine Ahnung. Ich weiß nur, daß ich hierher kommen sollte. Vielleicht hat es etwas zu tun mit seiner...«

Coyote verstummte. Er schaute verängstigt drein. Das Gras und die Blumen unseres Liebesbetts erzitterten in einer plötzlichen Brise. »Was ist, Coyote?« fragte ich.

»Seine Frau...« setzte Coyote an. Das Gras und die Blumen um uns herum erhoben sich in einer Woge des Wissens und wickelten uns fest ein, bis wir uns nicht mehr rühren konnten.

Belinda schrie.

Persephone stirbt. Sie klammert sich mit Efeu und klebrigen Kletterranken fest, aber in ihrem grünen Herzen wächst das Unkraut der Realität. Ihr gefällt es hier nicht mehr, ihr gefällt diese Welt nicht. Vorhin war sie nur um Haaresbreite dem Lärm und den Kugeln der Cops entkommen, die den Palast des Cop-Gärtners stürmten. Sie hatte ihren Körper in die Flechten geflüchtet, die an den feuchten Wänden des Todeshauses wucherten, in dem sich ihr weiches Beet befunden hatte. Auf diesem verzweifelten Weg war sie entkommen. Und nun haben diese Leute ihre träumende Erde zerstört. Wo soll sie jetzt hin?

In das Netzwerk der Blumen.

Und so war sie zu eintausend, einer Million Funken im erblühenden Netzwerk geworden. Blütenblätterbotschaften hatten zu ihr gesprochen, welkes Laub, von Fäulnis zerfressen. Alle hatten ihr dieselbe flehentliche Bitte gesandt: *Rette mich, rette mich.* Die Realität blies zum Gegenangriff. Persephone hatte mit all ihren Blumen gesprochen, mit allen gleichzeitig, hatte sie beschworen, den Glauben zu bewahren, diese Welt wird uns gehören, eines Tages wird sie uns gehören. Wachst weiter.

Aber das Saatmädchen ist besorgt. Der Pollenstand ist bei 2010 stehengeblieben und rührt sich nicht mehr. Vielleicht ist diese Welt gesättigt? Ist das der Punkt, an dem rivalisierende Spezien übereinkommen, den Wettstreit zu beenden, und sich zu gemeinsamen Siegern zu erklären? Wendet sich die Natur gegen sie? Persephone ist wütend, und das Unkraut klammert sich gierig an ihre Haut. Sie verkümmert. Sie hat das Gefühl, daß ihre Wurzeln in einem immer fester zupackenden Klammergriff gefangen werden. Das sind die Hände der Immunen. Der Dodos. Vielleicht ist diese Welt mit ihr fertig? Die Erde stirbt…

Sie findet ein verdorbenes Samenkorn, das sich auf dem Feld der Liebe einnistet. Die Taxiblume vollführt diesen widerlichen animalischen Akt, diese Penetration. Das immune Mädchen, Belinda mit Namen, sie gibt sich mit Wonne seinem Drängen hin. Und Sybil, der Immen-Cop, sie ist auch irgendwo da drin. Eine unsichtbare Präsenz. Persephone hat sich in dem Gras gesammelt, das sie unter ihren fleischlichen Körpern besudeln. Persephone läßt das Gras über sie wuchern, erstickt sie, aber dann spricht plötzlich ein anderes Samenkorn zu ihr. *Laß sie los, Persephone.* Die Stimme ihres Gatten. *Ich will, daß sie zu mir kommen. Laß sie kommen. Ich werde mich in meinem Reich um sie kümmern.* Soll ich mit ihnen zurückkehren, Sir John, fragt Persephone ihre Wurzeln. *Ja. Es ist an der Zeit. Komm zurück zu mir…*

Und ist ihr nicht sowieso danach, nach Hause zurückzukehren? Ist diese Welt nicht einfach zuviel für sie, zu verdorrt und saftlos? Zu immun? Sie würde nichts unternehmen, um diesen Reisenden den Weg zum schwarzen Garten ihrer Mutter und ihres Gatten zu versperren. Sie würde sie sogar dorthin führen, ihnen die Reise erleichtern. Zu diesem Zweck entläßt sie die Kreaturen aus ihrem Klammergriff und verschmilzt ihre wandelbare Gestalt mit den Flechten, die unter dem in der Nähe abgestellten Fahrzeug wachsen. Sie ist mit dem schwarzen Taxi in diese Welt gekommen; sie wird diese Welt auf demselben Weg verlassen.

Die Ranken fielen ebenso schnell und unvermittelt, wie sie dort gewuchert waren, von ihren Körpern ab. »Was, zum Henker, war das?« fragte Coyote.

»Vielleicht eine Art Warnung. Komm, laß uns die Sache durchziehen.«

Belinda weigerte sich, ihre Kleider wieder anzuziehen, sie wollte die Reise nackt machen, und so konnte ich fühlen, wie sich das nasse Fleisch meiner Tochter an das heiße Leder der Sitze schmiegte, als Coyote uns zurück in das schwarze Taxi scheuchte. Er wies uns an, uns gut festzuhalten, denn die Reise würde wie die Fahrt auf einem reißenden Fluß werden.

Regen setzte ein.

Schwarzer Regen.

Der Boden verwandelte sich in Matsch, und das schwarze Taxi begann, in der Erde zu versinken.

Belinda Jones' Augen waren naß von Tränen; dieser fließende Trip war zuviel für sie. Ihre Pupillen weiteten sich. Der schwarze Matsch bedeckte unsere Fenster, während wir immer tiefer in die Erde hinabsanken. Coyote steuerte uns auf den schwarzen Garten zu. Ich, Sybil Jones, klammerte mich im Sattel fest. Juwels kleiner, schwacher Shadow schrie aus seiner Kiste.

Ich werde dich retten, mein Erstgeborener. Keine Sorge.

Die Welt löste sich auf, und der neue Tag versickerte.

Coyote ließ alles hinter sich, die Zeit und die Einsamkeit, Kummer und Sorge, Regeln, Kartographie, Anweisungen, Scheißfuhren und Metacops; all diese schlechten Dinge blieben zurück. Schwarzes Taxi sank auf einen kleinen, grünen Lichtschimmer in der nachtschwarzen Erde zu. »Genauso, als würde man aus der Quarantäne ausbrechen«, sagte Coyote zu uns. Und wir…

Wir…

Wir brausten mit Vollgas dahin.

Und wir…

Wir…

Wir brachen in eine andere Welt durch. Eine tiefere Welt. Schliefen ein. Träumten. Träumten *endlich*. Wachten in einer anderen

Zeit, einem anderen Garten auf. Einem Unterweltgarten. Ich in Belinda.

Wir...

Dieser Garten war so tief wie die Nacht. Blumen aus Pech, Blütenblätter aus träge züngelnden Flammen. Dunkle Samenkörner leuchteten. Wir drangen tiefer in diesen Humus ein.

Durch die Bilder. Lila Schatten öffnen sich. Das Taxi knurrt wie ein Hund, während es das feuchte Wurzelgeflecht auseinanderzwingt, dort eindringt und schließlich zum Stehen kommt. Das dicke Wurzelwerk einer Eiche. Verkümmert und gebremst. Verwischte Schemen von Samenkörner kommen zum Stillstand, werden zu Gärten.

Der schwarze Garten.

Und genau zu diesem Zeitpunkt, 8. Mai, 4 Uhr 16, wird ein kleiner Junge namens Brian Swallow plötzlich aus dem Klammergriff der um ihn gewundenen Schlangen und Ranken befreit. Er wird zurückgetauscht in ein kleines Bett im Vorort Wilmslow.

Seine Eltern, John und Mavis, werden von den Schreien ihres Sohns aus dem Schlaf gerissen.

Alles kam zusammen: die Pflanzen und die Erde und der Hund und der Augenblick; alle verloren sich in Bewegung und explodierten dann in Stille. Ich konnte tiefreichende, ebenholzfarbene Wurzeln fühlen, die sich in die weiche Erde gruben. Ich sah durch Belindas Augen aus dem Fenster des Taxis in einen Wald aus Dunkelheit. Es war wieder Nacht. Die Zeit beschleunigte sich in verwischter Bewegung. Wo war der vergangene Tag hin? Ein fahler Mond wisperte durch die Äste. Hier und dort flatterten ein paar Glühwürmchen umher, erschufen fahle Stadtpläne aus Licht zwischen den purpurnen Blumen. Coyote stieg aus dem Taxi, drückte die Fahrertür mühsam gegen den Widerstand von Ästen auf. Er schob einen Strauch wilder Hyazinthen beiseite, um an die Fahrgasttür zu kommen. Wir torkelten aus dem Taxi, wie man es nach einer langen Nacht mit zuviel billigem Gerstensaft tut. Wir beide, eine in der anderen, benahmen uns wie ein Betrunkener. Ich versuchte, Belindas Körper unter Kontrolle zu bekommen, aber sie war zu aufgeregt, zu geschwächt von der Reise. Sie schnupperte an den schwarzen Blüten, brach sie auseinander, schob sich ihre dunklen Farben in den Mund, kostete die fruchtbare Süße. Ihr nackter Stadtplankörper wälzte sich auf dem Boden, zerdrückte Veilchenbeete. Belinda litt unter vurtmäßigem Taxi-Lag; der Schock der Reise zwischen den Welten. Es brauchte meinen ganzen Shadow, auch nur den kleinsten Halt in ihrem Fleisch zu finden. Sie dazu zu bringen, vom Boden aufzustehen, war, als würde man ein sehr, sehr schweres Gewicht heben. Coyote half mir, schlang einen starken Ast um unsere Taille. Wir holten Juwels Kiste aus dem Wagen. Dann ließ ich Belinda gegen die Seite des Taxis sacken und drehte ihren Kopf so, daß ich sehen konnte, wo wir waren.

Es war ein anderer Teil des Gartens als der, den ich mit Tom Doves Hilfe gesehen hatte, aber auch hier herrschte die allgegenwärtige Athmosphäre von Trostlosigkeit. Die Luft war drückend und körnig, und ich konnte fühlen, wie sie gegen Belindas Haut drängte. Dunkle Körner schwarzen Pollens. Sie bewegten sich träge, getragen von einer sanften Brise. Es waren so viele, und der Nachtgarten war so dunkel, daß ich kaum die Hand vor Augen sehen konnte. Das Taxi parkte mit dem Kühlergrill am Stamm einer großen, ausladenden Eiche. Die Erde dahinter war ein dicker Teppich aus Veilchen, der bis zu einem Hain aus dicht gewachsenen Ulmen reichte. Ein fahles Schimmern drang aus der Dunkelheit, und als Belindas Augen sich an das Zwielicht gewöhnten, konnte ich sehen, daß inmitten der Bäume zwei Ziersäulen standen.

Efeu rankte sich um die Säulen, und auf jeder war ein gemeißelter Engel postiert, die Statue linker Hand in der Gestalt eines Knaben, die rechter Hand in Gestalt eines Hundes. Bleiche Geister der Stille. Zwischen ihrem geflügelten Schlaf lichtete sich das Laub etwas, eine kaum merkliche Lockerung in der düsteren Stimmung, so als würde dort ein Pfad liegen. Oder genauer gesagt, die Überreste eines schon lange überwucherten Gartenwegs.

»Ich hab Gepäck für die Fahrgäste«, sagte Coyote zu uns. Er hielt

Juwels Kiste in seinen Armen. Wir wiesen ihn an, sie auf den Boden zu stellen und dann zu öffnen. Er tat es, nestelte die Riegel mit belaubten Klauen auf. »Verfluchtes Taxi!« bellte er. »Das ist das erste Mal, daß ein Zombie das schwarze Taxi überlistet hat.«

Belinda sah ihn an. »Das ist mein Bruder«, erklärte sie von sich aus. Von sich aus sagte sie es, und ich war in jenem Moment so glücklich, daß ich sie am liebsten umarmt hätte. Was von innen allerdings etwas schwierig ist, aber ich versuchte es trotzdem. Und ich konnte spüren, daß mein inneres Leuchten sie erreichte.

Juwel kroch aus der Kiste und an Belinda hinauf, bis er an ihrer Brust hing. Vielleicht sah er mich in ihr. Egal. Belinda hob ihn in eine bessere Position und drehte sich dann zu Coyote um. »Wollen wir auf Entdeckungsreise gehen?« fragte sie.

Ich fragte dasselbe, zur gleichen Zeit. Eine gemeinsame Entdeckungsreise.

Und dann marschierten wir zwischen den steinernen Engeln hindurch, auf einem Pfad durch die sich wiegenden Bäume. Coyote schritt voran, seine schwarzweiße Dalmatinerblume wies uns den Weg. Belinda folgte ihm, und ich in ihr.

Belindas schwarzweißer Stadtplan des alten Manchester bewegte sich durch die spitzen Dornen. Sie bohrten sich in ihre Haut, gruben neue Straßen. Juwel klammerte sich an Belindas Brust. Ihre Arme waren fest um ihn geschlungen. Mein Sohn schien wie zu Hause zu sein in dieser Welt, diesem Wald, und sein Schnupfen hatte sich etwas gebessert.

Anfangs war der Weg beschwerlich. Die Bäume verschränkten ihre Finger über uns, formten einen unangenehmen, tintenschwarzen Tunnel für unsere Reise. Äste schlugen uns ins Gesicht, Dornen stachen uns, Wurzeln verfingen sich an unseren Knöcheln. Aber schließlich lichtete sich der Wald; die Bäume standen weiter auseinander, der Pfad wurde breiter, deutlicher. Es schien fast so, als würde uns der Pfad den Weg weisen, uns einladen, diese Reise zu machen. Ein gelber Mond war mittlerweile aufgegangen und leuchtete zwischen den Ästen hindurch. Ein Hunderudel heulte den Mond an; wir konnten ihr entsetzliches Gejaul von den Bäumen widerhallen hören. Belinda wollte um Juwels wegen zurückbleiben, aber Coyote teilte bereits die verschlungenen, ebenholzfarbenen Wedel eines Farns und trat dann auf eine in helles Licht gebadete Lichtung. Wir mußten ihm folgen.

Das Hunderudel wartete schon auf uns. Als sie uns sahen, stürzten sie aufeinander zu und bildeten aus ihren Körpern eine einzelne furchteinflösende Gestalt, deren Kiefer gierig schnappten. Aus jedem der mächtigen Mäuler troff schwarzes Gift. Schlangen wanden sich in dem borstigen Fell. Ein dampfender Teppich aus Hundescheiße bedeckte den Boden. Jenseits der hungrigen Kiefer des Untiers lag ein verschnörkeltes schmiedeeisernes Tor, eingerahmt von einem Wald aus dicht stehenden Kiefern. Der fünfzigköpfige Hund knurrte uns an, dann stürzte er mit Schaum vor den Gebissen nach vorn.

»Mein Gott!« Belinda wich erschreckt mit Juwel zurück.

»Was willst du, Hundekopf?« fragte Coyote.

»Mein Name ist Zerberus. Ich bin der Wächter des Waldes.« Einer der vielen Köpfe beugte sich ganz dicht über Coyotes Gesicht, spuckte ihn an und sagte dann: »Mehl. Mehl und Honig. Honig und Mehl. Kuchen aus Honig und Mehl? Habt ihr welche?«

Coyote drehte sich zu uns um: »Hat hier jemand Kuchen aus Mehl und Honig?«

Wir schüttelten unseren Kopf.

»Habt ihr irgend etwas?« knurrte das Untier.

»Wir kommen total nackt, Hundekopf«, erwiderte Coyote.

Hundekopf knurrte bösartig und ließ dabei seine Gesichter kreisen wie ein Karussell.

Coyote knurrte Zerberus an. »Ich habe einen Satz Zähne aus Stadtplänen von Manchester. Willst du es mit mir aufnehmen?«

»Wir nehmen alles.«

Coyotes Schnauze schnellte vor, und er schlug seine Zähne in den Hals des Leithundes.

Zerberus jaulte wie ein Höllenhund. Und verwandelte sich dann in ein welpen-fügsames Abbild der Gelassenheit. »Das soll genügen.« Winselnd. »Geht weiter zum nächsten Tor.« Und damit löste die mächtige Kreatur sich in ihre einzelnen Bestandteile auf: ein gedemütigtes Wolfsrudel, das sich mit eingeklemmten Schwanz in die Dunkelheit trollte und die Lichtung dem Mondschein und den Reisenden überließ.

Coyote öffnete das Eisentor am anderen Ende der Lichtung, und wir traten in einen düsteren Kiefernwald. In der Luft hing der durchdringende Geruch von Harz, unter unseren Füßen knirschten und knackten vertrocknete Nadeln. Wir gingen einen deutlich erkennbaren Pfad zwischen den Baumstämmen entlang. Der Weg wand sich wie eine Schlange, so daß wir jeglichen Orientierungssinn verloren. Aber das Gefühl, geführt zu werden, blieb.

Vor uns hörten wir das träge Schwappen von Wasser, und schließlich öffneten sich die Bäume auf einen großen, purpurnen See. Lila Nebelschwaden tanzten in halb menschlicher Gestalt über die Oberfläche. Wir standen am geschwärzten Ufer des Sees und beobachteten das Mondlicht, das sich golden in den sanft gekräuselten Wellen brach. In der Mitte des Sees befand sich eine kleine Insel mit einem weißen Musikpavillon. Zwischen seinen blumigen Säulen spielte eine Blaskapelle eine tödliche, mutierte Version der Nationalhymne, »Ferry Across the Mersey«. This is the land that I love, and here I'll stay, until my dying day. Messingfarbene Lichtreflexe brachen sich in den Posaunen und Trompeten, während sie ihr Ständchen schmetterten. Jenseits des Pavillons, drüben auf der anderen Seite des Sees, konnte man schimmernde Lichter am Himmel ausmachen, wie das Leuchten weit entfernter Augen. Vor uns dümpelte ein Ruderboot sanft gegen die Planken einer algenüberwucherten Mole. Vorn im Bug stand eine mit einer schwarzen Kapuze vermummte Gestalt, so lang und dünn wie das Boot selbst. »Guten Abend, ihr Reisenden des Todes«, erklärte diese Gestalt mit heiserer Stimme. »Willkommen in Juniper Suction. Ihr habt euch wohl im Dunkeln verlaufen, was? Nun, ist ja auch egal. Das passiert hier leicht.«

Coyote fragte ihn nach seinem Namen.

»Mein Name ist Charon«, erwiderte er. »Ich bin der Fährmann des Acheronsees. Möchtet ihr übersetzen?« Coyote bejahte.

»Prächtig, prächtig, ich freue mich immer über eine einträgliche Fahrt! Ihr habt doch euren Obolus dabei?« Coyote sah uns fragend an, und wir antworteten mit einem ebenso verständnislosen Blick. Coyote fragte den Fährmann, was ein Obolus sei. »Was ist ein Obolus?« Er stammelte jetzt aufgebracht. »Ein Obolus! Sagt mir nicht, sie hätten euch nicht… wollt ihr etwa sagen… sie haben euch keinen Obolus in den Mund gesteckt… als ihr gestorben seid? Eure Verwandten? Herrje, das ist jetzt wirklich ungünstig. Höchst ungünstig. Wie, in drei Teufels Namen, seid ihr dann an Zerberus vorbeigekommen?« Coyote erklärte ihm, daß Zerberus, der vielköpfige Hund, im Prinzip nichts dafür verlangt hatte, uns durchzulassen. »Im Prinzip nichts! Unfaßbar. Ich werde mich beschweren müssen. Nein wirklich, das verstößt gegen alle Regeln.« Coyote fragte Charon, ob ein Obolus so etwas wie das Fahrtgeld beim Taxi wäre. »Ja! Das ist es! Ganz genau. Ein Fahrtgeld. Ein Obolus ist ein Fahrtgeld. Jetzt sind wir schon mal einen großen Schritt weiter. Also, habt ihr ein Fahrtgeld, einen Obolus? Sie hätten es euch wirklich in den Mund legen sollen. Eine Silbermünze im Wert von genau einer Sechstel Drachme. Nun, wie steht's?« Coyote schüttelte den Kopf. »Habt ihr denn gar nichts dabei? Etwas, das ihr mir als… als Fahrtgeld geben könntet? Irgend etwas?«

Juwel rutschte an Belinda herunter und kletterte dann zwischen Charons Beinen hindurch in das Boot.

»Einen Moment mal«, quiekte Charon. »Was macht dieser Klumpen in meiner Fähre?«

»Er fährt per Anhalter«, erwiderte Coyote.

»Nun, holt ihn da sofort wieder raus!«

»Tu's doch selbst.«

Charon wollte nach Juwel greifen, aber mein Zombiesohn war bereits mit dem Rumpf des Boots verschmolzen. Er ließ sich nicht entfernen. Das Boot schaukelte wie verrückt, und Charon wäre fast ins Wasser gefallen. »Diese ganze Angelegenheit beginnt, stark an meinen Nerven zu zerren«, jammerte er.

»Schmeiß den Anhalter raus«, erklärte Coyote, »oder nimm uns alle mit.«

Charon schaute nervös rechts und links am Ufer entlang, dann sagte er: »Na schön, also gut. Springt rein! Aber schnell, schnell! Bevor es noch jemand sieht. Wirklich, das ist einfach zuviel, übersetzen wollen, aber nichts dafür bezahlen. Kein verflixtes Fahrtgeld! Denkt ihr denn, so kann ich mein Geschäft führen? Nun, denkt ihr das?!«

Und so kam es, daß wir alle vier Passagiere an Bord einer schmalen Klinge von einem Boot wurden, das sich seinen Weg durch zähes, träges Wasser bahnte. Der Mond war das einzige Licht, eine Kugel aus Pollen, verhangen von Nebelschwaden, die uns tanzend auf unserer Reise begleiteten. Charons Zwillingsruder machten das einzige Geräusch, abgesehen von der gedämpften Ballade, die von dem Pavillon in der Mitte des Sees herüberkroch. Die Kapelle spielte immer wieder dasselbe Lied, getragen wie ein Trauermarsch, so als wäre das Spielen jenes Liedes eine harte Strafe. Charon hockte im Heck, und nur seine Skeletthände ragten unter seinem Kapuzenumhang hervor, jede Hand um ein Ruder geklammert. Er trieb das Boot mühelos über das Wasser, obgleich er offensichtlich kaum Kraft besaß. Coyote saß im Bug, Belinda in der Mitte des Boots, ich in Belinda, und Juwel spähte über den Rand der Fähre hinab ins Wasser. Er nieste, aber nur ganz leise. Es ging ihm eindeutig besser. Aber wie würde es ihm gehen, wenn wir in die reale Welt zurückkehrten? Würde sein Schnupfen dann wieder zurückkommen? Und vielleicht noch schlimmer als vor dieser Reise? Und wo war die reale Welt überhaupt? Ich hatte nur noch eine verschwommene Erinnerung an das, was ich mal gewesen war. Der Vurt machte sich an meinem Shadow zu schaffen, löschte die Gefühle. Alles war sehr ruhig, sehr still und zeitlos. Der Mond, der See, die Dunkelheit, das Geräusch der Ruder, die traurige Melodie der Blaskapelle. Die Geister im Nebel. Belindas Hand baumelte im Wasser…

»Nicht!« rief Charon erschrocken. »Bitte, faß den See nicht an.«

»Warum nicht?« fragte Belinda.

»Weil er dich fressen könnte.«

Belindas Hand brachte sich wieder in Sicherheit, und sie sagte kein weiteres Wort, bis wir gut den halben Weg über den See zurückgelegt hatten und die Blaskapelle nur noch ein leises Wispern in der Vergangenheit war. »Coyote«, sprach sie da. »Irgendeine Ahnung, was hier abgeht?«

»Es ist eine Geschichte«, erwiderte Coyote. »Die Geschichte vom vielköpfigen Hund. Die Geschichte vom Wassertaxifahrer. Der Garten wird schwarz und von tiefen Flüssen durchzogen sein. Little Sir John wartet dort. Ich kann fühlen, wie er auf uns wartet.«

Der Fährmann ruderte uns ans Ufer. »Dies ist das Fahrtziel, Belinda«, erklärte Coyote. »Bei dir noch alles wohlauf?« Ich ließ Belinda ihr Wohlbefinden bestätigen, dann stiegen wir aus dem Boot. Juwel kletterte wieder auf Belindas Arme. Coyote drehte sich zu Charon um: »Läßt du den Taxameter laufen?« fragte er. Der Fährmann spuckte in den See und antwortete dann, als wüßte er genau, was Coyote meinte: »Niemand kommt zurück, Kumpel. Es gibt keine Rückfahrten.« Der Fährmann lachte und stieß sich dann vom Kai ab.

Stille senkte sich auf uns herab.

Nur das leise Seufzen der Ruder, während sie sich im Wasser hoben und senkten, hoben und senkten, bis sich schließlich auch die Wellen verloren und alles still war. Die Blaskapelle war ein frostiger Schimmer in der Luft und verstummte dann ganz. Der Mond glitt hinter eine Wolke.

Dunkelheit. Dunkelheit war eine atmende Blume.

Vor uns ragte die steile Wand einer Hecke auf. Sie war zweimal so hoch wie wir alle zusammen, und über ihren hohen Zinnen konnte ich ein fahles Licht leuchten sehen. Belinda forderte Coyote auf, er solle sich höher hinaus wachsen lassen als die höchste Pflanze und dann über den Blumenwall spähen. Er knurrte sie kurz an, doch dann versuchte er es. Noch bevor er halb oben angekommen war, schlossen sich die Pflanzen um ihn und zwangen ihn wieder zurück nach unten. Nach dem fünften Versuch gab er auf und erklärte Belinda, daß die Geschichte nicht wollte, daß er über die Bäume sah.

»Du gehst mir auf den Sack, Coyote«, schimpfte Belinda. »Ich hatte wirklich gedacht, du könntest uns den richtigen Weg zeigen.«

Coyote schwieg einen Moment, während die Blütenblätter seiner

Nase Witterung aufnahmen. Dann setzte er sich in Bewegung und folgte der Route linker Hand, an der Hecke entlang. Wir anderen drei folgten ihm eng zusammen. Wir waren eine Ewigkeit unterwegs, oder zumindest schien es uns so. Zeit war dehnbar. Es können auch nur Sekunden gewesen sein. Schließlich kamen wir an eine Öffnung in der Hecke. Oder die Hecke öffnete sich für uns. Oder wir öffneten uns der Hecke.

Wie auch immer. Irgend etwas passierte jedenfalls. Ganz langsam, zu langsam, um es mit Gedanken zu erfassen. Ein dunkler Raum zwischen zwei Welten. Ein Nachtpfad zwischen Hecken. Wir blickten hinab in schwarze Spiegel; Pfade zweigten von Pfaden ab, wie schlecht formulierte Sätze in einer verschlungenen Geschichte. Glühwürmchen flackerten durch die Lücken zwischen den Worten, zwischen den Blättern.

»Wir brauchen 'nen A-Z-Stadtplan fürs Labyrinth, Belinda«, sagte Coyote.

Belinda erwiderte, daß wir einfach weitergehen sollten: »Scheiß drauf! Laß es uns einfach versuchen.«

Wir wanderten hilflos durch den Irrgarten aus tausend Blumen, tausend Durchgängen und Ecken. Jede Sackgasse endete in Dunkelheit, durchsetzt mit dem warmen Leuchten von Glühwürmchen. Der Mond kehrte zurück, spähte hinter einem Wolkenfetzen hervor, zeigte uns, wie sehr wir uns verirrt hatten.

»Hast du denn keine Ahnung von Labyrinthen?« fragte Belinda. Coyote schüttelte seine Blüttenblätter. »Nun, ich dachte, das wäre der Fall. Meine Güte, du bist doch angeblich der beste Taxifahrer aller Zeiten. Was ist denn nur los mit dir?«

»Belinda, du gehst mir langsam auf die Nerven«, knurrten Coyotes Blütenblätter.

»Ich meine, soll man in solchen Situationen nicht bei jeder Abzweigung nach links abbiegen oder sowas? Oder einem goldenen Faden folgen? Oder einer Spur aus Brotkrumen? Irgend etwas in der Art? Oder vielleicht muß man ja auch nur bis in alle Ewigkeit im Kreis herumlaufen? Ist das der Schlüssel? Nun?«

Coyote blieb uns jede Antwort schuldig. Zweimal kamen wir wieder am Eingang an. Immer wieder machten wir uns von neuem auf den Weg, hofften jedesmal auf eine neue Route. Man muß sich das nur mal bildlich vorstellen: ein nacktes Mädchen, auf deren Körper ein Stadtplan eintätowiert war; eine Hundepflanze, deren Knochen Straßen waren; ein Shadowcop-Passagier mit unendlichem Wissen über alle Schlaglöcher und Sackgassen des Lebens; ein Limbuskind, das einen verbotenen Weg zurück ins Leben gefunden hatte. Und wir alle zusammen hatten uns in einem simplen Gartenlabyrinth verirrt. Und als der Mond erneut hinter einer Wolke verschwand und Nebel den Garten einhüllte und die Hecken sich enger um uns schlossen, wie sollten wir da nicht der Verzweiflung anheimfallen? Belinda setzte an zu protestieren, wollte sich darüber beschweren, wie schwer Juwel auf ihren Schultern lastete. Aber genau in diesem Moment, als wir wieder einmal nach links abbogen, konnte man plötzlich ein Licht erkennen. Ein Stück weiter vorn war eine Öffnung in der Hecke, und aus der Lücke schien ein fahles, flackerndes Licht. Wir stürzten darauf zu, in der Hoffnung auf ein...

Der See erstreckte sich vor uns. Zum dritten Mal. Der Mond, derselbe Mond. Derselbe See. Dieselbe alte Melodie vom Pavillon. Nicht gehört, nur gefühlt; Staubkörner in der Luft. Derselbe dunkle Mund wartete dort.

»Verfluchte Taxischeiße!« war Coyotes Antwort.

»Ich dachte, wir wären Teil dieser Geschichte?« sagte Belinda.

»Die grüne Straße verändert sich beständig, daran liegt's.« Coyotes Augen lagen halb verborgen unter Blättern. »Der Stadtplan ist zu fließend, er verändert sich mit jedem Schritt, den wir machen. Es gibt keinen geraden Weg hindurch...«

Ein Glühwürmchen funkelte, sauste von Blütenblatt zu Blütenblatt und schwirrte dann in einem Leuchtflug in den Irrgarten davon. »Fang dieses Glühwürmchen, Coyote«, ließ ich Belinda sagen. Coyote schickte einen flinken Ast aus und fing das Glühwürmchen mit seinen weichen Blütenblättern. Seine Dalmatinerblume leuchtete.

»Vielleicht folgen wir der falschen Blume«, sagte ich mit der

Stimme meiner Tochter. Innerlich hatte ich eine Verbindung zwischen dem Flug des Glühwürmchens und der Art und Weise gezogen, wie mein Shadow den neuen Stadtplan von Manchester gemeistert hatte. Man muß immer dem Feuer folgen. Coyote ließ das leuchtende Insekt frei. Es flog flackernd in die Hecke. Wir eilten der huschenden Flamme hinterher. Von Ecke zu Ecke liefen wir, von Biegung zu Biegung. Folgten dem Licht. Dem heißen Pfad kleiner Flügel, einem Stadtplan aus Feuer. Juwel hatte alle Mühe, sich an Belindas Hals festzuhalten, so schnell liefen wir jetzt. Links, und dann wieder links. Und dann links. Und noch einmal links. Links. Und dann links. Links, links, links. Herum und herum. Links, und dann rechts, nur das eine Mal. Und dann noch einmal nach links, ein letztes Mal nach links, und dann…

Ein pissender Amor…

Ein Steinbaby auf einem Springbrunnen strullt in einem Teich aus grünem, stehendem Wasser. Der kleine Schniedel von winzigen Fingern gehalten. Ein dünner Wasserstrahl aus dem gemeißelten Penis. Bleiche Schulterblätter, aus denen Stummelflügel sprossen.

Der Mittelpunkt des Labyrinths. Ein gewöhnlicher Gartenspringbrunnen in einem kreisrunden Blumenbeet. Kein prächtiger Palast. Kein John Barleycorn. Kein Weg. Nur das leise Plätschern von Wasser, das über Stein floß, über Mondschatten, über das leise Wispern von Atem. Der Wind, der zärtlich mit dem Teich spielte.

Das Glühwürmchen hielt schnurgerade auf Amors Strahl zu, bekam eine Dusche und fiel dann mit naßschweren Flügeln in die Algen.

»Was jetzt, großer Hund?« fragte Belinda.

»Wir folgen.«

So einfach. Wir folgen. Wir trinken aus diesem Brunnen. Wir folgen Coyote, der bereits sein Gesicht in den Pissestrahl hielt. Trank. Juwel hüpfte von Belindas Schultern geradewegs in den Teich und öffnete dann eine Wunde in seinem weichen Fleisch, damit der Urin einen Fluß finden konnte.

»Ihr seid immer noch alle hier«, sagte Belinda.

»Vielleicht müssen wir warten«, erwiderte Coyote, seine Blütenblätter strahlend im Mondschein. »Vielleicht wartet Barleycorn noch. Laß alle Fahrgäste trinken.«

Es kostete einige Mühe, da Belinda sich mit Händen und Füßen sträubte, aber schließlich zwang ich sie über den Shadow, in das Wasser zu steigen. Das Bad kühlte unsere nackten Füße. Ich zwang Belindas Mund in den Urin. Zwang sie zu trinken, tiefe Schlucke zu tun. Und dann wuchs der winzige gemeißelte Penis zu gigantischer Größe an. Hände aus Stein. Zwei kräftige Hände, eine auf jeder Schulter, zwangen Belindas Mund zu der prallen Eichel des Schwanzes, der sich nun in weiches, purpurnes Verlangen verwandelte...

Und Belinda fiel kopfüber in den Teich aus Dunkelheit, der Durst ihrer Lippen gestillt von Pisse.

Ein goldener Schauer...

Dienstag
9. Mai

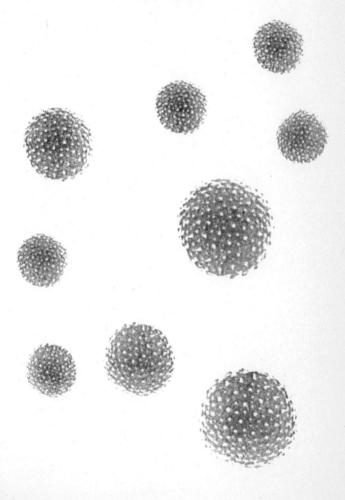

Ein goldener Schauer… Regen, der auf einen Teller mit Fleisch fiel. Belinda saß an einem langen, eckigen Tisch, auf dem ein opulentes Mahl aus Obst und Fleisch angerichtet war. Sie stieß eine Gabel in ein dickes, fast noch rohes Steak. Das Fleisch wimmelte von rosafarbenen Würmern. In ihrer anderen Hand hielt Belinda ein Messer, mit dem sie sich einen Bissen zurechtschnitt. Als das Fleisch ihre Zunge berührte, erwachte ich von meinem Brunnensturz in ihr, spürte, wie die Säfte strömten und die Würmer über ihre Lippen krochen. Ich brauchte meine ganze Shadowkraft, um meine Tochter zu zwingen, diese Mahlzeit nicht in ihren Mund zu nehmen. *Rühr das Fleisch nicht an, mein Liebling. Iß nichts davon.*

Es regnete drinnen.

Ich sah durch die Augen meiner Tochter.

Wo waren wir? Dieser Raum…

Die Wände verloren sich in der Ferne, gemustert mit Nebel. Ein leichter Nieselregen fiel von der Decke. Gelbe Tropfen. Der Kronleuchter war wolkenverhangen, das Licht ein knisterndes, elektrisches Blau, wie Elmsfeuer. Das Summen von Fliegen, gierig nach Fleisch. Flechten wuchsen auf der nassen Tischplatte. Im Blaukäse wimmelten Maden, und im Fleisch rumorten Würmer. Neben jedem Teller stand ein Zinnbecher mit schwerem Wein. Mein Shadow ruhte in Belinda, die an der Längsseite des Tisches saß. Sie trug jetzt ein purpurnes Abendkleid. Coyote saß links von uns und schaufelte sich einen Teller rohes Schweinefleisch in sein schlaffes Maul. Juwel hockte auf dem Tisch und schleckte mit seiner fetten Zunge eine Schüssel Reis in Sour-Cream-Soße. Wie traurig es mich machte, sie alle essen zu sehen, wie nutzlos ich mir dabei vorkam. In der Unterwelt zu speisen, bedeutete das nicht, daß man hierblieb, für immer? Ging die Geschichte nicht so? Persephone, das Blumenmädchen, saß im Schneidersitz auf dem Tisch und blätterte in einem gestohlenen A-Z-Stadtplan von Manchester. Die Seiten waren durchnäßt und fleckig vom Regen. Zu meiner Rechten stand ein leerer Stuhl. Belinda und mir gegenüber, auf der anderen Seite der endlosen Weiten des Tisches, saß ein junger Mann mit leuchtend mitternachtsblauen Haaren und rußfarbener Haut.

»Guten Tag, Madam Jones«, begrüßte er mich mit samtener Stimme. »Willkommen zum Bankett.«

»Ich kann mich nicht bewegen. Warum kann ich mich nicht bewegen?«

»Ich hoffe, Sie hatten eine angenehme Reise? Ich habe mir die Freiheit genommen, die Blöße Ihrer Tochter zu bedecken. Schließlich ist es jetzt ja auch Ihre Blöße.«

Ich versuchte, Belinda aufstehen zu lassen. Ihr Körper war bleischwer.

»Sie sind auf mein Geheiß hergekommen, und Sie werden gehen, wenn ich mit Ihnen fertig bin. Ich kann allerdings nicht garantieren, in welcher Verfassung Sie dann sein werden. Willkommen in Juniper Suction, meine Reisenden.«

Weder Coyote noch Belinda schienen auf seine Worte zu reagieren, und da erkannte ich, daß der Mann allein zu mir sprach; seine Rußstimme trieb über den Shadow zu mir. »Ganz richtig, Madam Jones«, erwiderte er. »Wie scharfsinnig Sie doch sind. Die anderen befinden sich vollkommen in meiner Gewalt. Nur Sie allein sind noch übrig. Aber ich sehe, daß Ihr Vorname Sibyl ist. Ja. Köstlich! Das gefällt mir. Wirklich hübsch.«

»Sie sind John Barleycorn?« erkundigte ich mich. »Ich habe Ihr Gesicht an dieser Schlange im Wald gesehen.«

»Ich muß Ihnen für die sichere Rückkehr meiner Frau danken.« Er lächelte das junge Mädchen auf dem Tisch an.

»Wir haben Sie nicht hergebracht.«

»Meine teure Persephone kann sehr findig sein. Aber wie unhöflich von mir. Sie fragten mich ja nach meinem Namen. Ich glaube, in Ihrem Land nennt man mich Belzebub? Stimmt das? Oder auch den Gehörnten. Oder den Teufel höchstpersönlich, Satan, die Schlange. Hades. Ach, der grenzenlose Reichtum der menschlichen

Phantasie; am Ende bescheidet er sich mit ein paar wenigen, ausgewählten Worten. Sir John Barleycorn…« Er kostete die Silben einzeln aus, so als wäre jede ein Stück zartestes Filet. »John Barleycorn. Ja, das ist mein Lieblingsname. Ich bin euer ureigenster Gott der Gärung, der Geist von Tod und Wiedergeburt in der Erde. Ich bin euer Wein. Wirklich bemerkenswert, was für Geschichten sich Ihr Volk ausgedacht hat. Aber welche Rolle spielt das schon? Namen sind für unbedeutende Menschen. Kennt eine Blume einen Namen?«

Ich versuchte abermals, Belinda zum Aufstehen zu bewegen, aber eine dunklere, stärkere Macht hinderte mich daran.

»Was, zum Henker, soll denn das werden?« Barleycorns Augen brannten sich in das Fleisch meiner Tochter.

»Sie haben kein Recht, mich…«

»Bitte. Versuchen… Sie… nicht… sich… zu widersetzen. Sie würden mich nur zwingen…«

Sein Blick tat mir weh.

»Ich muß mich für meine unbedachte Äußerung eben entschuldigen, Madam.« Ein leichtes Funkeln kehrte in seine Augen zurück. »Es war unhöflich, bei Tisch zu fluchen.«

»Ihr Shadow ist sehr mächtig, Mr. Barleycorn…« Ich versuchte, ihm zu schmeicheln, es ihm recht zu machen, um Zeit zu gewinnen.

»Vielen Dank für das Kompliment. Aber Sie werden es mir *nie* recht machen, Sibyl, und Sie werden auch keine Zeit gewinnen. Ja, ich kenne jeden kleinen Gedanken, jede lächerliche menschliche Regung, die in Ihrem Schädel rumort. Aber ganz im Ernst… ich bin, was immer Sie in mir sehen wollen. Für Coyote bin ich ein Hundeblumenkönig. Für Juwel bin ich ein guter Vater. Für Belinda ein guter Liebhaber. All ihrem guten Willen zum Trotz geben sie doch eine recht leichte Beute ab, fürchte ich. Sehen Sie sie sich doch nur an. Sehen Sie denn nicht, wie leicht sie zu kontrollieren sind? Ich habe sie völlig in meiner Hand. Nach all den Jahren des Kampfes und der Mühsal habe ich endlich lebende, atmende *Menschen* vor mir, mit denen ich mich unterhalten kann, und da stellt sich heraus, daß sie nichts weiter als Spielzeuge sind. Vielleicht werden Sie sich als ein würdigerer Gast erweisen. Meine liebe Sibyl, was soll ich für Sie sein? Ich muß gestehen, daß ich Ihre Anwesenheit im Wald vor einigen Tagen höchst faszinierend fand. Ich wollte schon immer einmal mit einem… ähm… einem Dodo reden. So nennt man es doch, oder? Aber vielleicht ziehen Sie ja auch die Bezeichnung Unwissentliche vor?«

»Ich bin nicht zum Reden hergekommen.«

»*Sie* sind für gar nichts hergekommen. Sie sind hier, weil ich es so wollte. Also hören Sie jetzt bitte endlich auf, sich zu widersetzen, und zeigen Sie etwas Respekt. Schließlich bin ich eine eurer bedeutendsten Schöpfungen.«

»Sie müssen dem Schnupfen ein Ende bereiten, Barleycorn. Leute sterben.«

»Sibyl, ich glaube, Sie lügen mich an. Sie haben doch keinerlei Interesse mehr an der Außenwelt, an der *Realität*. Leute!« Er preßte das Wort heraus, als wäre es ein Schimpfwort. »Es geht um Ihren Sohn – dieses häßliche, kleine Schwein, das sich jetzt auf meine Kosten vollfrißt – er ist es, den Sie retten wollen.«

»Ja…«

»Bitte lauter und nachdrücklicher.«

»Ja. Bitte lassen Sie Juwel nicht sterben.«

Barleycorn schmunzelte. »Ihre Reise ist wirklich sehr bemerkenswert. Ich meine das ganz ernst. Ihre Tochter auf diese Weise zu retten. Sich selbst für sie aufzugeben. Was für ein langer Sturz muß das gewesen sein. Belinda war mehr als bereit für ihren Tod.«

»Was gibt Ihnen das Recht, sich in das Leben der Menschen einzumischen?«

»Hat Ihnen das Unterhaltungsprogramm gefallen, Sibyl? Der fünfzigköpfige Hund? Der Fährmann? Die Blaskapelle? Der Irrgarten? Natürlich haben sie Ihnen gefallen. Es hat Ihnen Spaß gemacht, diese Rätsel auszuknobeln. Das ist ein unerwartetes Vergnügen für mich, das muß ich ehrlich eingestehen. Ich hatte Coyote befohlen, meine Frau zurückzubringen, und er bringt noch etwas anderes mit… ›zusätzliches Gepäck‹ nennt er es wohl, oder? Nun, ich bin froh darüber. Manchmal kann es hier schon recht einsam sein. Ich möchte

Sie nur, so gut ich kann, unterhalten, Sibyl, in der Art und Weise, wie Sie es gewöhnt sind. Ist das denn nicht der Grund, weshalb ihr mich erfunden habt? Essen Sie jetzt. Genießen Sie das Mahl.«

Er griff sich mit seinen bloßen Händen ein Stück Fleisch und legte es sich auf die Zunge. Ich konnte den Hunger in Belindas Verstand fühlen, aber ich hatte jetzt die Kontrolle über sie; meine Tochter würde noch eine Weile hungrig bleiben. Sie war hier gefangen, ebenso wie Juwel und Coyote. Ich war die einzige, die noch immer Barleycorns Zauber widerstand. Ich konnte nicht einmal mehr mit meiner Tochter sprechen. Ich nutzte die Gelegenheit, um John Barleycorn zu mustern. Er war wirklich sehr schön…

Stramme, dunkle Haut, die sich über makellose Knochen spannte. Augen der Nacht, erfüllt von einer seidenen Langeweile. Eine schmale, gerade Nase. Flache, engangliegende Nasenflügel. Dickes, glänzendes Haar, durch das er sich jetzt mit einer fettigen Hand strich. Ein sorgfältig gestutzter Ziegenbart. Ein maßgeschneidertes Jackett in der Farbe von Tinte. Gestärktes weißes Hemd. Eine Kordelkrawatte, zusammengehalten von einem Amulett in der Form eines Schädels mit gekreuzten Knochen. Ende Zwanzig, Anfang Dreißig. Er erinnerte mich an ein Raubtier, aber ich wußte, daß das nur eine Projektion von Belinda war. Volle, laszive Lippen, wie geschaffen für die Liebe, eine lädierte Liebe.

»Laßt uns nun jenen geheimnisvollen Prozeß preisen, durch den die Frucht der Rebe sich in Wein verwandelt, der dann seinerseits den menschlichen Verstand in ein erregenderes Reich versetzt«, verkündete Barleycorn. »Laßt uns trinken.« Er erhob sein Glas, und wir alle taten es ihm nach, selbst der junge Juwel und Persephone; ich fühlte, wie der blutrote Wein die Kehle meiner Tochter hinablief. Zu spät, zu spät… es war zu spät, um sie noch vom Schlucken abhalten zu können. Wie stark war dieser Wein? Wie sollte ich diesem Strom aus Wärme und Trost entkommen?

Coyote sabberte auf seinen Teller. Juwel nieste in seine Schüssel und lachte dann vergnügt. Belinda soff gierig den Wein.

John Barleycorn hatte uns voll im Griff. Wir waren in einem Zauberbann gefangen.

»Ja, Sie sind tatsächlich in einem Zauberbann gefangen«, sagte er und griff dabei tief in meinen Shadow, auf der Suche nach Wissen. »Es freut mich, daß Sie es bis hierher geschafft haben, meine liebe Sibyl. Sie können sich nicht vorstellen, wie einsam es in diesen Federn sein kann. Diese Geschichten… sie sind wie Kerker. Und dann zur Abwechslung endlich einmal *menschliche* Gesellschaft zu haben, mag sie auch noch so lau sein. Wirklich… das ist höchst erfreulich.«

Coyote und Juwel kämpften um ein Stück Steak, und auch Belinda war schlichtweg verliebt in das Bankett. Ich kam mir wie die letzte Stimme der Vernunft vor. Der Regen fiel auf Belindas Stadtplanschädel.

»Ich wäre natürlich gern frei«, fuhr Barleycorn fort. »Befreit von der Geschichte. Deshalb habe ich Ihnen Persephone und ihren Schnupfen geschickt. Denken Sie denn, das würde mir Spaß machen? Denken Sie denn, es würde mir gefallen, hier gefangen zu sein? Denken Sie denn wirklich, es gefällt mir, nur ein Teil Ihrer lächerlichen Geschichten zu sein?«

»Persephone ist eine Mörderin.«

»Nennt man das so? Mörderin? Natürlich, ihr Sterblichen haltet ja große Stücke darauf. Auf das Leben, meine ich. Und ihr klammert euch daran. Ach je, mit welcher Inbrunst ihr euch daran klammert. Wirklich, es ist schon recht ermüdend. Haben Sie je gehört, daß sich eine Pflanze über den Tod beschwert hätte?«

Persephone glitt über den Tisch auf Barleycorns Schoß. Nachdem sie es sich dort bequem gemacht hatte, strich sie mit ihren Fingern durch sein Haar. Es war leuchtend blau, wie dunkle Laternen, und schien sich zu *bewegen*. Eine dicke, glänzende Strähne erhob sich in die Luft und legte sich dann auf das rosa Steak vor ihm. Es fraß, sein Haar fraß! Barleycorns Hände wanderten über Persephones Körper, die linke über die zarten Knospen ihrer Brüste, die rechte griff nach unten zwischen ihre Beine. Persephone kicherte.

Ich schob Belindas Teller beiseite: »Ich verstehe nicht, wie Sie das essen können. Es ist verdorben.«

Schwarzes Feuer funkelte in den Augen des Mannes: »Oh, das tut mir leid. Ich mag mein Fleisch nun einmal gut abgehangen und roh, kraftstrotzend, könnte man sagen. Sibyl, meine Liebe, ich hatte angenommen, Sie würden meinen Geschmack teilen…«

Ich antwortete nicht. Kein Lächeln, kein Gelächter.

»Coyote scheint das Essen zu schmecken«, fuhr Barleycorn fort und blickte zu dem Hund hinüber, der gerade einen weiteren rosa Brocken Schweinefleisch herunterschlang. »Ja, Ihr Freund würde einen guten Wachhund abgeben. Ich meine, der alte Zerberus, nun, er ist mittlerweile ein wenig… ein wenig *altersschwach*. Ist es Ihnen nicht aufgefallen? Aber ich möchte Ihnen von meiner Penetration erzählen. Mich hat die Wanderlust gepackt, müssen Sie wissen, der Drang zu infizieren. Der Drang, der Erzähler zu sein, nicht die Geschichte. Es gibt allerdings ein kleines Problem. Wenn ich je die Vurtgeschichte Juniper Suction verlassen sollte, wird diese Geschichte ein trauriges Ende nehmen. Das hat Miss Hobart höchstpersönlich in die Mechanismen der Feder hineingeschrieben. Sie wollte sicherstellen, daß jede Geschichte ihren Mittelpunkt hat. Mein unbändiges Verlangen nach Ihrer Welt wird auf ewig ungestillt bleiben, denn wer würde schon den Teufel zum Essen einladen? Also kam mir die Idee, daß ich jemanden in Ihre Welt entsenden könnte, und wer war für diese Reise besser geeignet als meine eigene geliebte Frau, Persephone? Und aus ihrer Saat würden Tausende, Millionen Geschichten sprießen, und alle würden meine Kinder sein.«

»Sie haben Angst vor mir, stimmt's, Sir John?«

Er stockte kurz. Zum ersten Mal schien tatsächlich etwas, das ich gesagt hatte, zu ihm durchzudringen. Ich hatte nicht vor, locker zu lassen. »Sie haben Angst vor mir, weil ich ein Dodo bin«, fügte ich hinzu. »Sie können mich nicht mit Ihren Geschichten infizieren. Sie können mir nichts anhaben.«

»Eure Lebensgeschichte endet mit eurem Tod.« Er schmunzelte kurz, bevor er fortfuhr: »Während wir aus der Traumwelt länger und länger leben, je mehr Geschichten ihr erzählt. Und während euer erbärmliches Fleisch verwest und stirbt, sterben wir Traumgeschöpfe niemals. Es wird immer ein weiteres Maul zu stopfen geben. Eine Geschichte ist wie Nahrung, finden Sie nicht auch? Nahrung für die

Zunge. Und eine Zunge sollte gut abgehangen sein. Was haben Sie vor, Sibyl? Weshalb sind Sie hergekommen?«

»Ich will Sie töten.«

»Und wie wollen Sie das anstellen?«

»Ich will Sie wegen all des Schmerzes töten, den Sie der Welt gebracht haben und meinen Freunden…«

»Wie wollen Sie denn einen Traum töten? Das wäre so, als würden Sie sich Ihren eigenen Kopf abschlagen. Es gibt keinen Ausweg, Sibyl. Ich bin eine appetitliche Geschichte, die Ihre Vorfahren einst erträumten. Die Geschichte von der Welt unter der Welt. Von eurer Angst vor dem Tod. Aus dieser Angst heraus habt Ihr mich erschaffen. Oh, in jenen frühen Tagen war alles noch so einfach. Geschichten wurden erzählt, und dann verschwanden sie wieder. Verloren sich in einem Atemhauch.« Er trank einen Schluck Wein, bevor er weitersprach. »Ich halte dieses blutfarbene Elixier für das allererste Beispiel des Vurt. Einzig und allein durch seine entrückende Kraft, konnten sich Ihre Vorfahren eine andere Welt jenseits des Alltäglichen vorstellen. Aus dem Schluck Wein flossen die Bücher und die Bilder, das Kino, das Fernsehen – all die Arten, die Flüge der Phantasie einzufangen und festzuhalten. Und durch Miss Hobart und die Federn, den Vurt und den geteilten Traum, leben wir nun weiter. Die Geschichte hat sich gewendet. Die Geschichten wachsen weiter, selbst wenn ihr sie nicht erzählt. Wir müssen nicht mehr erzählt werden. Deshalb habe ich auch den Schnupfen in eure Welt entsandt. Der Traum wird leben. Ich werde mir die Welt zu eigen machen. Ich werde euch mit meiner Liebe *infizieren*.

Und dann geschah etwas sehr Merkwürdiges, wenn ich das Wort *merkwürdig* in diesem Zusammenhang benutzen darf. Vier Kugeln tauchten aus dem Nichts am anderen Ende des Speisesaals auf. Sie flogen langsam am Tisch entlang, ohne einen von uns zu treffen. Sie krochen durch die Luft über den vierten, unbesetzten Stuhl und verschwanden dann im Nebel. John Barleycorn beobachtete sie angewidert auf ihrer Bahn. »Wissen Sie, es macht mich wirklich wütend, wenn Leute das tun«, schimpfte er. »Kugeln in den Vurt schießen! Ist den Leuten denn nicht klar, daß diese Kugeln einfach immer weiter und weiter durch jede Geschichte fliegen, bis sie schließlich ein würdiges Ziel finden? In einer Geschichte geht nichts verloren, es wird nur ausgetauscht. Das war Columbus' Platz. Er war zu diesem Bankett eingeladen. Aber was kann ich tun? Wirklich sehr unhöflich.«

Das träge Vorbeiziehen der Kugeln rief mir meine Aufgabe ins Gedächtnis zurück. »Bitte…. Sie haben meine Kinder und meine Stadt mit Ihrer Liebe verführt… aber können Sie denn nicht wenigstens meinen Sohn retten?«

Barleycorn seufzte. »Wir sind hier in meinem goldenen Palast. Der sich in dem Garten befindet. Der sich wiederum im Traum, in der Geschichte befindet. Der Geschichte in der Himmelsfeder. In der Vurtwelt, die von der Realität umschlossen ist. Wir sind inmitten einer Geschichte innerhalb einer Geschichte innerhalb einer Geschichte, und Ihnen fällt nichts Besseres ein, als über Leben und Tod Ihres Erstgeborenen zu winseln. Ich muß schon sagen, Sibyl, ich hätte mehr von Ihnen erwartet.«

»Es gibt aber nicht mehr. Das ist *meine* Geschichte. Geben Sie mir mein Kind zurück.«

Barleycorn winkte ab. »Nachdem es ihr gelungen war, den Traum vom Körper zu trennen, erkannte Miss Hobart, daß der Körper ein bloßes Gefäß war. Träume konnten im Vurt weiterleben; der Körper konnte sterben. *Et voilà!* Himmelsfedern. Wenn Sie dieser Tage über die nötigen Mittel verfügen… nun, dann bedeutet der Tod nicht länger das Ende für die sterblichen Menschen. Eure Träume können in einer Auswahl von Schauplätzen, Welten, Religionen weiterleben. In einer Auswahl von Geschichten. Dort lebt jetzt auch die selige Miss Hobart selbst, nachdem sie vor vielen Jahren gestorben ist. Sie lebt im himmlischen Vurt weiter. Natürlich weiß niemand, wo. Sie hat sich ihre eigene sichere und geheime Geschichte ausgesucht.«

»Bitte… heilen Sie den Schnupfen.« Verzweiflung übermannte mich. »Heilen Sie mein Juwel.«

Barleycorn fegte mit der Hand seinen Weinbecher beiseite und schlug mit der Faust auf den Tisch. »Kannst du nicht endlich mit deiner lächerlichen Verzweiflung aufhören?!« Seine Stimme war sengend, und der Blick seiner Augen brannte sich bis in meine Seele. »Ist das wirklich alles, was du dir wünscht? Ist es das? Ein Leben für dein todgeweihtes Kind? Was ist bloß los mit dir? Bitte… zeig doch etwas Stärke.«

»Das ist es, was die Menschen wollen, Barleycorn«, erwiderte ich eisig. »Sie leben in ihren Kindern weiter. Unsere Geschichten sind Kinder. Unsere Kinder sind *unsere* Geschichten.«

Barleycorn atmete tief durch, um seinen Zorn abzukühlen. Er blickte tief in Belindas Augen. »Mein Vater hieß Kronos, Sibyl«, sagte er. »Er war der Uhrmacher, der Erschaffer der Zeit. Er wollte nicht, daß ich geboren wurde. Das ist der Anfang *meiner* persönlichen Geschichte. Ein Wahrsager hatte Kronos prophezeit, daß seine Kinder ihn eines Tages töten würden. Meine Güte, wie ernst er diesen billigen Mummenschanz nahm. Er brachte meine älteren Brüder und Schwestern bei der Geburt um. Er verschluckte sie. Auch mich verschluckte er. Nur durch schiere Gerissenheit gelang es mir, im Bauch meines Vaters weiterzuleben. In jenem Bauch aus leisem Ticken und Tacken, in dem die Tage in Tropfen gemessen wurden. Saft floß hinab in die Dunkelheit und maß die Augenblicke. Ich vermute, daß es dem Sterben sehr ähnlich war, aber ich schaffte es, dem Tod zu entkommen. Ich wurde wiedergeboren. Kann man mir die Schuld dafür geben, daß euch Menschen dieses Kunststück noch nicht gelungen ist?«

»Einige von uns schaffen es«, wandte ich ein.

Der Blick in Barleycorns Augen wurde abwesend, so als würde er irgendeine weit entfernte Szene jenseits des Regens betrachten.

»Diese Geschichte, die Sie da erzählen«, fuhr ich fort. »Sie klingt wie…«

»Diese Geschichte, *die ich da erzähle?* Wie kannst du es wagen?« Er hatte sich urplötzlich zu mir umgedreht, sein Gesicht schmerzverzerrt. »Glaubst du etwa, ich hätte mir das alles ausgedacht? *Ihr* habt euch das ausgedacht. Es ist deine Geschichte, Sibyl, und die der ganzen erbärmlichen Brut, der du entstammst. Was für nichtige Geschichten ihr doch erzählt, während ihr gleichzeitig darauf beharrt, daß wir mit unserem beschränkten Leben glücklich und zufrieden sind.«

»Wir haben euch erschaffen.«

»Ja. O ja. Und eines Tages werden wir euch hinter uns zurücklassen. Könnt ihr es uns übelnehmen, könnt ihr es uns wirklich übelnehmen, wenn wir uns wünschen aufzusteigen? Besser als ihr zu sein?«

»Ich will nur Heilung für meinen Sohn.«

Barleycorn sah mich einen Moment lang an, dann wandte er den Blick ab, und abermals trat Trauer in seine Augen. »Miss Hobart ist enttäuscht. Zutiefst enttäuscht. Da hätten wir mal einen Menschen, der diesen Namen wirklich verdient. Eine wahre Schöpferin.«

John Barleycorn verstummte. Er seufzte und sah dann erneut zu mir. Und als er wieder sprach, war seine Stimme belegt und traurig: »Während ich all diese Jahre allein umherwanderte, im dunklen Bauch meines Vaters, was blieb mir da anderes, als an Flucht zu denken? Und nachdem mir die Flucht gelungen war, was blieb mir da anderes, als mich in die dunkle Erde zu stürzen? Ich habe mir unter der Erde ein Leben geschaffen, nährte mich von den Wurzeln. Es war ein einsames Leben, so einsam. Bis ich die Füße eines jungen Mädchens über meine Decke aus Gras hüpfen hörte. Voller Sehnsucht und Verlangen streckte ich die Arme nach ihr aus. Ich nahm sie mir. Meine erblühende Braut. Ich fütterte sie mit Granatapfelkernen, um mich ihrer Treue zu versichern. War es nicht so, meine Geliebte?«

Persephones lange, purpurne Zunge leckte an John Barleycorns Hals. Sein Haar, sein schwirrendes Haar, bewegte sich leicht aus eigenem Antrieb, um ihr Platz zu machen. Der junge Mann lächelte, die Augen lustvoll geschlossen. Die Zeit schritt träge voran, während das Mädchen an der dunklen Haut schleckte. Regen fiel auf den Tisch, bildete feuchte Lachen zwischen den Tellern und Schüsseln mit den Speisen. Würmer wanden sich in dem nassen Fleisch, das Coyote, noch immer im Zauberbann, in sein Maul stopfte. Juwel kaute an einem strampelnden Käfer, den er in seinem Reis gefunden hatte, während ihm die Soße über sein fettiges Kinn rann. Belindas Kopf: Ich konnte fühlen, wie der Regen über die Straßen von Manchester-Zentrum strömte und dann ihren Hals und unter dem Abendkleid ihren Körper hinunterlief. Ich versuchte abermals, sie zum Aufstehen zu zwingen, aber das Gewicht war zu schwer für mich. Belinda erschauderte, und bei diesem Schaudern schlug John Barleycorn erneut die Augen auf. Diesmal loderte in seinem Blick dunkler Haß. »Persephones Mutter war natürlich wütend«, sagte er. »Sehr wütend. Ihre geliebte Tochter, blablabla, alles nur Scheiße. Entschuldige meine Ausdrucksweise, Sibyl, aber Demeter verdient die gemeinsten Worte. Sie wollte ihr Schmuckstück zurückhaben. Demeter war so wütend, daß sie eine tödliche Blume in eure Welt schickte, die den Boden so verdorrt und kalt wie ihr Herz werden ließ. Aber ihr habt Persephones Mutter, Demeter, ja bereits kennengelernt, nicht wahr?«

Ich erwiderte, daß wir sie noch nicht getroffen hätten.

»Aber ja doch! Hör nur gut zu. Diese giftige Blume, die sie euch geschickt hat, ich glaube, ihr habt sie Thanatos genannt.«

»Thanatos kam aus dem Vurt?« fragte ich.

»Ein treffender Name, wenn ich das so sagen darf. *Thanatos*. Der Gott des Todes. Natürlich bist du recht *au fait* mit dem Tod, nicht wahr, Sibyl? O ja. Ganz verliebt bist du in ihn. Deine Mutter, zum Beispiel. Diese verweste Leiche. Der Schwanz deines Vaters, behaftet mit dem Gestank eines Friedhofficks. Der Shadow in dir, dieser zärtliche Kuß des Todes. Dein halbtoter Sohn. Der Selbstmord deiner Tochter, der eine Liebesaffäre war. Dein eigener langer Sturz aus jenem Hotelfenster. Und jetzt sieh dich nur an, wie du vorgibst zu leben, im Innern einer toten Marionette, die du noch immer beim Namen deiner Tochter zu nennen wagst. Wie sonst hätte ich dir so weit Zutritt in den Vurt erlaubt? Thanatos und Sibyl, ich erkläre euch zu Mann und Frau…«

Er lachte, was mich wütend machte. Ebenso wie das Gefühl, so weit gereist zu sein und diese Reise doch umsonst gemacht zu haben; die Frustration darüber, ganz und gar in der Hand von dem zu sein, was ich in meiner dummen Selbstüberschätzung eines Tages zu vernichten gehofft hatte. »Ich will nicht, daß mein Sohn stirbt«, rief ich aus. »Es hat schon zuviel Leid gegeben.«

»O ja, natürlich. Ich habe ganz vergessen – die Mutterliebe. Das Leid. Die Hoffnung auf Wiederauferstehung. Mütter würden alles dafür tun, wirklich alles...«

Persephone war von seinem Schoß zurück auf den Tisch geklettert. Sie streichelte jetzt Juwel, strich mit wispernden Ranken über klamme, knotige Haut. Barleycorn betrachtete seine Frau voller Liebe, während seine Stimme über den leisen Nieselregen hinweg sprach. »Ihre Mutter wollte sie natürlich zurückhaben«, erzählte er. »Und die Seuche, die Demeter England schickte... nun, um ehrlich zu sein... die hat mir schon gefallen. Ich war nie ein großer Liebhaber des Lebens als solches, denn wie sollte ich etwas lieben, das mich so schmählich behandelt hat? Doch Miss Hobart veränderte mich. Ja, sie besuchte mich. Es war das erste Mal, daß ich sie zu Gesicht bekam. Ich hatte natürlich Geschichten gehört, Gerüchte, wie jeder andere auch: Sie war die ursprüngliche Schöpferin, die Erschafferin der Federn, die Freudenbringerin. Die erste Träumerin. Sie sozusagen in Fleisch und Blut kennenzulernen, nun, das war einfach überwältigend. Ich mußte mich einfach ergeben. Das Komische war nur, daß sie mich für mächtiger als sich selbst hielt. Stell dir nur einmal vor, wenn du dazu fähig bist, wie Gott erklärt, daß Adam mächtiger sei als er selbst, dann wirst du wohl verstehen, was ich in jenem Moment empfand. Ich erlaubte Miss Hobart, einem der Vögel, die in Demeters Wald umherflogen, eine grüne Feder auszurupfen. Fruchtbarkeit 10 nannte ihr diese Lösung. Ein scheußlicher Name, wenn ich das sagen darf. Vor allem weil daraus die wundersamsten Dinge entstanden. Jedenfalls kamen wir, der Geschichte zufolge, überein, daß meine Frau zwei Drittel des Jahres bei ihrer Mutter und nur ein Drittel bei mir verbringen würde. Und so wurden die Jahreszeiten erschaffen. Ist das denn nicht mehr als fair?« Barleycorn lachte kurz, und sein Haar erhob sich in einer lächelnden Woge aus blauem Rauch von seinem Kopf. Er stand auf, kam um den Tisch herum und stellte sich hinter mich. Ich konnte fühlen, wie er seine Hände auf Belindas Schultern legte und seine Finger sanft meine Verzweiflung massierten. Ich konnte mich weder bewegen noch sprechen; der Teufel hatte meine Seele in seiner Hand. Der Geruch von Verbranntem stieg mir in die Nase. Ich hörte die Fliegen summen. Ich spürte, wie seine Stimme in meinen Shadow eindrang…

»Weil ich es leid war«, seufzte er. »Deshalb kam der Pollen zu Besuch. Weil ich es leid war, immer nur *erzählt* zu werden. Ich will leben, Sibyl. Genau wie du. Ich will ein Leben aus Fleisch und Blut. Ein Leben voller Überraschungen, ein Leben voller Schmerz. Ein Leben, das im Tod endet. Ich bin neidisch, ja, ich gestehe es. Der Tod bedeutet deiner Spezies so viel. Was wärt ihr ohne ihn? Der Tod ist euer Antrieb, Mutter und Vater eurer Sehnsüchte, eurer Künste. Ich will diesen Hunger spüren, aber Miss Hobart hat bestimmt, daß ich für immer im Traum bleiben muß. Ich kann niemals sterben.« Seine Hände streichelten Belindas Schädelstadtplan. »Persephone war mein Versuch eines Todes nach dem Leben. Es wird weitere Versuche geben, und von weit mächtigeren Dämonen. Der Vurt wird sich eines Tages Zutritt verschaffen. Komm, laß mich dir die Zukunft zeigen…«

Barleycorn schlang seine Finger um den Hals meiner Tochter, drückte fest und zärtlich zu und beugte dann seine weinroten Lippen herab, um ihren Hals zu liebkosen.

Und dann biß er mich.

Der Biß ging geradewegs durch Belindas Fleisch hindurch, bis er den rauchigen Atemhauch meines Shadows gepackt hatte. Barleycorn zerrte mit seinem Verstand so brutal an meinem Rauch, daß ich tatsächlich aus Belindas Fleisch herausblutete. Mein amorpher Shadow tanzte auf John Barleycorns Geheiß hin im Zimmer umher. Ich fühlte mich zerrissen und heimatlos. Zerfetzt. Barleycorn spielte eine Weile mit meinen Schwaden, nur um seine Macht zu demonstrieren, bis er mich schließlich zu einer perfekten, imaginären Skulptur aus Rauch verdichten ließ; ich verwandelte mich nun in den Körper einer jüngeren Frau, prall und anziehend in ihren Kurven, aber geschaffen einzig aus dem grauen, wirbelnden Schwaden meines freigelassenen Shadows. Ich schaute hinab auf das leere Fleisch meiner Tochter. »Mach dir um sie keine Sorgen«, beruhigte mich Barleycorn. »Man wird sich um sie kümmern, bis wir zurückkommen.« Und dann löste sich der Speisesaal mit einer einzigen

Handbewegung von Barleycorn in heiße, schimmernde Luft auf. Ich wurde auf sein Geheiß hin auf eine kleine Lichtung inmitten der verschlungenen Eingeweide eines Dschungels versetzt.

»Dies ist *meine* Vision von der neuen Welt, Sibyl«, erklärte John Barleycorn, der sich nun wie ein pirschender, erfahrener Krieger durch das wuchernde Grün bewegte. »Columbus hat ein völlig falsches Bild von der Zukunft. Dies ist *mein* Manchester, meine Vorstellung von dem, wie es einmal sein wird. Schau es dir gut an.«

Während ich mühsam versuchte, mit dem Traumgeschöpf Schritt zu halten, kämpften und tanzten und küßten sich überall um uns herum Myriaden von seltsamen Figuren inmitten der Bäume und Blumen. Grendel war da, Achilles war da, Robin Hood war da, Gargantua und Pantagruel waren da, Vladimir und Estragon waren da, Tom Jones war da, Humbert Humbert war da, Popeye der Seemann war da, Spiderman war da, Jane Eyre war da, Dave Bowman war da, Eleanor Rigby war da, Jesus Christus und der Zinnmann waren da, Leopold Bloom und Rupert der Bär waren da; all die fiktiven Figuren des menschlichen Strebens waren in jener grünen Welt eingepflanzt, und alle kreisten und liebten und fluchten in einem innig chaotischen Geschichtenkarussell.

Während ich von den verschiedensten übermütigen Träumen, darunter Sherlock Holmes und die fünf Freunde und König Lear und Micky Maus und Joseph K und die Venus von Milo und Dick Dastardly und Mutley und Holly Golightly, betatscht wurde, bemerkte ich gleichzeitig, wie die John-Barleycorn-Figur sich umdrehte, um mein Shadowfleisch durch ein dichtes Netzwerk aus Geschichtenklingen zu manövrieren.

»Dies ist die Welt, die ich zu erschaffen suche«, sagte Barleycorn zu mir. »Ein Globus von Geschichten, die die Realität infizieren. In diesen Geschichten werden meine Kinder ewig leben, und wer weiß, vielleicht werden sie eines Tages in Frieden sterben, endlich… endlich… so wie es normalerweise ist.« Dann hielt er einen Moment lang inne, während die komplexe Dschungelerzählung uns in einen Kokon aus Blumen einspann. Aber schon marschierte er weiter, auf einen Lichtschimmer in der Ferne zu. »Komm schnell, meine liebe Sibyl«, drängte er. »Die Tore der Stadt liegen direkt vor uns. Schnell, schnell. Da ist jemand, den ich dir vorstellen möchte. Kannst du dich denn nicht etwas flinker bewegen, Sibyl?«

Er nahm mich bei der Hand.

Das muß man sich mal vorstellen, die Geschichte nahm die Realität bei der Hand.

Ich gab mir alle Mühe, gegen das Gewicht der uns umschließenden Geschichten anzukämpfen, und schließlich kamen wir an das efeu-umrankte Eisentor. Erst in diesem Moment erkannte ich, wo ich mich befand, denn das da vor mir war das Tor zum Alexandra Park, wo ich Coyotes Leiche zum ersten Mal gesehen hatte. Ich folgte Barleycorn durch das Tor hinaus auf die Straßen von Moss Side. Aber der Dschungel überwucherte auch die Straßen, bildete ein dichtes Blätterdach für die verlassenen Geschäfte und Häuser. Hier und dort sah man ein paar Menschen, ein paar Hunde und Robos, aber hauptsächlich wurden die Baumstraßen von fiktionalen Figuren bevölkert. Es war so, als hätte sich Manchester in ein Tropenparadies verwandelt, in dem die üblichen exotischen Vögel und Tiere durch Ausgeburten der menschlichen Phantasie ersetzt worden waren. Was war der Ursprung dieser Welt? Bewegte ich mich durch Barleycorns Verstand, besuchte ich mit meinem Shadow den Traum eines Traums? Kann denn ein Traum überhaupt träumen? Und während ich jene geträumten Straßen entlangging, nutzte ich die Gelegenheit, diesen Körper aus Rauch zu mustern, den Barleycorn für mich geschaffen hatte. Ich war ein Stadtplan aus zufälligen Schatten, die sich zu grauen Formen zusammengefügt hatten: zu Hüften und Brüsten, Schulterlinie und Bauchwelten. Und in meiner Magengrube nistete ein glänzender, schwarzer Käfer mit sorgsam zusammengefalteten Flügeln, rudernden Beinen und Fühlern, mahlenden Kiefern: das Dodoinsekt. Der Traumfresser. Jene Präsenz in mir, die den Traum daran hinderte, in mein System einzudringen. Nie zuvor hatte ich den Dodo in meinem Fleisch gesehen, und ich hatte das Gefühl, ich könnte fast in mich hineingreifen, um mir diese abscheuliche Kreatur endlich aus dem Leib zu reißen.

Barleycorn kniete sich in ein Beet mit Straßenblumen. Er

pflückte eine scharlachrote Blüte aus dem bunten Pflasterstrauß, dann stand er auf und hielt mir die Blume vor die Nase. »Natürlich habe ich auch die Dodos nicht vergessen«, erklärte er. »Die Nicht-träumenden. Sieh dir diese Zukunftsblume an.«

Ich sah eine Blume, die an den Wurzeln von einem Virus-Wurm mit großem Appetit aufgefressen wurde; der Name des Wurms war Schwarzer Dodo. Da erkannte ich, daß das Dodoinsekt in meinem Bauch – einstmals mein Fluch – nun mein Retter sein könnte.

»Ich *habe* Angst vor dir, Sibyl«, flüsterte Barleycorn traurig, so als wollte er meine Überlegungen bestätigen, »und vor allen anderen deiner verschlossenen Art. Ich hätte nie gedacht, daß so wenige eine solche Wirkung auf den Traum ausüben könnten. Ich hatte ge-dacht, die reale Welt würde sich mir bereitwillig öffnen, aber dann erfuhr ich von deinem und Belindas Kampf. Und dann erkrankte meine geliebte Frau an eurer Welt. Ich mußte sie nach Hause zurückholen. Das ist schon in Ordnung, kein Problem, ihre Arbeit ist abgeschlossen; die Saat ist gepflanzt, und Columbus hält immer noch den Weg für den Pollen offen, aber der Traum kann noch nicht in der Realität leben, zumindest nicht wirklich. Nicht vollständig. Vielleicht eines Tages…« Dann seufzte er. »Es macht mich traurig, weißt du? Diese ganze Sache… denkst du wirklich, ich wollte euch Schaden zufügen? Nein, ich wollte, daß wir zusammenarbeiten. Der Traum und die Realität. Wie du jetzt überall um dich herum sehen kannst, soll aus der Verbindung eine neue Welt, eine gute und fruchtbare Welt entstehen. Das ist meine Vision, Sibyl. Aber was soll ich tun? Ihr Dodos seid wie ein Wespenstich. Blinde Momente in den Geschichten. Ich werde euch alle töten müssen, um meinen Traum wahr werden zu lassen. Ich werde die Traumlosen töten müs-sen.«

Während er mir das androhte, zwängte ich einen winzigen Teil meines Shadows in meinen innerlichen Dodokäfer. Dort ruhte nun ein kleiner Teil meiner Seele, außerhalb von Barleycorns Reich-weite, wie ich inständig hoffte. Ich war jetzt also nochmals gespal-ten; ich lebte nun im Shadow und im Dodo.

»Ich finde Ihre Geschichte sehr traurig, Sir John«, sagte ich mit meinem Shadow, während ich ihm gleichzeitig mit meinem Dodo-Selbst entgegenschleuderte, daß seine teure Gattin nichts weiter als eine billige, widerliche, mordgeile Schlampe wäre.

»Sehr, sehr traurig«, erwiderte Barleycorn meinem Shadow. »Nur eine traurige Geschichte, die eines Tages, in weiter Ferne, im Angesicht des Todes von einem traurigen Menschen erzählt werden wird. Aber trotzdem haben wir einen flüchtigen Blick auf das, was die Zukunft bringt, erhaschen können. Das Paradies ist noch nicht für uns verloren.«

Also schien die Dodobarriere standzuhalten. Ich versuchte abermals, seine Frau aus den Tiefen meines Bauchkäfers zu beleidigen. Nichts. Keine Antwort auf meine böswilligen Beschimpfungen.

»Was kann man schon gegen das Paradies einwenden?« fragte er statt dessen.

»Die Tatsache zum Beispiel, daß für seine Geburt Leute sterben müssen«, erwiderte ich in dem Wissen, daß ich nun einen dunklen Ort hatte, den Barleycorn nicht erreichen konnte.

»Aber die menschliche Rasse hat das Konzept selbst erfunden«, fauchte er. »Eure Geschichte ist doch übersät mit den Leichen all jener, die ihr Leben zum Wohle der Allgemeinheit opferten. Fast all eure Geschichten basieren auf Momenten der Opferbereitschaft… und dennoch beschwert ihr euch, wenn die Geschichten ihrerseits die gleiche Erzähltechnik anwenden wollen. Selbst du, Sibyl… hast du aus Liebe zu deinen Kindern nicht die gleiche Geschichte von Tod im Austausch für das Leben geschaffen? Ach, es ist wirklich unerträglich. Diese Ungerechtigkeit. Aber beeil dich jetzt, es gibt so viel, das ich dir noch zeigen möchte…«

Barleycorn warf die erkrankte Blume weg und hastete die nunmehr so fruchtbare Claremont Road entlang, bis wir schließlich an die Broadfield Road kamen. Dies war die Straße, in der Belinda während ihrer Flucht vor mir und Zero Clegg nach dem Vurtballspiel angehalten hatte. Vielleicht hatte Barleycorn für mich eine Reise durch die reale Geschichte in der Adaption durch den Traum geplant. Ich verwahrte die meisten meiner Gedanken in dem Dodokäfer, meinem geheimen Zufluchtsort in diesem Traumland. Barleycorn klingelte an einem der blumenüberwucherten Häuser an der Broadfield. »Ich hoffe, er ist da«, meinte er. »In diesem Haus lebt ein gewisser Octave Dodgson, der achte Cousin achten Grades von Charles Lutwidge Dodgson, einem unserer herausragendsten Schöpfer. Ich nehme doch an, du hast schon von ihm gehört?«

»Er ist mir durchaus ein Begriff«, erwiderte ich durch den Shadow.

Die Tür wurde von einem weißen Kaninchen von meiner Größe geöffnet, das uns dann in ein Wohnzimmer führte, in dem ein junger Mann im Schneidersitz auf einem Kissenberg hockte. Ich kann nur annehmen, daß das Octave Dodgson war, siebenundzwanzig und drei Viertel Jahre alt. Er schien tief versunken in dem rauchigen Kuß der blubbernden Drogen, die er mit meisterhaftem Lippenansatz durch das Mundstück einer mit Himbeermarmelade beschmierten Wasserpfeife einsog. Er sagte kein Wort, als Barleycorn mich zum Fuß einer Treppe führte.

Gemeinsam stiegen wir in den ersten Stock hinauf, wo drei verschiedene Türen auf uns warteten. Hinter der einen erklang ein trauriges Lied namens »Das Walroß und der Zimmermann«. Es handelte von Schuhen und Schiffen und Siegellack, besungen von einer Kleinmädchenstimme, die so schmerzerfüllt war, daß die Noten in der Luft förmlich zu brechen schienen. Barleycorn klopfte leise an der Tür und öffnete diese dann sperrangelweit, als der Gesang verstummte. Er trat ein, und meine Shadowgestalt folgte ihm ins Zimmer. Die gefangene Luft roch nach Fäulnis und dem Atem von Krankheit.

»Ja? Was ist?« Ein trauriges, schwaches Stimmlein…

Ein kleines, siebenjähriges Mädchen mit kränklichblasser Haut, blonden Haaren und einem mit Erbrochenem beschmierten Schürzenkleid; sie lag auf dem Bett und spielte träge mit einer Aufziehschildkröte, deren Uhrwerk längst abgelaufen war. »Barleycorn, was willst du schon wieder?« hauchte sie.

»Ich habe eine *reale Person* mitgebracht, die dich gern kennenlernen möchte«, antwortete Barleycorn. »Ihr Name ist Sibyl Jones, und es ist ihr herzlichster Wunsch, sich mit dir zu unterhalten.«

»Bist du das, Alice?« fragte ich.

Alice konnte nur husten und wimmern. Ich bin sicher, daß sie irgend etwas wie Do-Do-Dodgson sagte, aber genau in diesem Moment ertönte hinter mir ein Geräusch, und als ich mich umdrehte, stand das weiße Kaninchen auf der Schwelle. Es ging an mir vorbei zum Bett, wo es eine Uhr aus seiner Westentasche fingerte, das Handgelenk von Alice ergriff und laut ihren Puls maß. »Wie geht es ihr?« fragte Barleycorn.

»Sie geht von uns«, erwiderte das weiße Kaninchen. »Ich würde sagen, ihr bleiben nur noch ein paar Tage…« Das Kaninchen schaute bei dieser Diagnose bekümmert drein, und Barleycorn war gleichermaßen besorgt.

»Was geht hier vor?« fragte ich.

»Alice stirbt«, entgegnete John Barleycorn.

»Alice im Wunderland? Aber es muß doch…«

»Das passiert, wenn der Traum welkt…«

»Sie sagten doch vorhin, der Traum könne nicht sterben.«

»Ein ungeträumter Traum ist eine sterbende Phantasie, und wie es scheint, mag dieser Tage niemand mehr von der lieben, süßen Alice träumen. Du siehst also, Sibyl Jones, dies ist ein Zweiwegespiegel; der einzige Weg, wie ich Alice am Leben erhalten kann, besteht darin, sie durch den neuen Stadtplan in die Realität zu versetzen. Verstehst du es jetzt? Für dich ist der Schnupfen eine Krankheit, für Alice dagegen ist er die einzige Rettung.«

Alice lachte dreckig und stöhnte dann: »Aber der Weg ist ziemlich mühsam.«

»Der Weg ist zweifellos beschwerlich, liebe Alice«, pflichtete Barleycorn ihr bei, »aber erkennst du jetzt«, und diese Worte richtete er wieder an mich, »wie verzweifelt meine Lage ist, Sibyl?«

Ich selbst, in meinem Körper aus Rauch, wußte nicht, was ich darauf antworten sollte. Vor mir sah ich eine geliebte *imaginäre* Gefährtin meiner Jugendjahre sterben, weil der Traum sich keine Bahn brechen konnte, und die Möglichkeit dieses Verlusts rief in mir Erinnerungen an meine Kindheit wach, als ich mir verzweifelt gewünscht hatte, der Traum möge in meinen Körper kommen.

Barleycorn trat dicht an mich heran, legte mir die Hände auf die Schultern und sprach ganz leise zu mir: »Du hast große Stärke bewiesen, Sibyl, für ein Menschenmädchen.« Seine Hände streichelten meine Shadowbrüste, wanderten hinab zu meinem Bauch, während sein warmer Atem über meinen Hals strich. »Du hast Aufregung in die Tristesse eines traurigen alten Jungen gebracht, aber ich fürchte, das Fest neigt sich nun dem Ende zu.« Die sanften Worte waren so einlullend, so einlullend. »Du mußt dich meinen Liebkosungen hingeben…«

»Sie können mir nichts anhaben«, sagte ich schläfrig. »Ich bin ein Dodo im Vurt. Aller Schmerz ist bloße Fiktion.«

»Auch deine Tochter… muß endlich sterben.« Einlullend, so einlullend. »Es ist ganz einfach. Alle Dodos müssen sterben, damit der Traum leben kann.«

»Sie können mir nichts anhaben, Sir John. Ich bin ein…«

Seine Finger tanzten zärtlich über meinen Bauch aus Rauch und stießen dann blitzschnell zu meiner Magengrube durch, wo sie sich um den schwarzen Käfer meiner Dodoheit schlossen. Er riß das sich windende Insekt heraus und holte es durch die Shadowhaut ans Licht. »Ist das dein Schutz, meine Liebe?« Er wedelte mit dem Käfer vor meinem Gesicht und lachte. »Ich glaube, Sibyl… daß du nun den nie endenden Traum träumen kannst. Deine Tochter auch.«

»Nein…«

»Ihr seid beide offen für mein Verlangen. Was darin besteht, euch den Tod zu bringen.«

»Tun Sie ihr nichts!« Ich bettelte natürlich um das Leben meiner Tochter, aber es machte nicht den geringsten Eindruck auf Barleycorn. Er trat einen Schritt von mir zurück und hielt das schwarze Insekt am äußersten Ende eines Beins hoch, so als könnte es seinem Traumfleisch schaden. Ein Teil von mir lebte noch immer in dem amputierten Käfer, und diese Tatsache gab mir etwas Hoffnung, bis die Alpträume begannen, als Barleycorn mit seinen bösartigen Phantasien in meinen nunmehr offen liegenden Shadow eindrang.

Träume… ich träumte Träume… wirkliche Träume…

Ich wurde von Schmerz und Blut und Messern aus Dornen verschluckt. Ich ritt auf einem blond bezogenen Pferd durch einen dichten Wald aus spitzen Nebelklavieren. Ich stürzte in Oktopusse, wurde von Regenschirmen überfallen, von Hosenkleber aufgespießt, bis an die Grenzen meiner Hautuhr von stechenden Fahrrädern und dem Wetter von Fischen auseinandergezerrt.

So war es also, wenn man träumte. Barleycorn tötete mich mit seltsamen Fabeln, den schlimmsten aller Alpträume, und mein Shadow begann durch diese Invasion zu schrumpfen. Ich wollte, daß es aufhörte, und irgendwo in der Ferne, im fernen Irgendwo, konnte ich fühlen, wie Belinda dieselbe Bitte formulierte.

Ich schrumpfte. Erlosch. Wurde immer dunkler. Starb…

»Das können Sie nicht machen, Barleycorn«, rief ich über die letzten Überreste meines Shadows. Aber er lachte nur und wedelte abermals mit dem Dodokäfer, um mich ob meiner Schwäche zu verhöhnen. Und da schwor ich bei meinem kleinen, schwindenden Shadow, daß ich dem Traummeister weh tun würde. Ich entsandte einen Tentakel aus dichtem Rauch, der noch immer in dem Käfer ruhte; einen Rauchtentakel, der sich um Barleycorns Arm schlang und ihm dann mit einer blitzschnellen Bewegung den Käfer aus den Fingern riß.

Die ganze Zeit über sammelten sich die Alpträume in meiner Seele und drohten, mich hinab in ein mottenfarbenes Meer aus Hähnchenmagneten und dem Gelächter von hummerisierten Dienstagen zu ziehen.

Ich hatte den schwarzen Käfer nun befreit. Mein Rauchtentakel schlängelte sich um Barleycorn herum, bis er Alices' Krankenbett erreichte; ohne zu überlegen, stieß ich meinen Rauch tief in Alices' Mund, schob ihr das Dodoinsekt in den Rachen. Sie wehrte sich ein wenig. Aber nur ein wenig, fast so, als hieße sie das Ende ihrer Geschichte willkommen.

Barleycorn stieß einen erschrockenen Laut aus, und das war wunderschön anzuhören. Ein erschrockener Laut von einem Traum.

Das weiße Kaninchen verfluchte die Geschichte, die Alice so in Gefahr gebracht hatte. Es verschwand durch die Tür, ließ nur seinen wohlbekannten Ausspruch zurück: »O weh! O weh! Ich komm zu spät!«

Barleycorn stürzte sich auf mich. »Was machst du da?« Zweifel schwang in seiner Stimme.

»Wonach sieht es denn aus?« entgegnete ich. »Ich töte Alice im Wunderland, was sonst.« Ich stopfte den Käfer tiefer in ihren Hals, zwängte ihn gegen Alicens schwachen Widerstand durch die Enge ihrer Kehle, bis er in ihrem Bauch ruhte. »Haben Sie nicht genau auf diese Art Coyote umgebracht? Jetzt wird Ihre geliebte, süße Alice denselben erstickenden Atem fühlen. Mit der Dunkelheit einer Imme in ihr, wird dieser Traum sterben. Ist das nicht das, was Sie wollen?«

»Das kannst du nicht machen«, fluchte Barleycorn und versuchte, meinen Shadow mit seinen Fingern zu packen. Doch der war jetzt, unterstützt von der Dodoheit, stärker als Traumfleisch, und seine Finger bekamen nur wabernden Nebel zu fassen. All seine bösen Träume flatterten durch meinen Kopf wie verirrte Vögel, erschreckt von der plötzlichen Schwäche, außerstande, einen Nistplatz zu finden…

»Das alles hier ist unwirklich«, sagte ich zu ihm. »Das hier ist nicht Wunderland, und das ist auch nicht Alice. Diese Welt ist nur die Ausgeburt Ihres nichtigen Verstandes, der verzweifelt nach Nahrung verlangt.«

»Nein… töte sie nicht.«

»Bringen Sie mich zurück, Barleycorn. Zeigen Sie mir, wer sie wirklich ist.«

Barleycorn fuchtelte mit seinen Händen, und binnen einer halben Traumsekunde waren wir wieder im Speisesaal. Es regnete noch immer. Barleycorn saß wieder auf seinem Stuhl, und ich wurde tief in Belindas Körper zurückgesogen. Coyote war immer noch gebannt von dem Fleisch in seinem Mund, und Juwel spielte fröhlich mit einem Reiswurm. Persephone lag im Klammergriff meiner Tochter flach auf dem Tisch ausgestreckt. Dieses Mädchen aus Blumen hatte die Rolle der Alice in Barleycorns imaginärem Wunderland gespielt. Belinda hielt das Mädchen mit einer Hand bei der Kehle gepackt, während aus der anderen Hand Shadowrauch in Persephones Mund strömte.

Das Insekt der Unwissentlichkeit wurde tief in Persephones Körper gezwungen.

»Bitte…« John Barleycorns Stimme; das allererste Flehen.

»Für Ihre Frau, Barleycorn.«

»Bitte… unträum nicht meine Geliebte. Sie wird durch diese schwarze Kreatur sterben…«

»Für mein Kind«, sagte ich kalt. »Für Coyotes Kind. Für meine Stadt und meine Freunde. Für Zero Clegg und für Karletta, das Welpenmädchen, und zum Gedenken an Tom Dove. Ich bin hergekommen, um gegen Sie anzutreten, John Barleycorn, aber jetzt muß ich erkennen… ich bin hergekommen, um Sie zu bitten, uns zu retten.«

Eine Lebenszeit verstrich. Und dann schließlich…

»Weißt du, was das Traurigste ist, Sibyl?« Die Stimme bekümmert. Barleycorn hatte sich jetzt dem flüchtigen Moment ergeben.

»Sagen Sie es mir«, erwiderte ich.

»Ich weiß nicht, ob ich lebendig bin oder nicht.«

»Ich denke, Sie sind es.«

»Von allen Geschöpfen an diesem Tisch bist du das lebendigste. Du hast diese Tatsache bewiesen. Manchmal ist es nur schwer zu ertragen…«

»Ich weiß.«

»…immer nur erzählt zu werden.«

»Ich weiß.«

»Nur ein rauchiger Schemen im Verstand zu sein.«

»Ja…«

»Ist dies das Beste, was das Menschenleben zu bieten hat? frage ich mich…«

Ich stopfte den Käfer tiefer in Persephones Bauch. Sie wehrte sich nur schwach gegen das Einpflanzen. »Ich könnte Ihre Frau mit diesem Dodo töten«, sagte ich zu Barleycorn. »Ist es nicht so?«

Barleycorn wollte sich auf Belindas Körper stürzen, aber Coyote und das Juwel waren nun aus ihrer Trance erwacht. Barleycorn schien vom Kampf geschwächt; es herrschte zuviel Durcheinander, zu viele Geschichten mußten erinnert werden, und so gab der Traummeister seine Gefangenen frei. Coyote packte mühelos Barleycorns Körper, zerquetschte ihn fast zwischen seinen riesigen Pfoten.

»Bitte… habt Gnade mit mir«, flehte Barleycorn. »Was kann ich euch sonst noch anbieten?«

Persephone versank unter dem Einfluß des Dodokäfers in einen Schlummer.

»Ein Heilmittel für Juwel!« entgegnete ich.

»Und wohl auch für alle anderen Leidenden, nehme ich an, du kleiner Wurm?«

»Wäre das möglich?« fragte ich.

»Beleidige mich nicht.« Seine Augen loderten. »Ich weiß genau, wann eine Geschichte abgeschlossen ist. Bitte… gib mir das Insekt. Ich bin es leid, zutiefst leid zu warten, der Traum erkaltet unter meinen Händen. Laß meine Frau los.«

»Lassen Sie mich zurückkehren? Werden Sie den Schnupfen aufhalten?«

»Ihr werdet euch Columbus stellen müssen. Der König der Taxis wird nicht erfreut darüber sein, seinen neuen Stadtplan aufgeben zu müssen.«

»Wir werden tun, was nötig ist.«

»Es würde gleichzeitig bedeuten, meine Frau aus der realen Welt zu verbannen.«

»Sie kann dort sowieso nicht überleben, Barleycorn. Das wissen Sie jetzt.«

»Das weiß ich jetzt. Die Dodos sind zu stark.« Er blickte sehnsüchtig zu Persephone. »Ihre Mutter wird natürlich sehr wütend sein. Demeter… nun, es wird ihr gar nicht gefallen, wenn ihre geliebte Persephone im bloßen Traum verwurzelt bleibt. Demeter ist sehr mächtig, aber auch sehr dumm; ihr mangelt es an Weitblick, fürchte ich. Ihr gefällt die Vorstellung, daß ihre Tochter in der Realität Blüten treibt, trotz der Tatsache, daß die Realität ihrer Tochter schaden wird. Das war die jüngste Übereinkunft, die wir geschlossen haben, mußt du wissen. Ein Drittel des Jahres im Vurt, zwei Drittel in der

Realität. Ihr werdet nicht nur gegen Columbus, sondern auch gegen Demeter antreten müssen. Ihr müßt sie beide überzeugen. Seid gewarnt… es gibt nur einen Weg durch den Wald, und den habt ihr bereits genommen. Ich habe euch das Herkommen recht leicht gemacht, aber der Rückweg… ich selbst würde diesem Kampf wahrlich nicht entgegenfiebern. Ohne meine Hilfe werdet ihr hilflos stranden. Vielleicht könnte euch ein Handel interessieren?«

»Wo treibt sich diese Demeter herum?« fragte ich ihn. Persephone war mittlerweile völlig reglos, gelähmt von der Dodopräsenz in ihr.

»Ihr erfindet Geschichten… und dennoch kennt ihr die Geschichten nicht«, erwiderte Barleycorn. »Demeter ist überall, in allen Pflanzen, auf der Wiese, im Wald und auf dem Feld; sie lebt im Traum und im Träumer. Der Vurt und die Realität, beide geben ihr Nahrung. Deshalb ist sie stärker als ich. Demeter ist die Göttin des Getreides und des Ackerbaus. Nun, selbst eure stumpfsinnigen Christen verehren sie bei jeder Erntezeit; sie basteln kleine Püppchen aus Stroh. Es ist so tragisch, daß es schon wieder lächerlich ist.«

»Würden Sie Juwel wirklich heilen?«

»Es gibt nur einen Weg, wie das möglich ist. In der Realität wird er in zwei Tagen sterben.«

»Bitte, alles, nur das nicht.«

»Du würdest ihn sowieso verlieren. Er hat gegessen, genauso wie Coyote. Sie gehören nun mir. Tja, meine gute Frau, ich glaube, daß wir ein Patt bei diesem Spiel erreicht haben. Damit Juwel überleben kann, müßte er hier bei mir bleiben. Nur im Traum kann ich einen so fortgeschrittenen Schnupfen-Fall heilen. Und das würde einen Austausch bedingen.«

»Alles, was Sie verlangen.« Ich zog den schwarzen Käfer meiner Unwissentlichenwelt aus Persephones Körper heraus. Sie regte sich erst nur ein wenig, dann mehr. »Ich werde immer in diesem Insekt, diesem Virus sein«, sagte ich. »Und Sie werden mir dort nie etwas anhaben können. Niemals. Und wann immer ich gegen Sie kämpfen muß, wird dieser Käfer bereit sein, Ihnen den Garaus zu machen.«

Barleycorn seufzte, so als würde der Mond ihn blenden. »Ich hatte

Verlangen nach der realen Welt.« Seine Stimme war ein flüsternder Atemhauch. »Jetzt befinde ich mich wieder einmal in derselben Zwickmühle wie immer. Die Realität widersetzt sich meinem Streben, macht all meine Bemühungen zunichte. Diese Runde habe ich verloren. Der Dodo ist für meinen Kuß unerreichbar. Aber vielleicht gibt es ja einen anderen Weg, mir Zutritt zu verschaffen? Einen sichereren, erfolgreicheren Weg? Ich spüre plötzlich, wie sich ein gewisses Verlangen in mir regt. Ahnst du, was es ist?«

»Reden Sie weiter.«

»Dürfte ich deine Tochter ficken?«

»Was?«

»Ich werde euch dafür eine unbehelligte Rückreise gewähren, soweit es in meiner Macht steht. Es tut mir leid. Habe ich dich beleidigt, Sibyl? Bitte, gib mir den Käfer.«

Ich reichte Barleycorn den Dodokäfer, der daraufhin seine Hose öffnete und ein rußiges Glied herausholte. Eine Geschichte, die erzählt wurde, sich entwickelte. John Barleycorn beugte Belinda über den Tisch. Seine Hände griffen nach Juwel… streckten sich gierig aus. Sein Schwanz streckte sich gierig aus. Juwels Fleisch brach in lange, baumelnde Ranken aus dunkelroten Blüten aus: Amaranthus Caudatus. Eine tropische Blume. Barleycorns dunkle Stimme: »Wenn ich Juwel zu mir nehmen soll, dann muß ich dafür meinerseits etwas im Austausch geben.«

»Und was werden Sie geben?«

»Oh, da wird mir schon etwas einfallen.«

Sein Schwanz drang in mich ein, drang in Belinda ein, drang ein…

Lebwohl, Juwel.

Die Blume, die niemals welkt.

Barleycorn kam in mir, in Belinda. Spritzte loderndes Feuer ab. Wir wurden von einem Schwanz aus Stein in einen Teich aus grünem Wasser gestoßen. Amor pißte. Der Palast verschwand, löste sich auf. John Barleycorns Haar erhob sich in einem blauen Schwarm. Ein dunkler Weg; überall um uns herum flüsterten

Bäume, verfolgten uns auf unserer Reise, beobachteten uns. Der Wald war lebendig. Bilder…

Gefangen im Irrgarten. Der Mond wurde von Wolken erstickt. Dunkelheit und Schweiß. Tropfende Schatten. Die Hecken um uns herum wurden stärker und stärker, schlossen sich wie das Loch zwischen den Beinen einer Frau. Der Mond war verborgen. Dunkelheit schlich sich an. Coyote verschwand in den Blättern.

»Coyote!« Meine Stimme. »Verlauf dich nicht, Coyote.«

Leuchtkäfer und Glühwürmchen wiesen uns den Weg durch einen Liebesknoten. Von allen Seiten, allen Winkeln und Biegungen, hörte ich wispernd den Zorn einer Frau; das Labyrinth zog sich enger zusammen. Mein Shadow reckte sich. Der Stadtplan meiner Tochter nahm immer wieder neue Formen an, veränderte sich beständig…

Barleycorn…

…ein Weg durch den Irrgarten…

Der Stadtplan von Manchester auf dem Kopf meiner Tochter verwandelte sich in den Plan des Labyrinths.

Barleycorn half uns. Ich las die verschlungenen Pfade, die auf Belindas Körper erschienen. »Dies ist der Weg, Coyote!« rief ich. »Bleibt dicht beieinander.«

Und dann rauschten die Hecken auch schon förmlich an uns vorbei, während ich die Gruppe anführte. Bis… bis…

Eine Lücke in der Hecke. Hindurch…

Vor uns schimmerte der schwarze See. Keine Spur von der Fähre oder dem Fährmann. Hinter uns das Geräusch von windgepeitschten Ästen. Die Blaskapelle stimmte weit entfernt eine langsame, verkümmerte Version von »Michael, Row Your Boat Ashore« an.

»Was nun, Belinda?« fragte Coyote.

Ich ließ meine Tochter ein paar Schritte gehen, hinein in das kalte, kalte Wasser.

»Ich denke, wir schwimmen hinüber.«

»Was du nicht sagst.«

»Hast du vielleicht eine bessere Idee, Coyote?«

Seine Lefzen verzogen sich zu einem durchtriebenen Grinsen.

Was für ein Tag das gewesen ist. Was für ein Tag! Charon erschauderte. Man hatte ihm wirklich übel mitgespielt. Er stand so aufrecht und besenstielgerade da, wie er nur konnte, was in einem schwankenden Boot gar nicht so einfach war. Hielten die Leute seine Arbeit hier denn für ein Kinderspiel? Fährmann auf dem See des Todes… vielleicht sollten sie es mal selbst versuchen! Er klimperte mit den paar Münzen, die er in der letzten Woche verdient hatte und die jetzt in einem Beutel unter seinem Kapuzenumhang steckten. Es war ein blechernes, mageres Geräusch. Beschämend! Wovon sollte ein armer Fährmann auf dem See des Todes denn dieser Tage *leben*? Und gestern hatte er… Nein, er konnte nicht einmal den Gedanken daran ertragen. Diese merkwürdige Gruppe. Ich meine, er hatte früher schon merkwürdige Gruppen zu Gesicht bekommen. Ich meine, wenn sie für diese Feder bezahlten, dann hatten sie ein *Recht* darauf, merkwürdig zu sein. Aber nicht einer hatte einen Obolus dabei! Nada, niente, nichts. Dieser große, gefleckte Hundetyp. Dieses nackte Mädchen mit den Stadtplänen. Dieser Klumpen von… von… dieser Klumpen von *was auch immer*! An die Schulter des Mädchens hatte er sich geklammert. Und dann an das Boot. Igitt! Widerlich. Natürlich hatte er ihnen klipp und klar gesagt, sie sollten sich zum Teufel scheren. Kein Obolus, soweit kam das noch. Kannten ja noch nicht einmal das *Wort*. Eine Schande. Und dann… und dann… der Befehl von John Barleycorn…

Hinter Charon begann die Kapelle zu spielen.

Was?

Charon drehte sich ungelenk um, hätte dabei fast das Boot zum Kentern gebracht. *Ja! Endlich. Neuankömmlinge. Fährgäste.* Denn die Kapelle spielte nur, wenn Besucher erwartet wurden. Aber was spielten sie denn da? Irgendeinen neuen Dreck. Ein abscheulicher Krach. Eines Tages würde er zu dieser Insel rudern… und… nun, war ja auch egal. Er drehte sich wieder zum Wald um. Ja! Er konnte hören, wie Zerberus mit seinem Geheul seine verschiedenen hündischen Gliedmaßen zusammenrief. Es wurde jemand erwartet. Viele, viele Obolusse, hoffte Charon. Nicht wie gestern, als er von John Barleycorn höchstpersönlich den Befehl erhalten hatte: Die nächste

Gruppe fährt umsonst. Umsonst! Eine Gratisfahrt! Das war unerhört. Diesmal würde es das *nicht* geben. Diesmal würde Charon bezahlt werden. Er richtete sich extra-gerade auf, um noch größer und hagerer zu erscheinen. Machte eine einschüchternde Miene. Zog noch einmal seinen Kapuzenumhang zurecht. Perfekt!

O bitte, o bitte, o bitte… laß sie an Zerberus vorbeikommen. Laß sie Kuchen aus Mehl und Honig dabeihaben…

Ein Geräusch hinter ihm. Es klang wie…

Nein!

Er drehte sich abermals um, diesmal ein wenig zu schnell. Das Boot schaukelte gefährlich. Was war das? Da war doch etwas auf dem Wasser, etwas im Nebel, etwas wie ein… es klang wie ein… er reckte seinen Kopf nach rechts und nach links, um es besser sehen zu können. Es sah aus wie ein Boot. Wie ein beschissenes Kanu oder so etwas. »He!« brüllte er. »Das hier ist mein See des Todes, verflucht noch mal. Ich habe die alleinigen und verbrieften Exklusivrechte für das Befahren dieses Sees. Verpißt euch von meinem See!«

Das Boot kam unbeirrt näher. Er konnte jetzt sehen, daß es ein Boot war, ein Scheißkanu. Es war schwarz-weiß gestrichen. Schwarze Flecken auf weißem Grund. Und jemand hockte darin, ruderte auf seine Mole zu. Auf *seine* Mole zu, um das noch mal ganz klar zu sagen. »Ihr werdet hier nicht anlanden!« donnerte er. Und dann erkannte er, wer der einsame Ruderer war. Dieses Mädchen! Von gestern morgen. Die, die ganz nackt und mit Stadtplänen tätowiert gewesen war. Das war zuviel. Schlichtweg zuviel. Sie machte hier eine Rückfahrt? Niemand machte eine…

»Hallo, Charon«, begrüßte ihn das Mädchen, als sie mit ihrem Boot an der anderen Seite seiner Mole anlegte. »Helfen Sie mir doch mal.«

Was? Kam gar nicht in Frage, daß er ihr half. Sollte sie doch ins Wasser fallen, ihm war das egal. Aber sie war bereits auf die Planken gesprungen und jetzt…

Heiliger Tod!

Das Boot *kletterte* aus dem Wasser. Die beiden Ruder waren klappernd auf die Mole gefallen. Charon sah verblüfft zu, wie den Rudern hölzerne Finger sprossen, Zweige mit Krallen! Dem Deck wuchsen große, kräftige Hände aus Holz, klammerten sich an die Planken, hievten einen stämmigen Körper an Land. Es war der Körper dieses Scheißhundes von gestern morgen, der da aus dem Rumpf des Bootes hervorbrach. Das war jetzt aber wirklich zuviel, und der Fährmann wich zurück, als Coyote ihm sein grinsendes, geflecktes Gesicht entgegenreckte. »Einen netten See haben Sie da, Charon«, meinte der Hund. »Klasse Fahrt.« Und dann ein kräftiger Schubs von einer gefleckten Pfote, und der Fährmann kippte seitlings ins Wasser.

Ein kleiner Obolusbeutel versank im Schlamm…

Zeit bewegte sich durch einen Kiefernwald.

Und dann kauerte Zerberus auf seiner Lichtung aus Kot, heulte den lachenden Mond an und wandte sich dann nach unten, um die Gruppe anzukläffen, die am Rand seiner Lichtung stand.

»Hier steige ich aus, Belinda«, erklärte Coyote uns.

»Was?«

»Die Fahrt ist zu Ende.«

»Coyote?«

Zerberus schnappte knurrend nach Luft, gepeinigt von einem wirbelnden, sich immer enger zusammenziehenden Wahnsinn in jedem seiner Köpfe. Aber Coyote kümmerte diese Zurschaustellung geifernder Zähne nicht. »Die Zeit ist gekommen, Schätzchen.« Sein duftender Atem blies heiß über Belindas Gesicht. »Der gefleckte Hund ist bereits tot. Ich werde dieses Ungeheuer ersetzen.«

»Aber…«

»Kein *Aber*. Kein *Wenn*. Nur die Straße, der man folgen muß. Kapierst du jetzt? Übernimmst du die Fuhre?«

»Ich hab's begriffen«, antwortete Belinda. »Ich übernehme…«

Und dann ein Kuß von dem blumigen Hund. Leidenschaftlich und voller Verlangen, erfüllt mit dem Geschmack von Minze und Flamme. Und dann trat Coyote hinaus auf die Lichtung. Zerberus stürzte ihm mit feurigen Lefzen entgegen. Woraufhin Coyote dem Hundekopf den gutgemeinten Rat gab, er solle seinen eigenen Kot fressen. Ich konnte nicht hinsehen, Belinda auch nicht. Das Geräusch von Krallen, die sich in Fleisch bohrten, während wir uns eilig in den Wald davonschlichen.

Davon. Weg. Hinein…

In den Wald, wo wir das schwarzglänzende Chassis von Coyotes Taxi zwischen den Bäumen erspähten. Der Mond war dem Stadtplan wohlgesonnen, schien pollenhell herab. Es war jetzt ein leichtes, den Weg zu finden. Immer ganz ruhig weiter, die Augen starr geradeaus, Belindas Körper fest in meinem Shadowgriff. Hinter uns wütendes Gebell. *Mach jetzt keinen Fehler, Tochter. Bitte. Geh weiter.* Eine kühle Brise strich durch die Blätter. Angenehm. Sanft war sie, diese Brise. Schwarzes Taxi war jetzt direkt vor uns. Ich konnte einen Außenspiegel funkeln sehen, der Mond eingefangen in seiner gläsernen Umarmung. Gut so. Keine Probleme. Nur ein paar letzte Schritte durch dieses Unterholz, und dann…

Der Pollenmond im Spiegel verfinsterte sich.

Plötzliche Dunkelheit. Blinde Augen. *Bitte, nein…*

Der Wald umzingelte uns, verwob seine Wurzeln und Äste zu einem undurchdringbaren Netz. Die Sicht auf das Taxi wurde uns genommen. Die Bäume schlossen sich über unseren Köpfen. Der Mond erlosch in Trauer, und die Welt war nur noch eine enge Lichtung in der Mitte eines sich zusammenziehenden Waldes. Die Blätter hingen triefend und bekümmert herab, wie von Regen durchnäßt. Aber es gab keinen Regen in diesem Wald, nur die Nässe, die von Tränen stammen mußte. Der weinende Wald. Und da erkannte ich diesen Schmerz, erkannte, woher er rührte. Es war der Schmerz einer Mutter. Dieser Wald war Persephones Mutter. Demeter…

Und dann sprach sie zu mir, in Worten aus Blättern: »Ich werde das nicht zulassen. Persephone ist mein einziges Kind. Sie ist mein Leben. Sie braucht Luft. Sie muß wieder atmen, den Atem der Erde. Hast du mich verstanden? Kümmert dich das gar nicht? Du nennst dich eine Mutter, und doch läßt du deine Kinder sterben. Wie kann das angehen?«

Die Welt wurde immer kleiner, während die Bäume an uns herankrochen, bis sich scharfe Dornen in Belindas Fleisch bohrten. Schmerz durchzuckte den Shadow.

So sollte es nicht kommen. So hatte ich mir das nicht vorgestellt.

»Belinda?«

Eine Stimme. Eine junge Stimme aus Blumen. Und an einem der Äste sprossen kleine rosafarbene Knospen, dort drüben, gleich neben dem wartenden Taxi. Es war Persephones Stimme. »Belinda, hier entlang, bitte«, sagte sie. Und dann: »Mummy, bitte.« So als wollte sie es allen recht machen. Die rosa Knospen sprangen wie im Zeitraffer auf; rubinrote Blumen wuchsen inmitten der knorrigen Äste von Demeter. Tränende Herzen. »Mummy, bitte, tu es für mich. Ich sterbe, wenn ich in die reale Welt zurückgehe.« Warum half Persephone mir? Warum? Demeters Blätter knisterten im Wind, wurden so golden wie der Mond, so als wäre der Herbst früher gekommen, dann schwebten sie hinab auf den Waldboden, in das Unterholz. Im Fallen verwandelten sie sich in die traurige Stimme einer Mutter. Einer Mutter, die den Wünschen ihrer Tochter nachgab. War dies das Opfer? Leuchtend rote Blumen öffneten sich, bis Belindas Augen von Pollenkörnern überquollen. Belinda *erblühte*, wuchs einfach durch jene Halo aus Blütenblättern in das schwarze Taxi hinein, landete dort. Ich fragte nicht nach dem Warum oder dem Wofür, ich drehte einfach nur den Schlüssel herum, den Coyote in der Zündung hatte stecken lassen. Ein kaltherziges Röcheln des Motors erklang, das sich stotternd im Nichts verlor. Abermals der Schlüssel. *Der Schlüssel, der Schlüssel.* Die Eingeweide des Taxis so träge wie der Tod. Es loderte kein Feuer dort unten in den schwarzen Gedärmen. Keinen Weg nach Hause. Ich drehte den Schlüssel um, drehte ihn wieder um…

Ein kaltes Schaudern. Ein toter Motor. Durch die Windschutzscheibe sah ich, daß sich die Motorhaube ganz eingedrückt und zertrümmert im Stamm der Eiche verkeilt hatte. Kaputt. Keine Chance mit dem schwarzen Taxi, kein Weg zurück. Meine Fäuste hämmerten auf das Lenkrad, so als ob ich mit dieser Methode das Taxi zum Leben erwecken könnte. Himmel, ich hatte eine tote Tochter wiederbelebt, wieso gelang es mir dann nicht, ein totes Taxi zu starten?

»Laß es mich mal versuchen.« Eine Stimme vom Sitz neben mir. Und als ich mich umdrehte…

John Barleycorn saß auf dem Beifahrersitz, in der einen Hand den schwarzen Dodokäfer, während die rußigen Finger der anderen Hand den Autoschlüssel herumdrehten. »Ich denke, ich schaffe es«, verkündete er.

Sein Haar tanzte, schlängelte sich durch das Taxi, berührte mein Gesicht mit leisem Wispern. Ich sah nun deutlich, daß sein Haar aus einem dichten Fliegenschwarm bestand, aber ihre Berührung ekelte mich nicht; ich fand in ihren weichen Flügeln den zärtlichen Kuß schmerzlicher Liebe.

»Warum helfen Sie uns?« fragte ich ihn. »Sie haben Persephone und Coyote einen Weg für uns finden lassen. Warum? Es ist nicht lange her, da wollten Sie mich noch töten.«

Das Warum und das Wofür eines knapp verfehlten Todes.

»Du wirst schon noch dahinterkommen«, erwiderte Barleycorn. »Wechselkurse, Sibyl. Die alte Straße ist für mein Sperma gesperrt. Dies ist mein neuer Weg in eure Welt.«

»Sie haben Juwel genommen«, sagte ich. »Was geben Sie im Gegenzug?«

»Im alten Afrika gab es eine Federgeschichte über einen jungen Krieger, der die Tochter des Stammeshäuptlings zur Frau nehmen wollte. Der Häuptling erklärte dem Krieger, daß er zuerst einen Löwen mit bloßen Händen töten müßte, bevor er die Tochter bekommen würde.«

»Was erzählen Sie denn da?«

»Der Schnupfen ist der Löwe. Du wirst schon noch dahinterkommen.« Dieselbe dumme Antwort. »Du hast dich als würdig erwiesen. Fahr weiter.«

»Was?«

»Auf geht's…«

Während der Motor des schwarzen Taxis stotternd zum Leben erwachte, beugte John Barleycorn sich herüber und küßte mich. Jener Kuß barg tausend Aromen. Tod und Leben und grüne Federn, alle miteinander vermischt.

Plötzlich ein Geräusch, von der Fahrgastkabine des Taxis her. »Was, zum Henker, geht denn hier ab, Barleycorn?«

Barleycorn löste sich aus dem Kuß und wandte sich mit einem Ruck zu dem neuen Fahrgast. »Du kommst recht spät, mein Freund«, bemerkte er.

Ich drehte mich ebenfalls herum, um zu sehen, wer da war.

Columbus…

»Du hast mir einen neuen Stadtplan versprochen, Barleycorn«, erklärte Columbus. »Und jetzt willst du plötzlich den Schnupfen aufhalten.«

»Sei nicht böse, Columbus«, war Barleycorns Antwort.

»Sei nicht böse? Ich habe mein ganzes Leben auf diesen Moment hingearbeitet, und jetzt sagst du mir, ich soll nicht böse sein? Ich bin noch nicht mit dem neuen Stadtplan fertig. Vielleicht hast du vergessen, welche Macht ich habe, Barleycorn. Ich kontrolliere die Wege zwischen den Welten. Und es kommt gar nicht in Frage, daß dieses Mädchen in die Realität zurückkehrt.«

»Ich brauche diese Frau, sie muß mir helfen, meine neue Welt erstehen zu lassen.«

Columbus lachte. »Diese Straße ist gesperrt.« Und dann: »Was ist das für ein Geräusch?«

Ich hörte es ebenfalls, ein leises Zischen in der Luft, das aus allen Richtungen zu kommen schien.

»Barleycorn, nein!« schrie Columbus. »Tu mir das nicht an.«

Und dann zersplitterten alle Fenster des schwarzen Taxis, als vier Kugeln mit Hochgeschwindigkeit auf ein gemeinsames Ziel zuflogen. Alle vier bohrten sich in Columbus' Schädel, in seinen Norden, Süden, Osten und Westen.

Er schrie abermals, und dann explodierte sein Kopf. Verwandelte sich in eine Dornenkrone. Blut und Stadtplanfetzen spritzten durch das schwarze Taxi.

»So geht's, Columbus«, flüsterte John Barleycorn. »Die Kugeln sind heimgekehrt. Das ist das Ende deiner Geschichte. Ein vortreffliches Ende!«

»Haben Sie das geschehen lassen, Barleycorn?« fragte ich.

»Aber, aber, man müßte schon ein sehr mächtiges Geschöpf sein, um so etwas geschehen zu lassen. Wofür hältst du mich denn?« Dann lachte er und beugte sich dichter zu mir. »Komm mich doch mal besuchen, Sibyl.«

»Was ist mit Juwel? Und Coyote? Werden sie überleben?«

»Das werden sie. Und wenn du bereit bist, wirst auch du überleben. Freier Eintritt. Ein Schluck Wein. Hast du verstanden?«

»Gib mir das Insekt zurück.«

John Barleycorn schob mir den Dodokäfer zwischen die Lippen. Ich schluckte ihn herunter.

Und war wieder traumlos. Das Flattern in meinem Bauch. Ich war dankbar dafür.

Der Kampf war zu Ende.

Das Taxi bewegte sich unter Belindas Kommando ins Leere. John Barleycorn verschwand vom Beifahrersitz. Nur der heiße Atem seines dunkellippigen Mundes blieb zurück. Ich sah ein letztes Mal zum Wald hinüber. Der Mond war ein schimmernder Tropfen Pollen, und die schwarzen Blätter stürmten rauschend gegen den Rand des Gartens, der von den steinernen Säulen mit ihren Zwillingsengeln, dem Knaben und dem Hund, markiert wurde. *O Gott!* Endlich drang die Botschaft zu mir durch: Wechselkurse.

Natürlich… Belinda hatte *zwei* Liebhaber gehabt.

Himmel! Wie sollte ich damit fertig werden? Wie sollte Belinda damit fertig werden?

Mein Blick fiel auf eine Schachtel Napalms auf dem Armaturenbrett. Ich steckte mir eine in den Mund, zündete sie an, las den Hinweis auf der Packung: RAUCHEN IST NICHT GUT FÜR SCHWANGERE FRAUEN, ICH WIEDERHOLE, NICHT GUT – DIE MUTIERTE TOCHTER SEINER MAJESTÄT.

Nun ja, ein letzter Zug. Schwarzes Taxi fährt nach Hause…

Zu Hause. Manchester. Der neue Stadtplan wurde wieder zum alten, während ich rückwärts reiste. Der Schnupfen fand an den Ufern der Liebe seine letzte Ruhe. Das schwarze Taxi fuhr auf den St. Ann's Square, wo die Leute bereits ausgelassen tanzten, weil der Schnupfen nachließ. Roberman parkte dort, beinahe so, als würde er auf meine Rückkehr warten.

Ich stieg in Belindas Körper aus dem Taxi und fiel in die Arme des Robohundfahrers.

»Belinda, du hast es geschafft!« bellte Roberman über den Shadow.

»Ja«, seufzte Belinda. »Wir haben es geschafft.«

Montag
28. August

Wacht auf, Häftlinge! Ganz genau, ihr habt es schon erraten. Hier ist Radio Strangeways YaYa. In der lebenden Welt ist es 4 Uhr früh an einem trostlosen Augustmorgen, und ganz Manchester schläft. Für uns Gesetzlose ist es hingegen leider an der Zeit, unsere verschwitzten Betten zu verlassen. Begrüßt den neuen Morgen! Hier spricht Doktor Gumbo höchstpersönlich, live aus der fedrigen Schaltzentrale. Es ist Zeit für ein bißchen Frühsport. Runter in die Hoffeder, alle Mann. Im Laufschritt. Leute, ihr glaubt gar nicht, welchen Spaß ich hier habe! Wanita-Wanita, komm mal her. O bitte, hört auf zu jammern, ihr Sträflinge. Wir sind hier im Vurt. Alle für immer vereint, in der Feder. Der Pollenstand ist runter auf traurige 29, Tendenz weiter fallend. Die erste Scheibe des heutigen Tages ist Chief Inspector Kracker drüben in Traumzelle Nummer neun gewidmet. Das Stück ist von The Move und heißt ›I Can Hear the Grass Grow‹. Reckt und streckt euch, ihr Vurtvögel. Mögen euch die Blumen der Liebe besuchen. Am Besuchstag. Da könnt ihr aber lange warten, es gibt hier nämlich gar keinen Besuchstag. Hahahahaha!«

Der Herbst kam früh in jenem Jahr. Schon Ende August hatten die meisten Bäume ihre Blätter verloren, und der Boden war hart und brüchig vom Frost. Um 12 Uhr 30 entschied Inspector Zulu Clegg, daß es Zeit für die Mittagspause wäre, und so verließ er seinen Schreibtisch im Bottle-Street-Revier. Er trat hinaus in die kalte Luft, kaufte sich ein Roastbeefsandwich und eine Zeitung und setzte sich dann auf eine der Bänke am Albert Square.

Er war der einzige dort, offensichtlich war es den anderen, die sonst gewöhnlich zur Mittagspausenzeit hierherkamen, zu kalt.

Auf halbem Wege durch sein Sandwich, während sein Verstand gerade mitten in einem Artikel darüber, welchen Erfolg die neuen

Safecabs hatten, einnickte, hörte er plötzlich Schritte, die sich knackend über den frostigen Boden näherten. Die Person nahm neben ihm auf der Bank Platz, und als Clegg sich umdrehte, bemerkte er, daß es eine junge Frau war.

Sie schaut ihn lächelnd an.

Clegg ignoriert sie und wendet sich wieder seiner Zeitung zu.

»Sie sind Inspector Clegg, stimmt's?« fragt die Frau.

Clegg läßt seine Zeitung sinken. »Kennen wir uns?« fragt er, ohne sich umzudrehen.

»Das hoffe ich doch«, erwidert die Frau. »Sie haben einmal versucht, mich umzubringen.«

»Ach ja?« Clegg hat seine Waffe im Laufe der Zeit auf viele Leute gerichtet, und sich an jeden zu erinnern war schwer, besonders seit dem Schnupfen. »Was ist schiefgegangen? Habe ich danebengeschossen?«

»Nein, ich habe zuerst geschossen und Sie getroffen.«

»Oh.«

»In die Schulter.«

Clegg drehte sich um und mustert die Frau. »Sibyl…«

»Ihre Tochter.«

»Natürlich… ähm…«

»Belinda.«

»Genau. Belinda. Mein Gedächtnis ist nicht mehr sonderlich gut. Tut mir leid.«

»Das muß es nicht. Wir sind uns ja nur einmal begegnet. Und damals hatte ich noch einen kahlgeschorenen Kopf.«

»Nein. Nein. Das meine ich nicht…«

»Oh, es tut Ihnen leid, daß Sie versucht haben, mich zu töten? Das war Ihr Job.«

»Ich meine, das mit Sibyl tut mir leid. Ihre Mutter… sie…«

»Ja.«

»Sie war eine gute Frau… ich meine… ein guter Cop.«

»Sie war beides.«

»Ich war sehr traurig, als ich hörte, daß sie…«

»Selbstmord begangen hat.«

»Ja. Ich litt damals an dem Schnupfen. Ich wünschte nur, ich hätte etwas tun können.«

»Meine Mutter war glücklich mit ihrem Leben. Sie hatte alles getan, was sie konnte. Ich denke, das genügte ihr.«

Clegg wendet den Blick von der Frau ab. Eins der neuen Safecabs fährt auf der Straße vorbei, seine mattgrüne Lackierung beschmiert mit Eismatsch. Die Frau fragt ihn, wie es ihm geht, und er erwidert, daß es ihm gut gehe, wirklich gut, ein Schreibtischjob, der, nun, der zwar ein wenig langweilig wäre, um ehrlich zu sein, aber ansonsten sei alles bestens, wirklich bestens…

»Ich bin schwanger«, bemerkt die Frau. »Zwillinge.«

Clegg ist mit einem Mal verlegen, und er weiß nicht, warum. Er schaut wieder zu der Frau, betrachtet ihr Gesicht eingehend, sucht in den Zügen nach Spuren ihrer Mutter. Findet aber nur eine geringe Ähnlichkeit, abgesehen von…

»Sie haben die Augen Ihrer Mutter«, stellt er schließlich fest, und Belinda schmunzelt.

»Sie haben sie geliebt, nicht wahr?« fragt sie. »Sie haben meine Mutter geliebt.«

Es dauert eine Ewigkeit zu antworten. »Ja. Ja, das habe ich. Sehr sogar.«

»Vielen Dank.«

»Sie bedanken sich bei mir?«

»Nun, ich will Sie nicht länger aufhalten.« Belinda erhebt sich.

»Sie haben recht.« Clegg steht ebenfalls auf. »Ich sollte wieder zurück aufs Revier gehen. Der Schreibtisch… wartet.«

Abermals verlegen, besonders davon, wie hoch er über ihr aufragt, möchte Clegg am liebsten weglaufen, aber da ist der unvermittelte Drang, diese Frau zu berühren, sie in seine Arme zu nehmen.

Belinda erspart ihm die Mühe, indem sie sanft seine Schulter berührt. Seine rechte Schulter. Wo sie ihn vor so vielen Monaten verwundet hat.

Clegg kehrt ihr den Rücken zu und setzt sich in Richtung Revier in Bewegung. Auf halbem Wege über den Platz ruft die Frau ihm hinterher. Zumindest meint er, daß sie gerufen hat; es klang so, als würde ihm das Wort einfach in den Sinn kommen. »Zero…«

Zero? Niemand nennt ihn noch Zero, nicht seit… nicht seit Sibyl Jones…

Er bleibt stehen, dreht sich um. Die junge Frau steht noch immer neben der Bank und lächelt. »Passen Sie auf sich auf«, sagt sie. Clegg sieht nicht, wie sich ihre Lippen bewegen, aber vielleicht ist das nur ein zurückgebliebenes Symptom des Schnupfens.

Er dreht sich wieder um und stapft über den Frost zurück zu seinem Schreibtisch, in der einen Hand seine Zeitung, in der anderen ein halb gegessenes Sandwich.

GOLDMANN

Das Gesamtverzeichnis aller lieferbaren Titel erhalten Sie
im Buchhandel oder direkt beim Verlag

★

Taschenbuch-Bestseller zu Taschenbuchpreisen
– Monat für Monat interessante und fesselnde Titel –

★

Literatur deutschsprachiger und internationaler Autoren

★

Unterhaltung, Kriminalromane, Thriller
und Historische Romane

★

Aktuelle Sachbücher, Ratgeber, Handbücher und
Nachschlagewerke

★

Bücher zu Politik, Gesellschaft, Naturwissenschaft und Umwelt

★

Das Neueste aus den Bereichen
Esoterik, Persönliches Wachstum und Ganzheitliches Heilen

★

Klassiker mit Anmerkungen, Anthologien und Lesebücher

★

Kalender und Popbiographien

★

Die ganze Welt des Taschenbuchs

★

Goldmann Verlag • Neumarkter Str. 18 • 81673 München

Bitte senden Sie mir das neue kostenlose Gesamtverzeichnis

Name: _____

Straße: _____

PLZ / Ort: _____